P9-CLG-300

Collection dirigée par Glenn Tavennec

DU MÊME AUTEUR

La saga *Tara Duncan*

Tara Duncan. Les Sortceliers, Le Seuil, 2003
(Pocket jeunesse, 2007).
Tara Duncan. Le Livre interdit, Le Seuil, 2004
(Pocket Jeunesse, 2007).
Tara Duncan. Le Sceptre maudit, Flammarion, 2005.
Tara Duncan. Le Dragon renégat, Flammarion, 2006.
Tara Duncan. Le Continent interdit, Flammarion, 2007.
Tara Duncan dans le piège de Magister, XO Éditions, 2008
(Pocket Jeunesse, 2009).
Tara Duncan et l'invasion fantôme, XO Éditions, 2009.
Tara Duncan. L'impératrice maléfique, XO Éditions, 2010.
Tara Duncan contre la Reine Noire, XO Éditions, 2011.

La série *Indiana Teller*

Indiana Teller. Lune de printemps, Michel Lafon, 2011.

DU MÊME AUTEUR
chez le même éditeur

La Danse des obèses, 2008 (Pocket, 2010).

SOPHIE AUDOUIN-MAMIKONIAN

LA COULEUR DE L'AME DES ANGES

roman

L'AUTEUR

Avec la saga *Tara Duncan*, Sophie Audouin-Mamikonian est devenue l'auteur de littérature fantasy et fantastique pour adolescents la plus lue en France. Sa deuxième série jeunesse, *Indiana Teller*, explore le mythe des loups-garous et celui du voyage dans le temps. Elle a par ailleurs aussi écrit une série pour enfants, *Clara Chocolat*, et publié un thriller pour adultes, *La Danse des obèses.*

La Couleur de l'âme des Anges est son premier roman pour adolescents et jeunes adultes, et le premier volet d'une duologie.

ISBN 978-2-221-12702-5

LA BRUME ET SES COULEURS

Sentiments positifs des vivants

Cristal bleuté pour la loyauté
Blanc pour la satisfaction, le sentiment de plénitude
Gris argent pour la compassion, l'empathie
Bleu clair pour la joie
Bleu turquoise pour le désir sain
Bleu foncé pour l'amour
Violet clair pour le bonheur
Violet foncé pour l'excitation positive
Doré pour la victoire, l'accomplissement parfait

Sentiments négatifs des vivants

Vert pour la jalousie
Jaune pour l'envie
Rose clair pour l'agacement, le début de la colère
ou du désir malsain
Rose foncé pour l'excitation malsaine
Rouge clair pour la colère
Rouge foncé pour la colère malsaine
Orange pour la revanche, la vengeance
Marron clair pour la tristesse, la peur légère et la culpabilité
Marron foncé pour la peur intense et la tristesse profonde
Noir pour le meurtre ou les désirs pervers

À mon mari Philippe, mes deux filles, Diane et Marine,
à France ma mère et Cécile ma sœur,
vous êtes mon sang, vous êtes mon cœur,
vous êtes mon âme, vous êtes à moi…

1

Le goût de la mort

Jeremy venait de mourir.

Décapité par un samouraï.

À New York, au XXIe siècle.

Suffocant, vacillant, il se tenait au-dessus de son corps. Jeremy passait pour un jeune homme plutôt courageux. Mais jamais il n'avait eu aussi peur de sa vie. Une peur transcendantale, primaire, absolue.

Jeremy sursauta lorsqu'une voix joyeuse et masculine retentit derrière lui.

— Salut mon Ange ! Bienvenue chez les morts !

Et c'est à ce moment précis qu'il avait réalisé. Hébété, il ignora l'inconnu et reporta son attention sur son cadavre. Le sang gouttait en un petit ruisseau paresseux. Une flaque se formait déjà, gelant sur le trottoir, comme une grosse glace à la groseille. Ce fut absurde, mais, l'espace d'un instant, cela lui donna faim. Puis la sensation s'adoucit, sans disparaître totalement.

Il tenta de se souvenir de ce qui s'était passé.

Dans la soirée, il venait d'être interviewé par une grande chaîne de télévision et rentrait tranquillement chez lui. Très jeune financier de vingt-trois ans, petit génie d'origine française émigré à New York, le bac à quatorze ans, l'université à quinze, la première thèse d'équation adaptée aux fluctuations des marchés à dix-huit... Selon ses ennemis comme ses amis, il était une vraie star dans sa partie. Il faisait très souvent la une des journaux et les spécialistes louaient son étonnante intuition. Son surnom : le nouveau Warren Buffett.

Jeremy habitait près du mythique hôtel *The Pierre,* dont l'entrée, face à Central Park, était presque voisine de la sienne, ce qui lui garantissait une certaine sécurité, du fait des constantes allées et venues. Pourtant, cette nuit, cette partie de la Cinquième Avenue était déserte et sombre car, curieusement, plusieurs ampoules des très hauts réverbères blancs semblaient brisées. Il était presque minuit. Imprudent, le jeune homme ne se tenait pas du côté des immeubles, mais flânait comme à son habitude en lisière de l'immense parc, respirant avec délice les odeurs fraîches des grands arbres. Il était presque arrivé lorsque...

Une fille. Il y avait eu une fille. Jolie, blonde. Effrayée.

Elle s'était approchée, forme floue dans le noir, un petit rectangle blanc à la main. Et c'est à cet instant qu'il avait senti comme un grand choc au niveau de son cou et une incroyable douleur. Sa tête était tombée. Avant son corps.

Ses yeux presque immédiatement aveugles avaient cependant eu le temps d'entrevoir la lame d'un long sabre passer devant lui. La fille aussi d'ailleurs. Elle avait hurlé. L'assassin s'était précipité et, dans le noir, avait trébuché sur la tête de Jeremy, l'envoyant bouler dans le caniveau. Cela avait laissé quelques secondes à la proie pour s'enfuir.

Ensuite il était *vraiment* mort. Une fois passé de l'*autre côté*, incapable de comprendre ce qui était en train de se dérouler, il n'avait pu qu'assister, choqué, à la suite. Une voiture de police s'était aventurée dans la rue à ce moment-là et l'assassin avait juré tout bas. Il s'était fondu dans l'ombre du parc comme un mauvais dessin qu'on efface. Jeremy avait juste aperçu la longue robe de samouraï, portée par-dessus un élégant complet noir, que l'homme avait retirée avant de s'enfuir. Et le visage vaguement asiatique, métissé, à la longue moustache noire tombante, aux yeux brûlants de haine. Curieusement, un nom lui vint à l'esprit. Gengis Khan. L'homme avait les traits acérés des Mongols qui, au XIIIe siècle, avaient ravagé la moitié du monde.

À présent Jeremy était pétrifié, incapable d'agir, de réfléchir. Il regarda autour de lui. L'avenue était désormais incroyablement lumineuse. Tout scintillait d'une sorte d'aura. Il grimaça, la lumière était beaucoup trop forte, les sons aussi. Comme si, débarrassés de la chair, les yeux et les oreilles de l'âme percevaient les choses de manière plus aiguisée.

Terrifié, il se retourna vers le… le quoi d'ailleurs ? L'autre Ange ?

— Mmmppfmmgmggglmm, fit-il, une bouillie inaudible de sons sortant de sa gorge.

— Ah, dit l'homme d'un ton léger, alors que Jeremy se taisait brusquement, horrifié. Ne t'inquiète pas. Tu n'as plus d'air dans les poumons, laisse-leur le temps de réapprendre à respirer. Il faut que tu formes les mots dans ta bouche sans souffler. Ils sortiront automatiquement, tu verras, c'est facile une fois qu'on a compris le truc.

Les yeux écarquillés, Jeremy obéit. Non sans mal.

— Qu'èche-ce gui… qu'est-ce qui s'est passé ?

L'autre avait tort, cela n'avait rien de facile.

— Hmm, j'ai une bonne et une mauvaise nouvelle pour toi, annonça l'inconnu.

Jeremy eut un regard vide, imperméable à tout humour.

— Oh, je vois que tu es encore sous le choc… Alors, pour faire court, je passais dans les parages, lorsque j'ai vu que tu allais te faire trancher la tête. J'ai donc décidé d'attendre. C'est assez traumatisant comme mort, il fallait bien que quelqu'un t'explique. Comme je m'y attendais, tu as été tué. D'une façon très originale d'ailleurs, n'avais pas vu ça depuis longtemps, moi. Je t'annonce officiellement que tu es mort.

— Et ch'est… c'est quoi la bonne nouvelle ? finit par demander Jeremy, avec peine.

— *C'était* la bonne nouvelle. La mauvaise, c'est que tu n'es pas seul.

Il désigna la foule tout autour d'eux et soudain Jeremy prit conscience qu'il y avait des milliers de gens, de fantômes, d'Anges, ou quel que soit le nom qu'ils se donnaient, dans la rue. Ils marchaient, riaient, pleuraient, couraient, sautaient… volaient en un vrai capharnaüm.

Le plus étrange était leurs couleurs. Certains arboraient un beau violet profond, semblable à celui d'un ciel d'été juste avant le crépuscule. D'autres, un rouge si violent qu'il faisait mal aux yeux. Entre les deux, toutes les gammes de bleu, allant du plus clair au plus foncé, et de rouge, du blanc rosé des vivants en passant par l'orange feu. Son interlocuteur était bleu. Pris d'un doute, il regarda sa propre peau. Ah, elle était légèrement teintée de bleu clair, avec quelques traces de rose et un peu d'orange.

Jeremy redressa la tête. Le monde aussi était différent. Au-dessus des immeubles endormis, où que son regard se porte, il voyait des sortes de fumées blanches ou colorées qui s'échappaient. Et, tout autour, des silhouettes se pressaient, comme si elles se réchauffaient, dansant des pavanes compliquées avec les vapeurs.

Le tout scintillait et pulsait, tel un immense cœur battant à un rythme lent. Et, de nouveau, il fut frappé par le fait que sa vision était incroyablement claire. Alors qu'il faisait nuit, il distinguait tous les détails des buildings de Broadway situés à plusieurs kilomètres, comme s'ils se trouvaient juste devant lui !

Sentant qu'il était resté bouche bée, il la referma.

— Oui, ricana son interlocuteur, je sais que ça surprend. Alors voyons les règles de base. Sais-tu combien d'humains sont morts depuis que nous avons fait notre apparition sur Terre ?

N'osant se fier à sa voix, Jeremy hocha la tête négativement.

— Environ quatre-vingts milliards si on compte aussi les protohumains, Neandertal *and co.* Ça fait beaucoup de monde. Mais nous ne sommes pas si nombreux que ça ici. Je dirais que nous sommes à peu près autant qu'il y a d'humains sur Terre. Six petits milliards et demi. Pour ma part, je suis passé en 451 après J.-C.

— Passé ?

— Oui, c'est comme ça que nous appelons notre arrivée ici. Le passage. Et quand on se présente, on dit : « Bonjour, je m'appelle Decarus Pompee, mais appelle-moi plutôt Flint, passage, 451 après J.-C. » Ça nous permet de situer les gens. Et toi ?

— Jeremy. Passage, euh, maintenant.

Flint sourit et lui tendit une main amicale.

Machinalement, Jeremy la saisit. Elle paraissait bien vivante, cette main qui serrait la sienne. Il sentait l'ossature bouger sous ses doigts. Soudain, il se raccrocha à Flint comme si sa vie en dépendait.

— Holà, fit Flint, un petit coup de spleen ? Allons, allons, ça va passer.

Des larmes se mirent soudain à couler des yeux de Jeremy et ses genoux mollirent. Toujours accroché à la main de Flint, il se laissa tomber par terre. Flint n'eut pas le choix, il dut accompagner le mouvement. Il attendit un moment, absorbant l'effroi du jeune homme pour le calmer.

— Euh, finit-il par dire, est-ce que je pourrais récupérer ma main, s'il te plaît ?

Mais Jeremy était au-delà de la peur, dans la contrée anéantissante de la terreur absolue. La main de Flint était la seule chose qui lui parût réelle. Il refusait l'idée même de la lâcher.

— Pourquoi ? finit-il par balbutier, pourquoi ? Je suis trop jeune, ce n'est pas normal, je n'aurais pas dû mourir !

— Tu *étais* jeune. Et d'ailleurs tu vas le rester pour l'éternité. Tu verrais l'état dans lequel arrive la majorité des morts, crois-moi, tu devrais t'estimer heureux d'être passé à ton âge !

Jeremy voulut s'essuyer le visage, s'aperçut qu'il avait une main dans sa main, et finit par lâcher Flint, au grand soulagement de ce dernier.

— Je… je pleure ? hoqueta Jeremy.

— Oui, on peut faire des tas de choses. Dont pleurer.

— Des larmes ? répéta Jeremy, bloqué.

Mystérieusement, il ne pouvait pas imaginer que les morts puissent pleurer. Pourtant ils avaient une bonne raison !

Flint soupira et lui tendit un mouchoir.

— Prends-le, j'en ferai un autre.

— Merci, répondit Jeremy, encore en pilotage automatique.

Jeremy se moucha. Il inspira et expira profondément plusieurs fois, ce qui finit par lui rendre l'usage de son cerveau.

— Comment ? lâcha-t-il, incrédule, en observant le tissu replié.

— Nous sommes des Anges !

Jeremy ferma les yeux un court instant. Il sentit revenir la peur et le vertige, et dut batailler pour se ressaisir. Son « comment » appelait une réponse globale, celle de ce Flint lui semblait trop sibylline.

— Des Anges. Qui peuvent pleurer. Utiliser des mouchoirs. Et ?

— Et nous possédons quelques pouvoirs. Les plus vieux peuvent créer deux trois trucs. Le souci, c'est que ça ne dure pas très longtemps. J'ai ce mouchoir depuis un bon moment, je te conseille de le poser.

Jeremy obéit. Le mouchoir se froissa, puis disparut. Laissant une légère trace derrière lui. Qui finit par s'estomper.

Le regard de Jeremy se fit une nouvelle fois absent. Flint soupira. Lui-même ne saisissait pas encore toutes les règles de l'univers étrange dans lequel il évoluait depuis des centaines d'années.

— Seuls les vivants passent…, enfin, seuls les gens qui meurent passent dans cette dimension. C'est d'ailleurs la raison pour laquelle tu es nu.

— Quoi ?

Le choc avait été si violent qu'il n'avait pas du tout réalisé qu'il ne portait aucun habit. Il se recroquevilla aussitôt sur lui-même.

— Ne bouge pas, lui conseilla Flint, je reviens tout de suite. Et surtout ne laisse personne s'approcher de toi, cela peut être dangereux.

Avant que Jeremy ait le temps de crier qu'il ne voulait pas que Flint le laisse, l'homme se dirigea vers les brumes scintillantes qui émanaient des maisons et des immeubles.

Soudain, alors qu'il n'osait pas se mettre debout, son esprit intégra le mot que Flint venait d'utiliser. « Dangereux » ? Comment ça, *dangereux* ? Qu'est-ce qui pouvait être plus dangereux que mourir ?

Frissonnant, il détourna son attention de Flint, pour observer les Anges qui dansaient devant et au-dessus de lui. L'un d'eux, d'un rouge si éclatant qu'il ressemblait à un petit soleil en fusion, écarta les autres et se mit à avaler la fumée tout aussi rouge qui sortait d'un des immeubles. Il esquissa un sourire ravi, puis son visage se crispa. Tous les autres Anges s'écartèrent alors précipitamment. L'Ange leva la tête et se mit à hurler. Il y eut un « plop ! » comme si on débouchait une bouteille géante, et il disparut ! Perplexe, Jeremy scruta l'endroit où il se trouvait encore quelques secondes auparavant. Non, il n'avait pas rêvé, l'Ange s'était bel et bien évaporé. Et vu la douleur qu'il avait semblé ressentir, il ne l'avait pas fait de manière volontaire.

Flint revint. Il portait dans ses bras un élégant ensemble, des sous-vêtements, une chemise et des chaussures.

— J'ai dû utiliser de la *Brume* pour créer ces vêtements. Mais ils disparaîtront assez rapidement, alors tu devras trouver un autre vieil Ange pour t'en refaire, sinon tu devras te balader tout nu…

Maintenant qu'il le soulignait, Jeremy constata qu'un grand nombre d'Anges étaient nus. Et paraissaient s'en accommoder. Il fit la grimace, puis prit les vêtements. Il s'habilla en vitesse, reconnaissant. Les tissus, d'une étrange texture, étaient chauds. Il se sentit vaguement mal à l'aise, mais cessa d'y penser dès que Flint reprit la parole.

— Je n'avais pas assez de Brume sur moi, alors je suis allé en chercher pour te créer un costume. J'ai vu que tu étais habillé comme ça avant ton passage, mais, bien sûr, tu pourras demander à d'autres de t'aider ou de te créer des tas de vêtements. Puis tu pourras t'en charger tout seul d'ici quelques années. Pas mal d'entre nous portent juste un pagne ou une toge. Simple. Pratique. La température est constante ici. D'ailleurs, à mon avis, tu seras plus à l'aise avec moins de vêtements, mais bon, je sais que cela rassure les Angelots.

— Les Angelots ?

Bizarre, pour Jeremy, un Angelot était un petit Ange potelé et nu, avec des fesses roses et un sourire malicieux.

— Oui, c'est comme cela que nous appelons les Nouveaux.

Le jeune homme ajusta sa veste un peu grande et observa son interlocuteur.

Flint était grand et brun, avec des yeux d'un gris incroyablement lumineux, presque dérangeant. Il devait avoir à peu près son âge... Très bien conservé pour un homme qui allait bientôt avoir mille cinq cent soixante ans ! Élégant, souriant, il semblait satisfait de pouvoir venir en aide au nouveau venu. Et il se dégageait de lui quelque chose de très puissant, un charisme presque palpable qui donnait envie de lui faire confiance, de lui obéir.

Jeremy frissonna face à cette puissante personnalité. Il résista, reprenant lentement ses esprits. Il savait que, dans le monde des affaires, univers totalement impitoyable, personne ne fait rien pour rien. Mais il se garda de laisser paraître sa méfiance. Il releva vers Flint un visage lisse.

— Merci de m'aider, Flint. Sans vous, je ne sais pas ce que j'aurais fait.

Flint grimaça.

— J'ai vu certains Anges perdre la tête, enfin, pas comme toi, hein, d'une façon littérale, après leur désincarnation, et crois-moi, ce n'est pas beau à voir. Depuis, dès qu'un mort arrive, si je suis dans les parages, je l'aide, c'est la moindre des choses. La majorité d'entre nous le fait. C'est une renaissance. Tu es un nouveau-né, tu viens d'atterrir dans un nouveau monde, tu as peur et tu es perdu. C'est normal de donner un coup de main. Tu le feras toi aussi un jour.

Il regarda Jeremy, qui avait l'air dubitatif, et précisa :

— Enfin, lorsque tu auras digéré ce qui vient de t'arriver.

Jeremy sourit. Les Anges avaient donc de l'humour ? Ils pouvaient pleurer leur mort, mais aussi rire de leur renaissance. Il eut l'impression que ses neurones se reconnectaient avec un petit « clic » presque audible.

—Je me sens beaucoup mieux maintenant, merci, merci beaucoup. Puis-je poser quelques quest...

Flint l'interrompit en levant un doigt :

— Tu veux savoir pourquoi tu es de cette couleur et les autres aussi. Ensuite, tu veux savoir ce que tu fais ici. Enfin, tu veux savoir ce que tu dois faire. Les réponses sont : tout d'abord, cette couleur reflète ce que tu es. Tu penches vers les sentiments positifs, le bonheur, la joie, ton âme est bleue, ces quelques touches de rose révèlent une certaine forme de mesquinerie et l'orange montre la volonté d'anéantir tes adversaires. Rien de bien grave. Ceux d'entre nous qui sont rouges sont souvent violents, voire meurtriers, évite de t'en approcher. En ce qui concerne ta deuxième question, la réponse est : je n'en sais rien. Nous sommes tous logés à la même enseigne. Nous sommes là et c'est tout. Quant à ta dernière interrogation, la réponse est : survivre. Si tu ne te nourris pas, tu feras ce que des milliards d'autres ont fait avant toi. Tu disparaîtras.

Jeremy sursauta.

— Comment ?

— Les Anges les plus vieux, les plus fatigués, les plus désespérés se laissent dépérir. Ils deviennent de plus en plus transparents jusqu'à disparaître. Et ne me demande pas où ils vont, je n'en ai aucune idée.

— Tu as parlé de me… nourrir ? Mais je suis un fantôme !

— D'abord tu n'es pas un fantôme, tu es un Ange. Ensuite tout être doit se nourrir, répondit Flint. Nous ne faisons pas exception à la règle.

— Et qu'est-ce que nous devons manger ?

— Oh, c'est très simple, assura Flint d'un air carnassier. Nous nous nourrissons des êtres humains !

2

Le goût des sentiments

Jeremy recula brusquement, horrifié.

— Quoi ? Vous êtes cannibales ?

Flint éclata de rire. Les Angelots avaient toujours cette réaction.

— Non, non, pas du tout ! Nous nous nourrissons des sentiments. Ta couleur montre que tu es attiré par les sentiments humains comme la joie, la volupté, l'amour, le bonheur et la création. Les Rouges ont une inclination pour le malheur, la tristesse, la dépression et la destruction. Chacun se nourrit ainsi. Les sentiments sont colorés, ils émanent des vivants sous forme de vapeurs. C'est ce que nous appelons la « Brume » : blanche pour la satisfaction, le sentiment de plénitude, qui peut nourrir tout le monde, les Anges bleus comme les Anges rouges. Difficile à trouver, mais très appréciée. Bleue pour la joie, verte pour la jalousie, jaune pour l'envie, rouge pour la colère, violette pour le bonheur, orange pour la revanche... noire pour le meurtre ou les désirs pervers. Va vers les sentiments qui te semblent savoureux et aspire la vapeur.

Jeremy fronça les sourcils.

— Les noires et les rouges n'ont pas l'air si appétissantes.

Il recouvra son sens de l'humour et ajouta :

— Même en mourant de faim…

Flint haussa les épaules.

— Quoi que tu avales, le goût sera délicieux. Et quel que soit le sentiment, il te nourrira. Après, ce que tu choisis, c'est juste entre toi et toi, nous ne jugeons pas ici. Tu peux devenir rouge si tu veux, c'est ton problème. Cette Brume ne sert pas uniquement à nous nourrir. Tu peux aussi l'utiliser pour fabriquer des choses. Comme les vêtements. Mais c'est une technique délicate : ce que nous créons peut durer de quelques minutes à… (il hésita un instant et continua, vague :) un certain temps, en fonction de la puissance de chacun. Bien, à présent il faut que je te laisse, je suis un peu pressé, j'allais faire un poker avec des amis. Avant que nos nouvelles cartes disparaissent… Comme dit mon copain Imhotep dans *La Momie* : « La mort n'est pas une fin » ! C'est une phrase qu'il n'a jamais prononcée d'ailleurs, ce film l'a mis de très mauvaise humeur, mais je trouve la citation assez appropriée. Salut !

— Hé, attends, j'ai besoin de…

— Tu n'as besoin de rien, crois-moi, tu t'habitueras très vite. Ah, et n'oublie pas : ne laisse surtout pas les Rouges t'approcher de trop près, ça peut être dangereux !

— Quoi ? quoi ?

Mais il était trop tard. Flint le saluait de la main et s'éloignait déjà entre les arbres. Jeremy resta planté sur le trottoir à côté de son corps qui refroidissait.

Démoralisé, il s'affala, plus qu'il ne s'assit, et contempla sa tête tranchée. À ce moment précis il se sentait exactement comme Hamlet. Furieux, désorienté, perdu, malheureux, angoissé, terrifié.

— « *To be or not to be, that is the question* », murmura-t-il. J'avais toujours trouvé cette scène étrange, mais, maintenant, je comprends mieux ce que voulait dire Shakespeare.

Son visage lui rendit un regard vide. Pour une fois il pouvait se voir sans l'aide d'un miroir. D'épais cheveux bruns, des yeux d'un bleu acier, enfin, légèrement vitreux désormais. Une petite cicatrice ronde sur le front, comme un minuscule troisième œil, souvenir d'une violente varicelle, un menton têtu et carré. Son visage n'était pas si mal dans l'ensemble. S'il avait eu le temps, les filles auraient craqué pour lui, mais, en travaillant de seize à dix-huit heures par jour, il avait à peine conscience qu'il existait un sexe opposé. Il soupira. Et maintenant quoi ? Que devait-il faire de sa vie... de sa *mort* plutôt ? Il n'avait aucun but, à part veiller à côté de son corps, comme une âme perdue.

La voiture de police qui avait fait fuir l'assassin revint et ses phares éclairèrent la flaque à présent plus importante de son sang. Elle freina sec et deux policiers sortirent aussitôt du véhicule. L'un d'eux respira bruyamment lorsque le rayon de sa torche rencontra les yeux déjà voilés qui semblaient vouloir l'hypnotiser.

— Merde, Harry, murmura-t-il d'une voix étranglée, le pauvre gars s'est fait décapiter !

L'autre regarda autour de lui, sur ses gardes, et remarqua les réverbères brisés.

— Pourvu qu'on n'ait pas un serial killer sur les bras, ça fait deux victimes ce soir !

Jeremy se sentit soudain en alerte. Deux ? Comment ça deux ? Il se pencha vers le policier, priant pour que celui-ci continue sa déclaration.

— Vas-y, dit-il à haute voix au policier, vas-y, raconte ce que tu sais. Un second meurtre, identique ? Où ça ? Pourquoi ? Comment ?

À sa grande surprise, l'homme fit comme s'il l'avait entendu.

— Écoute, expliqua-t-il à l'autre policier. Le médecin légiste qui a travaillé sur le corps de la fille a précisé que c'était un katana qui lui avait tranché le cou.

— Un quoi ?

— Un katana, un sabre japonais ! Et d'après ce que je vois sur celui-ci, c'est exactement le même style de coupe. Nette, précise, parfaite. Les os n'ont en rien ralenti le passage de la lame. La mort a dû être instantanée. Il n'a pas eu le temps de souffrir.

— Qu'est-ce que tu en sais ? cria Jeremy. Si, ça a fait super mal, c'était insupportable ! Et ça n'a rien eu d'instantané, ça a duré une éternité !

Là encore, le flic réagit.

— J'ai de la peine pour lui. C'est triste de finir comme ça, surtout qu'il n'était pas bien vieux !

Jeremy se rendit soudain compte qu'une sorte de Brume marron clair mêlée de gris argent émanait du policier attristé, alors qu'il ne ressortait rien de son coéquipier. Avec stupeur, il réalisa que la Brume l'attirait, qu'elle sentait... bon. Il allait s'approcher lorsqu'une voix tranquille derrière lui le fit sursauter.

— Moi, à ta place, je n'y toucherais pas.

Il se retourna. Une femme d'une cinquantaine d'années aux longs cheveux noirs, à la peau d'un bleu uniforme, se tenait nonchalamment accoudée au mur de l'immeuble. Elle portait un pagne et un bandeau de poitrine minimalistes. Jeremy, encore accoutumé à la pudeur des vivants, en fut troublé.

— Tu as provoqué sa peine, précisa-t-elle en désignant le flic. Si tu manges sa Brume, ta couleur va changer. Et tu devras t'orienter de plus en plus vers des sentiments négatifs. Ce n'est pas une bonne idée.

Jeremy s'approcha. La femme n'avait rien de particulier, enfin, en dehors de sa couleur, d'un bleu bien plus profond que celui de Jeremy. Elle était franchement ronde, les yeux malicieux.

—Je m'appelle Tétishéri, passée en 1600 avant J.-C., indiqua-t-elle en lui tendant une petite main potelée. Et toi ?

Jeremy ouvrit de grands yeux. Ce nom lui disait vaguement quelque chose.

— Euh, Jeremy Galveaux, répondit-il. Passé il y a une demi-heure environ, je n'ai plus de montre.

— Oui, j'ai vu. Quelle mort bizarre, dis donc.

Jeremy soupira et suspecta que sa décapitation allait le poursuivre longtemps : « Tu sais, c'est le type qui s'est fait trancher la tête à New York ! Mais dans quel monde, ou plutôt dans quelle mort, vivons-nous ! »

— Qu'est-ce que vous disiez à propos de la Brume ? demanda-t-il soudain inquiet. Je ne dois pas manger celle qui est marron, c'est ça ? Et pourquoi dites-vous que j'ai provoqué sa peine ?

— Nous pouvons… influer sur les vivants. Du moins sur la majorité d'entre eux. Éveiller leur colère, leur haine, leur amour, leur tristesse, leur joie. Ne t'est-il jamais arrivé de te sentir furieux sans bien savoir pourquoi, ou frustré, ou inquiet, ou étrangement heureux ?

— Euh si, bien sûr !

— C'était à cause de nous. Pas toujours, mais la plupart du temps. Nous dépendons des vivants, s'ils sont indifférents, neutres, ils ne peuvent pas nous nourrir, alors nous devons provoquer leurs émotions…

Jeremy la regarda, atterré.

— Oui, c'est ce qu'a dit l'autre Ange. Que vous êtes comme des… vampires. Vous ne vous nourrissez pas de sang, mais des émotions que vous provoquez.

La femme bleue se raidit.

— L'autre Ange ?

— Flint, c'est lui qui m'a aidé lorsque je suis mort, ou « passé » comme vous dites.

— De quelle couleur était-il ?

— Bleu, plus bleu que vous d'ailleurs.

Il la sentit se détendre.

— Ah, un Bleu, parfait.

— Il ne m'a pas tout expliqué, il était pressé. Et maintenant que dois-je faire ?

— Pour commencer, essaie de te calmer, ensuite, il faudra te nourrir, c'est indispensable.

— Je ne comprends toujours pas pourquoi des Anges ont besoin de se nourrir, je croyais que nous étions de purs esprits ?

— Mmmmh, pas tout à fait. Tu vois, il y a bien une vie après la mort. Et crois-moi, pour réussir à survivre, il va falloir que tu te battes autant que lorsque tu étais vivant.

Il observa les Anges et se sentit déprimé. Mais qu'est-ce que c'était que cette existence bizarre ? ! S'il rencontrait Dieu, il allait avoir une petite discussion avec lui sur ce que devait être le paradis ! Puis une autre idée pointa dans son esprit. Bon, tant qu'il y était, autant demander le mode d'emploi de sa nouvelle existence.

— Et pour le sommeil ? Dormons-nous… enfin, en sommes-nous encore capables ?

— Oui, heureusement, sinon nous serions tous devenus fous depuis longtemps. Il te suffit de choisir une chambre.

Jeremy fronça les sourcils, perplexe.

— Comment ça ?

Tétishéri eut un regard ironique.

— Tu entres dans une maison, ou un immeuble, tu vas dans une chambre et tu te couches. Qu'est-ce qui te semble curieux ? C'est pourtant une activité plutôt normale, non ?

Jeremy écarquilla les yeux.

— Je ne vais tout de même pas dormir sur des gens !

— Tu ne dormiras pas *sur* les gens, tout ce qui est vivant, nous le traversons. Tu dormiras *au travers* des gens. Mais ne t'inquiète pas, il y a des tas d'autres endroits où tu pourras te reposer, tu n'as pas vraiment besoin d'un lit, tu peux t'allonger ou flotter n'importe où. Cela dit, nous ne dormons plus autant que de notre vivant. Juste quelques heures, à part pour certains qui y sont accros. Les Dormeurs. Ils ne s'éveillent que pour se nourrir, puis se rendorment. Beaucoup d'entre eux disparaissent parce qu'ils oublient parfois même de manger.

— Oh, je vois…

En fait il ne comprenait rien du tout mais n'avait pas envie d'approfondir.

Soudain il sursauta. Un pigeon venait de faire son apparition devant lui. La tête écrasée, les ailes de travers, il eut juste le temps de faire « rou… » avant de s'effacer.

— Qu'est-ce… qu'est-ce que c'était ?

— Quoi ?

— Je… je viens de voir un pigeon. Il n'avait pas l'air très en forme !

Tétishéri sourit.

— Oh ça ? Il a dû se faire écraser à l'instant. Les animaux ne restent pas. Nous ne savons pas où ils vont. Ils passent et s'évaporent. Heureusement d'ailleurs, sinon nous serions probablement tout le temps agressés par des hordes de bêtes, furieuses qu'on les ait tuées pour leur fourrure, leur chair ou leurs os. Il y a des milliers d'animaux, d'insectes qui meurent tous les jours ; c'est assez rare de les voir, ils passent trop vite. Ce sont surtout les Nouveaux qui les voient, mais cela disparaît au bout de quelques heures. Bientôt, tu ne les percevras plus que comme une sorte de scintillement permanent.

Devant eux, il y eut un « plop ! » et une demi-douzaine de cafards surpris apparurent et s'évanouirent aussi sec. Jeremy faillit se tasser, misérable, lorsque son sens de l'humour revint à la charge, le sauvant d'une très humiliante crise de larmes.

— Hum, grogna-t-il pour masquer le chevrotement de sa voix, vu le nombre de moustiques, araignées ou guêpes que j'ai massacrés dans ma vie, je suis content qu'ils n'aient pas une revanche à prendre ici, version zombies.

À ce sujet, il avait une autre question :

— Sommes-nous... immortels ?

— Pas exactement, répondit la femme. Disons juste que tu as de bonnes chances de survivre pendant quelques milliers d'années. Mais rares sont les Anges aussi vieux. Au bout d'un moment, ils s'ennuient et disparaissent.

Jeremy se redressa, soudain attentif.

— Ils s'ennuient ? Justement, vous faites quoi toute la journée (il regarda autour de lui la danse frénétique des Anges et ajouta :) et toute la nuit ?

— Ça dépend.

— De quoi ?

La femme soupira, elle devait avoir répété la même chose des milliers de fois aux Nouveaux, mais Jeremy n'avait pas l'intention d'abandonner. Elle capitula.

— De ce que tu es. Les Anges se distinguent en plusieurs catégories. Je t'ai parlé des Dormeurs. Ce sont les plus passifs. Il y a les Heureux. Ceux qui ne s'intéressent pas aux humains et ne font que se nourrir et profiter de leur nouvelle vie. C'est le cas de la très grande majorité des Anges. Il y a les Actifs. Ce sont ceux d'entre nous qui participent au monde des vivants.

— Participer ? reprit Jeremy incrédule. Comment ?

— Nous allons au cinéma, nous lisons par-dessus l'épaule des vivants ou directement par-dessus celle de nos écrivains préférés quand ils rédigent, nous nous nourrissons, nous murmurons à l'oreille des humains, nous assistons à des spectacles, des concerts, des cocktails, nous nous divertissons...

Elle le regarda d'un air navré et conclut :

— Et, enfin, il y a les Vengeurs. Ceux qui estiment ne pas avoir terminé leur vie sur Terre normalement, ceux qui veulent y retourner. Ou ceux qui ont été… assassinés. Un grand nombre d'entre eux deviennent fous.

Jeremy avala péniblement sa salive.

La femme sourit soudain, comme pour se faire pardonner de lui avoir fait peur.

— Mais le mieux, dans cet univers, c'est d'avoir un but. De s'occuper. Pour ne pas disparaître.

Son but avait été de devenir le plus jeune roi de la finance. Là, il sentait que cela allait être un peu difficile.

Ils se dévisagèrent.

— Moi, à ta place, suggéra la femme en montrant le cadavre de Jeremy, j'essaierais de savoir pourquoi on m'a infligé une mort pareille.

Il eut une réaction idiote. Elle l'agaçait.

— C'est probablement une erreur, grogna-t-il, je n'ai pas d'ennemi ! Je ne vois pas ce que je pourrais bien chercher. Dans deux minutes, on va découvrir que mon assassin m'a dépouillé, et ce sera mon épitaphe :

DÉCAPITÉ POUR CINQUANTE DOLLARS
ET UNE BREGUET À COMPLICATION MODÈLE 3137
À FOND SQUELETTE,
PAR UN FOU QUI A TROP REGARDÉ LES FILMS DE KUROSAWA.

— Mmmh, peut-être. Cela dit, tu as autre chose à faire ? Que de chercher et, qui sait… de trouver ?

Avant qu'il ait le temps de s'indigner, elle lui lança un petit sourire, puis ferma les yeux en se concentrant avec intensité. Comme elle faisait la grimace, il allait lui demander si tout allait bien lorsque soudain elle… s'envola. Comme ça. Pas du tout comme un Ange qui battrait des ailes, plutôt comme un ballon rempli d'hélium. Un gros ballon bleu. Un dirigeable, puisqu'elle semblait capable d'orienter son ascension.

OK, l'image était assez mal choisie, vu qu'elle était quand même moins grosse qu'un dirigeable, mais la comparaison semblait sacrément appropriée. Impressionné (le processus avait l'air douloureux), Jeremy la suivit un moment du regard, puis la perdit de vue lorsqu'elle passa derrière un immeuble.

Il reporta son attention sur son corps. Et réalisa qu'en dehors de ses sentiments d'inquiétude et d'égarement, d'une certaine façon, il commençait peu à peu à ressentir autre chose.

De la colère.

Il se retourna pour voir ce qui se passait autour de lui.

Le médecin légiste venait tout juste d'arriver. Maigre, pâle, grave, avec des mains d'une incroyable longueur. Il hocha la tête en voyant celle de Jeremy et déclara sa mort sans frémir. Puis il lui planta un thermomètre dans le foie. Jeremy grimaça. Il ne risquait pas d'avoir mal, mais la façon dont le médecin avait enfoncé l'engin dans son corps lui fit froid dans le dos.

Les policiers prirent des centaines de photos, de croquis et de mesures. Jeremy fut étonné du temps que cela demanda. Dans les films, on avait l'impression que cette partie ne durait que quelques minutes, pas des heures !

— C'est bon, toubib, vous avez fini ? demanda le premier flic.

— C'est terminé, soupira le médecin. Je fais partir tout de suite le corps à l'institut médico-légal. Ensuite j'ai encore deux patients et je file me rendormir.

Jeremy fut surpris qu'il y ait autant de morts pendant une seule nuit, mais, apparemment, cela n'avait pas l'air d'étonner les policiers outre mesure. Bon, juste une nuit pleine de cadavres, la routine, quoi !

De leurs mains gantées de caoutchouc, ils réunirent la tête et le corps, et déposèrent le tout dans un sac noir à glissière. Jeremy se rapprocha du policier. L'apparition de Tétishéri l'avait empêché d'entendre ce qu'avait dit l'homme à propos du second meurtre.

— Alors comme ça, il paraît qu'on peut influer sur les sentiments des vivants, dit-il, voyons un peu si ça marche avec toi. Raconte-moi tout ce que tu sais sur le premier meurtre.

Sans réagir, le policier continua de noter et de prendre des croquis.

— Ho ! je te parle là, donne-moi des détails !

L'homme devait être devenu sourd à son influence, parce qu'il ne broncha pas.

Jeremy grogna :

— Elle raconte n'importe quoi cette stupide femme bleue, Tétishéri, ça ne marche pas !

L'autre policier s'approcha et Jeremy se tut, attentif.

— Il s'appelait Jeremy Galveaux, annonça l'homme. On ne lui a rien volé, l'avait toujours sa montre et son portefeuille, et, d'après son passeport, il est né à Paris. Un mangeur de grenouilles.

Jeremy se raidit, sa théorie du crime crapuleux venait de partir en fumée.

— C'est ton côté irlandais qui ressort, grogna le premier. Moi, j'aime bien les Français. Ils adorent autant la bonne bouffe que nous aimons le pognon. Je trouve ça sympathique.

— Mouais, peut-être. Regarde sa carte de visite. Il possédait un fonds d'investissement.

Le premier policier claqua des doigts.

— Ça y est, je me disais bien que j'avais déjà vu cette tête quelque part !

Il surprit le sourire goguenard de son collègue.

— Oui, bon… enfin, encore attachée à son corps. C'est ce jeune-là qui fait des plus-values de malade en investissant sur les Bourses de Dubaï, d'Inde et de ce genre de pays. Il paraît qu'il a… qu'il avait une intuition démentielle. C'est un surdoué, il a monté sa boîte à vingt ans, je crois, et a gagné ses premiers millions dans la foulée. Un vrai cerveau.

— Ben, ça ne lui a pas été très utile pour éviter de se faire décapiter ! Bref, il habite juste en face apparemment.

— Seul ?

— Ça, c'était pas marqué sur ses papiers !

Le policier fut patient.

— Je m'en doute, mais as-tu déjà interrogé le portier ?

— Nan, pas encore.

Son collègue se contenta de lever un sourcil étonné et l'autre comprit tout de suite.

— Ça va, j'y vais, j'y vais !

— C'est trop nul, murmura Jeremy, je vais manquer à si peu de gens. À mes associés, à deux ou trois copains, peut-être à ma mère, si elle ne me déteste pas trop. J'ai tellement travaillé que je n'ai pas vu le temps passer. Oh ! quel imbécile, j'ai gâché ma vie !

Il se prit le visage entre les mains. Soudain une phrase lui fit relever la tête.

— … et la fille non plus !

Les deux agents parlaient de l'autre assassinat.

— Aïe, si elle n'a pas été dépouillée et qu'elle a les mêmes marques que ce gars, alors on a deux options. Soit on a affaire à un serial killer, qui s'amuse à tuer au hasard, et là, on est mal pour le retrouver. Soit il s'agit d'une double exécution, un contrat. Ce qui serait plus facile. Il suffit souvent de trouver le mobile pour trouver le coupable. Voyons s'il y a un lien entre les deux meurtres. Du moins, autre que celui de se faire couper la tête par un katana…

Soudain, Jeremy se souvint de la jeune fille blonde qui se dirigeait vers lui lorsqu'il avait été décapité. Était-ce elle la seconde victime ?

Le policier regarda sa montre et déclara :

— Il y a un décalage entre les deux meurtres, d'après le sang, je dirais que celui-ci a été tué il y a un quart d'heure, alors que la fille, Annabella Dafing, est morte il y a deux heures environ.

Ah, bon, d'accord. Ce n'était donc pas celle qu'il avait entrevue quelques secondes. Curieusement, il se sentit soulagé. Il aurait détesté qu'elle se soit fait assassiner à cause de lui.

Pendant qu'il réfléchissait, l'ambulance qui emportait son corps démarra. Paniqué, il voulut la suivre, et se mit à courir comme un fou. Mais le véhicule le distança très vite. Il s'arrêta, stupéfait de constater qu'il était essoufflé. Il n'était pourtant pas censé avoir de point de côté !

Un petit garçon, en partie bleu et en partie rouge, le regardait avec intérêt.

— Qu'est-ce que tu fais ?

Jeremy reprit son souffle avant de répondre :

— J'essayais de rattraper l'ambulance. Je voulais suivre mon corps.

— En courant ? Ça c'est original. La vitesse de pointe de ce véhicule est de cent cinquante kilomètres à l'heure, et un homme court au grand maximum, avec un super entraînement, des tas de pilules plus ou moins légales et des chaussures profilées, à trente-six kilomètres à l'heure. À mon avis, tu es mal barré.

Bien, il avait peut-être l'apparence d'un enfant, mais vu la façon dont il se foutait de lui Jeremy se dit qu'il devait avoir au minimum deux mille ans. Il décida de se montrer urbain, la politesse n'ayant jamais fait de mal à personne.

— Sauriez-vous où ils sont partis, s'il vous plaît ?

— Oh, ils doivent l'emmener à la morgue. Tu connais l'adresse ? Sinon je peux te la donner, je vais dîner là-bas de temps en temps.

— Dîner ?

— Lorsque je n'ai pas assez de bons sentiments pour me nourrir, je fais des écarts, j'avale un peu de tristesse. Et il y en a beaucoup à la morgue.

— Ah, euh, très bien. Oui, j'aimerais avoir l'adresse, s'il vous plaît.

— 520 Première Avenue. Tu verras, c'est facile, il suffit de prendre le bus 34, tu changes à Rallye Station et tu chopes le 22, il t'amènera juste devant la morgue.

— Merci !

Jeremy savait où se trouvait l'arrêt de bus. Lorsque sa voiture était tombée en panne, il avait pris les transports en commun pendant une semaine. Il s'arrêta donc près du poteau indicateur. Et attendit.

Attendit...

Attendit...

Soudain, il se leva. Un bus arrivait enfin. Il lui fit signe de s'arrêter, mais celui-ci passa devant lui sans freiner.

Ah oui, il était mort. Il avait oublié. Heureusement, un quart d'heure plus tard, un vivant surgit juste à temps pour le suivant et il put monter dans le bus derrière lui. C'était assez troublant. Jeremy pouvait sentir le mouvement, il ne passait pas à travers les parois du bus, comme dans les films qu'il avait vus, et apparemment il dépendait des transports, à l'instar des vivants, pour se déplacer. Dans le bus, il y avait des tas d'autres Bleus, et des Rouges aussi, plongés dans leurs pensées, comme les rares vivants encore éveillés.

Mais les Anges réagirent vivement lorsqu'une femme, suivie par un homme, entra dans le bus. Les Bleus s'agglutinèrent aussitôt autour d'elle, tandis que les Rouges s'approchaient de l'individu. Celui-ci n'arrêtait pas de couler des regards sournois vers la femme. Les Bleus, agités, soufflaient des paroles à leur protégée.

— Il est louche, tu n'as pas vu, il t'a suivie. Tu devrais faire attention, il va s'en prendre à toi, c'est sûr ! Va parler au conducteur, il pourra t'aider, ne descends pas seule !

Les Rouges, eux, incitaient l'homme à agir.

— Ça va être bon. Elle va pleurer, elle ne pourra rien faire, tu vas jouer avec elle pendant des heures ! Tant de misère, tant de détresse, rien que pour toi !

Mais si l'homme semblait très sensible à l'influence des Rouges, et qu'une Brume d'un rose malsain suintait de tout son corps, la jeune femme, elle, le menton volontaire et le front têtu semblait moins réceptive aux conseils des Anges bleus. Elle fourragea un instant dans son sac, et Jeremy entrevit une chemise blanche et une ceinture de toile noire. Il sourit lorsqu'elle descendit du bus sans prêter attention à l'homme, ni au fait que celui-ci continuait de la suivre. Les Anges bleus poussèrent un gémissement de douleur et les Anges rouges un ricanement triomphal, avant d'escorter le violeur potentiel... et fournisseur de nourriture.

— Vous devriez la suivre vous aussi, cria Jeremy aux Anges bleus. Vous avez remarqué ce qu'elle avait dans son sac ?

L'un des Anges, bosselé de muscles, toisa sa couleur, vit qu'il était un Nouveau et cracha :

— Qu'est-ce que tu sais de ces choses-là, petit Bleu ?

— Moi ? Rien, à part qu'elle avait un kimono et une ceinture noire. De karaté, à mon avis. Je ne suis pas sûr que son agresseur va trouver ça si amusant, finalement.

Les Anges se regardèrent, puis se bousculèrent pour rattraper la jeune femme.

Quelques secondes plus tard, Jeremy descendit à la station suivante, profondément dégoûté par la scène à laquelle il venait d'assister.

Soudain il s'arrêta net en voyant, à travers la vitre du bus qui s'éloignait, l'un des passagers autour duquel plusieurs Anges se pressaient en lui parlant vite et fort, se mettre le petit doigt dans l'oreille et le secouer avec énergie. Les acouphènes ! Mais oui, bien sûr ! ces foutus acouphènes ! Lorsque son grand-père était mort, du jour au lendemain Jeremy avait eu de sérieux problèmes d'oreilles et il était allé consulter un oto-rhino-laryngologiste. Certains acouphènes avaient des causes physiques, mais le médecin avait été tout à fait incapable de découvrir pourquoi Jeremy entendait un agaçant bourdonnement qui, parfois, dans les grands moments de stress ou lorsqu'il avait à prendre des décisions cruciales, devenait carrément une sorte de sifflement aigu. Maintenant il comprenait mieux. Le médecin avait avancé que c'était peut-être le traumatisme dû à la mort de son grand-père que Jeremy adorait ; en fait il ne s'agissait pas de cela. Mais d'eux, les Anges. Il devait être un bon fournisseur de Brume, lui qui vivait au rythme palpitant et stressant des marchés. C'était donc leurs voix qui avaient failli le rendre fou !

Franchement agacé, Jeremy passa devant un établissement au-dessus duquel virevoltaient des centaines d'Anges bleus et quelques rares Anges rouges. En dépit de ses ennuis, il esquissa un léger sourire en découvrant le panneau lumineux : Maternité de la Félicité. L'aura bleue qui l'entourait sentait incroyablement bon. Il hésita un instant, puis se décida. D'après les dires de Flint et de Tétishéri, il pouvait se nourrir des Brumes blanches et bleues.

— Allons-y pour les expériences, de toute façon je ne vais pas en mourir. Ah, ah, que je suis drôle, moi !

Il dut monter quelques marches, car la Brume qui sortait des murs s'élevait aussitôt vers le ciel. Machinalement, il tendit la main, essayant d'attraper la Brume comme une sorte de barbe à papa bleue. Sauf que cela lui fut impossible. Les autres Anges n'avaient pourtant par l'air de rencontrer ce genre de problème, mais lui, si.

Bon, s'il n'y arrivait pas avec la main, il fallait donc essayer d'avaler directement la Brume. Il avança donc la tête vers la Brume, sortit une langue hésitante et en attrapa un morceau qu'il laissa fondre dans sa bouche.

Ouf, cela fonctionn…

L'extase qui le saisit fut si puissante qu'il en tomba par terre. Si violente que tout son univers bascula dans la plus parfaite des jouissances. Dans ce petit morceau de Brume bleue, il y avait tout. La joie, mais aussi la fierté qu'on ressent lors de sa première grande victoire, celle d'avoir obtenu la meilleure note, celle d'avoir terminé en tête de la plus belle des courses, d'avoir surmonté la plus difficile des épreuves, la fierté qu'on éprouve lorsqu'on tient son premier-né dans ses bras et que l'on en pleure d'émotion, celle du sentiment du plus parfait accomplissement, d'avoir trouvé exactement sa place dans le monde, d'être aimé par tous, admiré et respecté. Dans cette simple bouchée, il y avait la gloire, l'éternité et la perfection, le tout enveloppé dans un cocon de bonheur.

Puis son cerveau chercha sans doute à mieux interpréter ce qu'il savourait car des saveurs explosèrent bientôt dans sa bouche. Tout ce qu'il aimait. Un parfum de côte de bœuf encore fumante cuite au feu de bois, un hot-dog de chez Sam, les meilleurs de Manhattan, avec sa saucisse si parfumée, si craquante, si délicieuse qu'on avalait le paradis à chaque bouchée, du pop-corn luisant de beurre et de caramel chaud, une glace aux marrons si onctueuse qu'elle ne se contentait pas de fondre bêtement sur la langue mais glissait sur les papilles pour les faire frémir de plaisir, de la crème fraîche coulant sur des fraises idéalement mûres et sucrées, une pêche juteuse dorée par un généreux soleil, une gorgée d'un vin ample et profond aux arômes de vanille, de mûre, de cassis, remplissant son palais…

Des larmes coulaient sur ses joues et Jeremy ne s'en rendait même pas compte. L'espace d'un instant, son esprit vacilla, prêt à n'importe quoi pour conserver ces sensations. Avide, il reprit un morceau de Brume bleue. L'extase fut la même. Aussi puissante, aussi bouleversante. Incapable de résister, il enfourna alors de grandes bouchées, jusqu'à ressentir enfin une curieuse impression de satiété.

S'il n'avait pas été assassiné, s'il n'avait pas connu une fin tragique, Jeremy serait devenu comme ces Anges qu'il voyait danser, aveugles à tout ce qui n'était pas leur plaisir, débarrassés pour l'éternité de la peur, de la frustration, de la culpabilité, ne vivant que pour la joie et la jouissance.

Vivant au paradis.

Mais une pensée insidieuse vint soudain perturber ce moment parfait. Cette Brume était comme une drogue, encore plus dangereuse, car, sans elle, Jeremy risquait de mourir à nouveau, de disparaître. Il était donc condamné à l'utiliser. Sauf qu'il n'avait jamais été accro à quoi que ce soit. Ni à des drogues, ni à l'alcool, ni même à la cigarette ou au café… Bon, d'accord, peut-être un peu aux hot dogs de chez *Sam* et au beurre de cacahouètes avec de la confiture de fraises, admettons. Mais c'était à peu près tout. Il ne voulait être l'esclave de personne et encore moins de son corps. Ce fut sans doute cela qui le fit reculer, soudain méfiant.

— Mince alors, grogna-t-il en se frottant le visage, surpris de le trouver mouillé, c'est super dangereux cette chose ! Mon corps. Je dois me concentrer sur mon vrai corps. Je dois le retrouver. Je dois...

S'apercevant qu'il était encore en train d'approcher sa bouche de la Brume bleue, il s'en éloigna brutalement.

—Jeremy, mon gars, se dit-il en tournant résolument le dos à la maternité, pas question que tu retouches à ce truc pour l'instant.

Après quelques pas, il entendit un bruit derrière lui, mais un rapide coup d'œil par-dessus son épaule lui suffit pour se rendre compte que personne ne lui prêtait une quelconque attention. Ni les Anges ni les très rares vivants. Ce qui, pour ces derniers, était logique puisque aucun d'entre eux ne pouvait le voir... Il haussa les épaules. Après tout, qui voudrait suivre un Angelot comme lui ? Il reprit alors le chemin de la morgue sans voir la silhouette qui se tenait cachée dans l'ombre et qui maintenant hochait la tête après avoir découvert que Jeremy avait réussi à résister à la tentation, pourtant irrésistible, de la Brume.

Bien qu'encore sous le choc de son incroyable expérience sensorielle, le jeune homme n'eut aucun mal à repérer la morgue. Les Anges rouges au-dessus du bâtiment étaient si nombreux qu'ils obscurcissaient la pleine lune. Il hésita. Risquait-il d'être contaminé par la Brume rouge qui s'échappait de l'immeuble ? Tétishéri l'avait mis en garde. Mais, d'un autre côté, il était aussi curieux de savoir ce qui allait arriver à son corps s'il y goûtait. Bon, il allait éviter de manger la Brume rouge et tout irait bien… enfin il l'espérait !

Le seul hic : les portes de la morgue étaient fermées au moment où il arriva. Il le sut parce qu'il se les prit en pleine figure. Pour une étrange raison, il avait cru qu'il allait pouvoir passer au travers. Eh bien non. Pas du tout. Le bâtiment était là, bien solide et bien réel, il ne pouvait absolument pas entrer.

Qui avait dit que les Anges étaient immatériels, déjà ? Un imbécile de vivant probablement.

Hésitant, il effleura les portes d'acier. Elles étaient recouvertes d'une sorte de… texture douceâtre, un peu comme du velours. Quoi que ce fût, cette matière semblait englober la totalité de ce qu'il touchait. Et cela l'empêchait de passer. Désorienté, il recula. La seule chose qu'il pouvait faire, c'était attendre. Il porta son regard tout autour. Dans la clarté scintillante de New York, la ville qui ne dort jamais, des gens allaient et venaient dans les rues, occupés à leurs affaires. Des Anges les suivaient, leur parlant quasiment sans arrêt. Parfois ils discutaient entre eux : « Je t'avais dit de ne pas lui conseiller cet investissement, c'est complètement débile, tu vas finir par ruiner nos descendants, espèce d'abruti ! » Ou, parfois, directement à l'oreille des vivants, comme cette femme qui flottait au-dessus d'une jeune fille aux cheveux noirs : « … bien ma chérie. Faire des ménages, ce n'est pas ce que j'avais souhaité pour ma fille, mais tu t'en sors bien. Et tu dois résister à la tentation, ne vole pas cet argent qu'elle laisse sans cesse traîner. Cela ne t'apportera que des ennuis. Oui, va prier, le père Xavier est de garde cette nuit, il est adorable, il t'écoutera... »

Jeremy fut ému par la tendresse de la mère pour sa fille qui marchait d'un pas fatigué vers l'église ouverte vingt-quatre heures sur vingt-quatre.

Ailleurs, deux Anges bleus flottaient au-dessus d'un homme et le félicitaient chaleureusement : « Bravo ! Nous en avons sauvé cinq cette nuit, tu es un chirurgien formidable ! »

Jeremy observa le manège pendant tout le temps où il dut patienter. Les Anges bleus comme les Anges rouges distribuaient conseils, suggestions, et la Brume qui émanait des vivants montrait ceux qui étaient sensibles ou pas à leur influence. Sans grande surprise, Jeremy se rendit compte que ceux qui lui paraissaient créatifs, combatifs étaient les plus sensibles. Les esprits bornés, renfermés, n'avaient qu'un seul Ange et parfois même aucun. Cela l'avait surpris un instant, avant de remarquer un homme qui avançait à pas lents dans la rue et qui ne diffusait aucune vapeur, rien du tout. Il ne ressentait rien, qu'une immense fatigue, vu sa démarche résignée. Jeremy frissonna.

Il assista aussi à des retrouvailles. Des gens mouraient tous les jours. De mort naturelle évidemment, pas en se faisant décapiter. Et Jeremy remarqua que, contrairement à lui qui n'avait retrouvé aucun proche dans l'au-delà, des familles d'Anges attendaient souvent ceux qui arrivaient juste après en avoir fini avec la vie. C'était presque amusant de voir le visage stupéfait de ces vieillards qui découvraient leurs parents en lançant d'incrédules « Papa ? Maman ? Grand-mère ? Grand-père ? C'est bien vous ? ».

Le temps de saluer tout le monde, ils en avaient pour plusieurs heures. Mais le bonheur qui éclatait durant ces retrouvailles était réconfortant. Pour Jeremy, comme pour eux. Souvent, la troupe s'envolait en portant le nouveau venu, qui faisait une drôle de tête mais s'efforçait vigoureusement de ne pas vomir sur ses ancêtres...

Jeremy se donna une petite claque mentale sur la tête : « Ça suffit, arrête d'être cynique, en fait tu es jaloux parce que personne ne t'attendait, toi. »

Enfin, un groupe de vivants, escortés par une nuée d'Anges rouges, arriva à la suite d'une ambulance. Jeremy bondit sur ses pieds et les suivit à l'intérieur de la morgue, tandis que les danses des Anges au-dessus du toit confinaient à la frénésie. La tristesse et le chagrin montèrent en volutes marron clair, puis plus foncées, et traversèrent les plafonds. Les Anges allaient avoir de quoi se nourrir...

Une fois sur place, Jeremy ne trouva pas son corps. Et puis, au beau milieu de la nuit les salles étaient souvent fermées, et chaque fois il devait attendre qu'un médecin de garde lui ouvre, ce qui était très agaçant. L'espèce de velours sur les murs et les issues continuait à résister à son passage. De fait, il eut amplement le temps d'assister malgré lui à plusieurs autopsies, piégé par une porte refermée au mauvais moment, ce dont il se serait amplement passé.

Lorsque le légiste retira le cerveau du crâne d'un adolescent qui avait été mortellement agressé, Jeremy se dit que, là, il devait être plus vert que bleu. Et il se demanda cette fois sans rire si les fantômes (d'accord, d'accord, les

Anges...) pouvaient rendre leur déjeuner. Pire, cela lui fit un choc (enfin, encore un...) lorsqu'il réalisa que, comme pour les vampires, les miroirs ne reflétaient pas son image. Avant de se dire que c'était pourtant logique. Si les vivants ne pouvaient pas le voir, les miroirs ne pouvaient pas le refléter, CQFD.

Après un long moment, la porte de la salle se rouvrit, laissant passer un assistant, et il put s'échapper avec soulagement. Soudain, il fit un bond en arrière. Sorti de nulle part, un chariot venait d'apparaître. Il voulut l'éviter et passa à travers les portes de verre qui se trouvaient derrière lui. Durant quelques secondes, il resta suspendu, ne comprenant pas du tout où il se trouvait. Il regarda sous ses pieds, qui reposaient... Horreur, qui ne reposaient sur rien ! Totalement paniqué, il agita les jambes comme un personnage de Tex Avery et, exactement comme ledit personnage, eut juste le temps de crier « oh non ! » avant de plonger dans le gouffre de la cage d'ascenseur.

Coup de chance pour lui, l'ascenseur ne se trouvait pas très loin au-dessous. La mystérieuse pellicule n'absorba que très peu son atterrissage. Il gémit de douleur, désemparé. S'il courait, il était essoufflé, s'il tombait, il pouvait avoir mal. Il était censé être un esprit désincarné, non ? Mais qu'est-ce que c'était que ce paradis ? C'est alors qu'avec frayeur il prit conscience qu'il n'avait aucun moyen de pénétrer à l'intérieur de l'ascenseur.

— OK, Jeremy, calme-toi. Souviens-toi. Qu'est-ce qui s'est passé avant que tu atterrisses ici ? Tu as eu peur, tu as voulu échapper au chariot et... ahhh !

Pendant qu'il réfléchissait, l'ascenseur était monté jusqu'au dernier étage et le plafond se rapprochait dangereusement. Il n'eut pas le temps de réagir qu'il tomba de nouveau, et atterrit cette fois dans l'ascenseur, sur plusieurs vivants. Enfin, *au travers.* Heureusement ces derniers ne se rendirent compte de rien.

Lorsque les portes s'ouvrirent, Jeremy avait mal partout, mais il avait compris une chose. D'une façon ou d'une autre, il pouvait contrôler la dématérialisation de son corps (enfin, lorsqu'il en aurait assimilé le mécanisme). Il aurait préféré l'apprendre d'une manière moins douloureuse, néanmoins il en ressentit une certaine fierté. Il avait trouvé tout seul et s'en était bien sorti. Un point pour lui ! Il prit une profonde inspiration et observa le lieu de son atterrissage. Curieusement, il n'y avait pas d'Anges à cet endroit de la morgue, alors qu'il pensait la trouver pleine de Rouges. Ils avaient dû rester avec la famille, ou au-dessus du toit.

Un médecin passa dans le couloir avec un autre chariot et, soudain, il reconnut les pieds qui en dépassaient. C'étaient les siens ! Le cœur au bord des lèvres, il suivit l'homme. À peine entré dans la salle, Jeremy eut un choc en reconnaissant sa mère. Oui, évidemment, c'était la seule personne qu'ils pouvaient appeler…

Vêtue d'une robe noire impeccable sur laquelle se détachait un somptueux collier de perles roses, elle étincelait de perfection, comme s'il n'était pas quatre heures du matin et qu'elle assistait à l'un de ses innombrables cocktails de bienfaisance. Elle fixa le corps avec effroi, incapable de croire que son fils était là, sans vie, allongé sur une plaque d'acier.

Puis elle fit une chose surprenante…

… Elle s'évanouit.

Jeremy voulut la rattraper, mais sa mère lui passa à travers. L'assistant devait avoir l'habitude des malaises, car il l'agrippa juste avant qu'elle touche le sol. Très inquiet, Jeremy se pencha, les médecins la relevaient déjà pour l'asseoir sur une chaise.

— Madame Galveaux-Tachini ? Comment vous sentez-vous ? demanda l'un des hommes très gentiment.

Elle papillonna des paupières et ouvrit un œil trouble.

— Euh, que s'est-il passé ?

— Vous vous êtes évanouie après avoir reconnu votre fils. Je suis désolé.

— Évanouie ? Moi ?... Impossible !

Oui, c'était aussi ce que Jeremy croyait, avant de le voir de ses propres yeux. Sa mère, l'implacable Mme Claire Galveaux-Tachini, s'évanouissant sur quelque chose d'aussi vulgaire que le cadavre de son fils, alors ça, ça allait faire la une des journaux. Depuis que, dix ans auparavant, elle avait épousé l'autre trafiquant, et fait une demi-sœur à Jeremy, celui-ci avait toujours pensé que rien ni personne ne pouvait l'atteindre.

Apparemment, il avait eu tort.

Elle remit son armure si vite qu'on aurait pu entendre un « clac ! » définitif, se redressa et son visage se figea en un masque glacé. Mais la Brume qui montait de son corps la trahit. Elle était d'un bleu intense teinté de marron et cela désarçonna Jeremy. Ainsi sa mère l'aimait encore ! En dépit de toutes leurs dissensions, de toute la hargne accumulée et des reproches, sa mère ressentait une immense tristesse. Pour la première fois depuis trois ans, date à laquelle il avait quitté la maison, Jeremy eut mal pour elle. Et infiniment de regret de l'avoir mal jugée.

La porte s'entrebâilla et une petite figure presque apeurée se montra. Natacha, la dame de compagnie de Claire, regarda tout autour d'elle, les yeux écarquillés par l'appréhension.

— Madame ? Le chauffeur m'a chargée de vous dire que votre fille s'est réveillée. Elle a fait le même cauchemar que d'habitude et a demandé après vous.

— J'arrive Natacha, répondit Claire avec son habituel ton arrogant. Messieurs, je vais prendre toutes les dispositions pour les funérailles. Dans combien de temps puis-je récupérer le corps de mon fils ?

— Dans quatre jours, madame, répondit l'un des hommes. La police voudra probablement vous voir, votre fils a été assassiné, et, à première vue, ce n'était pas un meurtre crapuleux.

— Bien, je resterai à leur disposition. Natacha, nous pouvons y aller.

Elle quitta la salle dans un coûteux sillon parfumé de *N° 5 de Chanel*.

Jeremy lança un dernier regard nostalgique à son corps, puis décida qu'il était plus important de suivre sa mère.

Car il ne se connaissait aucun ennemi.

À part… son beau-père.

3

Le goût du mal

Il passa à travers sa mère pour pénétrer dans la voiture et cela lui fit tout drôle. Si la pellicule de velours recouvrait tout ce qui était inanimé, les vivants restaient immatériels pour les morts. Impossible de les toucher, on passait systématiquement à travers.

La réalité lui revint en pleine figure comme un boomerang. Il n'était pas en train de rêver. Il y avait trop de détails, trop de choses incroyables. Il était *vraiment* mort, et sa mère qu'il pensait insensible et froide avait le cœur qui saignait. Cela le bouleversa, presque autant que sa propre mort.

Pendant tout le trajet, absorbée par son chagrin, Claire tritura nerveusement un mouchoir de lin en ignorant Natacha. Depuis qu'il connaissait sa mère, il ne l'avait jamais vue se moucher dans autre chose que du lin. Les Kleenex, elle trouvait ça vulgaire.

— Je... je suis désolée, madame, dit Natacha tout bas.

Claire leva vers elle des yeux d'un bleu glacier, les mêmes que ceux de son fils.

— Pourquoi seriez-vous désolée, vous ne le connaissiez même pas ! répondit-elle sèchement.

Natacha ne se laissa pas démonter.

— C'est pour vous que je suis désolée, madame, je vois que vous avez de la peine. Perdre son enfant, c'est quelque chose de terrible.

Claire refusa de réagir, ses lèvres se pincèrent en une ligne rigide. Prudente, la jeune femme n'insista pas. Jeremy regarda sa mère avec curiosité. Claire était encore une très belle femme. Même si le temps avait griffé son visage, un discret lifting et pas mal de Botox en avaient gommé les ravages. Apparemment les Anges n'étaient pas télépathes, car il était incapable de savoir à quoi elle pensait. Mais la Brume qui l'entourait était révélatrice. De la peur mêlée de tristesse, sa couleur oscillait entre le marron clair et le marron foncé, avec une touche d'amertume, perceptible même s'il se gardait bien de s'en approcher. Et plus curieux, un rouge fuligineux teintait l'ensemble, prêt à triompher à la moindre occasion.

Elle était donc en colère. Contre qui ? Et pourquoi ?

La limousine franchit enfin les grilles du manoir que le beau-père de Jeremy possédait en dehors de New York. Claire en descendit très vite et le jeune homme dut se dépêcher pour ne pas se voir claquer la porte au nez. Sa mère traversa le vaste hall carrelé de marbre noir et blanc, et fonça au premier étage de la demeure, gravissant l'escalier deux à deux en dépit de ses hauts talons.

Il ne comprit la raison de sa précipitation qu'en voyant Angela. L'Ange blond du trafiquant. Sa demi-sœur. La petite se tenait recroquevillée sous sa couette, dans l'immense pièce qui lui servait de chambre. Quelques posters tentaient d'apprivoiser l'espace, sans succès. Tout était blanc, comme s'il fallait un écrin de pureté pour entourer l'Ange perdu dans le lit trop grand. Claire tendit les bras et laissa tomber le masque de la grande dame maîtresse de sa vie et de ses émotions.

— Angela, ma chérie, que se passe-t-il ?

— Tu n'étais pas là maman, répondit la petite, d'une voix si étranglée par la frayeur que Jeremy en fut bouleversé. Où étais-tu ?

— J'ai eu... j'ai eu un appel, quelque chose d'important, je ne suis pas sortie très longtemps mon amour, je suis là, à présent. Dis-moi ce qu'il t'arrive.

— C'est... c'est le rêve maman, toujours le même !

Jeremy pénétra plus avant dans la chambre, avec l'impression absurde de fouler un sanctuaire, lorsqu'il le vit.

Un ange. Rouge. Obèse. Monstrueux.

Il pendait au plafond comme une outre grasse et malsaine, vêtu d'un simple pagne, se repaissant de la frayeur de l'enfant, la dévorant avec une avidité horrible.

— N'aie pas peur, dit Claire, je suis là.

— Mais j'ai peur de m'endormir, chuchota la petite. Il vient toujours, maman, toujours. Il tue l'autre homme, et il y a du sang partout, partout, même sur moi, je deviens toute rouge ! Maman, fais-le partir !

L'angoisse de Claire s'éleva, si puissante que l'Ange rouge émit un ricanement de délectation.

— Ben tiens, grasseya-t-il, et comment qu'il y en a partout du sang, surtout du mien ! Mais ton père va payer ma jolie. Ça devrait me prendre un peu moins de dix ans pour te rendre complètement folle !

— Je vais te donner du sirop ma chérie, proposa Claire d'une voix très calme. Comme ça, tu pourras te reposer sans que ce vilain cauchemar ne vienne te déranger.

— Saloperie ! gronda l'Ange. Tu ne t'en tireras pas comme ça, ma belle. D'accord, sous somnifère je n'arrive plus à atteindre son subconscient. Mais tu ne peux pas lui en donner tous les jours, sinon elle va finir tellement shootée qu'elle ne saura même plus comment elle s'appelle. Je serai patient, j'attendrai !

Et il disparut avant que Jeremy ait le temps de lui parler.

La petite était tellement épuisée qu'elle ne discuta pas avec sa mère. Elle avala le sirop et Claire attendit patiemment qu'elle s'endorme en lui lissant les cheveux et en lui racontant une jolie histoire. Comme celles qu'elle racontait à Jeremy dans le temps d'avant. D'avant Franck Tachini, son nouveau mari, dit « le trafiquant ». Jeremy ne put réprimer un absurde sentiment de jalousie. Mais l'Ange rouge avait visiblement un compte à régler avec le père d'Angela. Pourquoi ? Que s'était-il passé ? Il décida d'attendre la nuit suivante pour l'interroger. Fouiner dans le manoir restait maintenant la seule chose à faire.

Il monta l'escalier. Tout était démesuré dans cette demeure qu'il avait détestée au plus haut point. Il n'y était pourtant pas resté très longtemps. Il préférait encore passer ses journées et ses soirées aux côtés de son terrifiant mentor de grand-père, le célèbre James Stewsant, l'un des grands requins de la finance qui lui avait à peu près tout appris. À peine ses études de surdoué terminées, Jeremy avait filé, acceptant le premier travail venu. Très vite, sa phénoménale intuition lui avait ouvert les portes de l'argent et, avec l'argent, le pouvoir de se libérer des liens familiaux. Enfin des liens... si l'on peut dire, car il s'agissait plutôt de fils de soie à l'époque, et drôlement effilochés.

Il croisa les portraits dédaigneux accrochés sur les murs et sentit la colère monter en lui. D'où il avait des ancêtres le trafiquant ? Sa famille avait eu beau lui payer les meilleures études, faire partie du Tout-New York, chacun savait que sa fortune était très récente et son origine pour le moins louche. Avec ces portraits, les Tachini revendiquaient une ascendance de bon aloi. C'était pathétique.

La porte de la chambre du trafiquant était fermée. Jeremy voulut passer, mais impossible. Le bois semblait lui résister. Il essaya, essaya encore, rien à faire. Soudain, alors qu'il s'appuyait contre le mur, il bascula sur le côté et passa dans la pièce avant de s'écrouler sur le parquet. Il se releva vivement, incapable de comprendre comment il avait fait, mais bien content d'avoir réussi.

À sa grande surprise, Franck ne dormait pas. Il était au téléphone et de la Brume bleue s'élevait de son corps. Pour la première fois, Jeremy put le regarder sans que la colère, l'amertume ou la rage brouillent ses idées. L'homme était séduisant. Grand, brun, les tempes élégamment argentées, il sentait le pouvoir et les bonnes manières. Très difficile d'imaginer que cet individu au visage avenant, qui jouait au polo et avait fait Harvard était un trafiquant. Claire s'y était laissé prendre. Jeremy aussi d'ailleurs, du moins au début.

— Oui, j'ai appris la nouvelle. C'est une bonne chose de faite, je vous remercie. Ce gêneur ne nous ennuiera plus. Tout cela a été exécuté de main de maître. Dites à votre homme qu'il recevra le paiement convenu. Pour les deux affaires, bien sûr !

Jeremy sentit son sang se glacer. Il n'était pas difficile de comprendre ce que venait de faire le trafiquant. Il avait avoué son crime. C'était lui qui l'avait fait assassiner ! Pris d'une colère insensée, il se précipita et envoya son poing dans la figure satisfaite. Évidemment, cela ne servit à rien. Pourquoi pouvait-il toucher les surfaces et pas les gens ? Boxer dans le vide ne lui apporta pas le plaisir escompté. Le trafiquant ne bronchait pas, sa figure patricienne figée dans une expression suffisante, qui disparut à l'apparition de sa femme. À sa grande stupeur, Jeremy vit la couleur de ses émotions changer. La vapeur se colora d'un bleu franc, que Jeremy avait appris à associer à l'amour. Par tous les démons, le trafiquant était vraiment amoureux ! Sa mère se raidit un instant lorsqu'il la prit tendrement dans ses bras, puis se laissa aller. La teinte pâle de sa Brume, marron de tristesse et d'angoisse, se mêla un instant à celle de Tachini. Puis Claire se redressa et s'éloigna. Sa tristesse colora la vapeur de son mari de Brume argent, ce qui, de nouveau surprit Jeremy qui croyait son beau-père incapable de compassion.

— Alors ? dit Franck avec tendresse et inquiétude.

Claire passa une main tremblante dans ses cheveux et s'assit.

— C'était bien lui. Mon Dieu, Franck, je n'arrive pas à y croire. Quelqu'un l'a tué ! Il a été décapité, comme… comme on décapite un animal. Qui peut être assez cruel pour assassiner quelqu'un ainsi ? C'est… c'est inimaginable.

Soudain elle pâlit et dévisagea son mari.

— Ce meurtre peut-il avoir un rapport avec tes... affaires ?

La façon dont elle prononça le mot « affaires » fit froncer les sourcils de Franck.

— Certainement pas, dit-il d'un ton tranchant. Je n'ai pas d'ennemis.

— Pas d'ennemis vivants, non, murmura Jeremy. Mais morts, tu sembles en avoir toute une collection, mon pote !

Claire réprima un mouvement de colère.

— Tu n'en sais rien. Depuis que j'ai appris dans quoi tu trempais, je tremble pour Angela tous les jours. Mais je ne me suis pas inquiétée pour Jeremy. Et pourtant, il était tellement en colère contre nous. Il s'est toujours battu contre toi et tes *affaires*... Comment ai-je pu ne pas imaginer un instant qu'on pourrait lui vouloir du mal ! Oh ! Franck, je t'en prie, accorde-moi ce que je te réclame, accorde-moi le divorce ! Je ne veux rien de ton argent. Je veux juste vivre une vie normale, sans me demander à chaque instant si quelqu'un ne va pas s'attaquer à ma fille. On m'a déjà pris mon fils, Franck, laisse-moi partir !

Jeremy ne s'y trompa pas. Ce n'était pas de la colère qu'exsudait Franck. C'était de la terreur.

Il se jeta aux pieds de Claire, entourant ses genoux en dépit de ses réticences. Jeremy n'aimait pas son beau-père, mais assister à cette scène le mit mal à l'aise. Pourtant, un truc clochait. Surmontant son dégoût, il resta.

— Claire, je t'en prie, Claire, si tu me quittes, je vais mourir ! Aussi sûrement que si tu me tranchais toi-même la gorge ! Je t'en supplie. Tu es mon unique raison de vivre. Laisse-moi du temps. Je suis en train de me débarrasser de toutes les affaires qui te font si peur. Je ne fais rien d'illégal, Claire, tout est transparent !

Claire eut un mouvement de recul et repoussa son mari qui se releva à regret.

— Rien d'illégal ! s'étrangla-t-elle. Tu vends des armes ! Et moi, comme une imbécile, aveugle, docile, amou... (le souffle lui manqua sur ce mot qu'elle ne termina pas, lâchant le reste de sa phrase comme si elle devait recracher un poison), quand je pense que j'ai mis huit ans avant de le découvrir !

— Grâce à ton cher fils qui a fait réaliser une enquête sur moi, oui, je sais, répondit Franck, l'amertume et la colère colorant ses sentiments.

— Ton entreprise de travaux publics n'était qu'une façade ! continua Claire sans relever l'accusation implicite. Comment ai-je pu continuer à te faire confiance alors que tu m'as menti pendant toutes ces années ?!

Franck avança des mains suppliantes.

— Mais c'était par amour pour toi ! Si je t'avais dit la vérité, jamais tu ne m'aurais épousé. Et si j'avais été pauvre, jamais je ne t'aurais approchée ! J'étais coincé, Claire, je n'avais pas le choix. Ces affaires sont dans ma famille depuis toujours. À la mort de mon père, j'ai commencé à m'éloigner de ce milieu. Je t'ai rendue heureuse pendant des années, nous formions un couple merveilleux. À présent, j'ai l'impression d'être un étranger dans ma propre maison ! Tu me traites avec une froideur insupportable, tu imposes que nous fassions chambre à part, tu me demandes le divorce tous les jours, je n'en peux plus !

Claire plissa les yeux, elle aussi en colère.

— Alors si tu n'en peux plus, fais ce que je te demande. Rends-moi ma liberté.

— Euh, maman, vu la couleur de ses sentiments en ce moment, murmura Jeremy, subitement inquiet, moi, à ta place, je laisserais tomber ! Il est dangereux, ne le rends pas fou de rage, maman !

Il n'avait pas tort. Un rouge sombre et sinistre teignit la Brume au-dessus de Franck. Il était furieux et angoissé. Très mauvaise combinaison. Qui conduit à dire exactement le contraire de ce qu'on pense.

— Très bien, éructa-t-il, puisque tu me hais à ce point, je suppose que tout ce que je ferai n'y changera rien. Alors je te laisse le choix. Tu peux partir…

Il arrêta de la main l'élan de Claire.

— … Mais je garde Angela.

Jeremy vit la lueur d'espoir s'éteindre dans les yeux de sa mère et son visage prendre une couleur blafarde.

— Tu… tu ne ferais pas ça ?

— Sans aucune hésitation, répondit paisiblement le trafiquant en dépit de l'angoisse qui bouillonnait en lui. Tu n'as pas d'argent Claire, tu n'as pas de travail. Tu es juste une respectable et ravissante maîtresse de maison. À qui crois-tu que le juge confiera la garde d'Angela ?

Franck avait eu tort. En fait Claire ne le haïssait pas, d'après la couleur de ses sentiments. Elle était juste fatiguée, désemparée et lasse de s'inquiéter autant pour lui (ce qu'elle lui avait soigneusement caché) que pour sa fille. Mais ce qu'il venait de lui dire changeait tout. Claire s'était transformée par amour pour le père de Jeremy tout d'abord, puis par amour pour Franck. Néanmoins, au fond, sous le vernis, la femme du monde restait une guerrière. Une femme vaillante et courageuse.

Elle accusa le coup, puis se redressa.

— Mon fils vient de mourir, dit-elle d'une voix atone.

Franck réprima un geste agacé.

— Oui, je sais, et alors ?

— Tu ne comprends toujours pas, Franck ? Mon fils vient de mourir. Mon père, James, m'avait déshéritée parce que j'avais épousé Paul Galveaux. Paul le peintre, Paul le faible, Paul qui n'était qu'un asticot geignard à ses yeux de requin. Mais James avait formé un fidéicommis sur la tête de Jeremy. Mon père a gagné des millions, des milliards même. Jeremy n'a jamais accepté d'y toucher. Parce qu'il voulait faire ses preuves. Mais maintenant... il est mort.

Franck ouvrit la bouche et la referma. La Brume qui émanait de lui reflétait son désarroi.

— Je suis désormais sa seule héritière, ajouta Claire. Je suis désolée.

Il n'y avait plus rien à dire. Elle quitta la chambre sans un mot. Jeremy avait envie de pleurer. Quel gâchis que la vie de ces deux humains, qui, il le comprenait à présent, s'étaient profondément aimés, au point qu'ils ne savaient plus comment se séparer sans se faire du mal. Il était toujours en colère contre Franck, or à présent, il commençait à sérieusement s'inquiéter pour sa mère.

Car Franck laissait les larmes couler sur son visage, maintenant qu'il se croyait seul. Et la Brume qui s'échappait de lui se teinta d'un orange effrayant lorsqu'il se mit à réfléchir à sa vengeance.

Jeremy recula devant la vapeur. Il ne devait pas s'en approcher. Il s'enfuit de la chambre, franchit la porte que, par chance, sa mère avait laissée ouverte et rattrapa celle-ci dans le couloir. Il parvint à se faufiler au moment où elle refermait la porte de sa propre chambre. Elle se jeta sur le lit et éclata en sanglots. Sa Brume était dense, couleur chocolat, et sentait terriblement bon. Il se mit sur le côté afin de l'éviter.

— Oh, maman, gémit-il, submergé par la tristesse, je suis tellement désolé. Je suis mort, je ne peux pas te protéger. Tu es piégée et je ne peux rien faire. Maman, écoute-moi, ce type est vraiment dangereux. Tu dois absolument le traiter avec douceur, sinon, il va te faire tuer comme il a dû me faire tuer.

Mais dans ce qu'avait dit Franck, ce qu'il avait fait, il y avait quelque chose… quelque chose que Jeremy ne comprenait pas. Quelque chose qui l'avait frappé. Et qui clochait. Il lui était impossible de mettre le doigt dessus. Il resta avec sa mère le temps que celle-ci reprenne son sang-froid, essayant de la toucher pour qu'elle soit sensible à ses mots, mais son chagrin était trop grand, elle ne réagissait à aucune de ses paroles. Triste, découragé, Jeremy sentit l'épuisement le gagner. Avec beaucoup de mal, il réussit à franchir la porte et se dirigea vers la chambre d'amis.

Il y en avait plusieurs dans l'immense demeure. Celle-ci était sa préférée. Avec un papier peint d'un jaune crémeux, orné de chasseurs à cheval qui poursuivaient des renards, au milieu de papillons et de fleurs. Il s'allongea sur le lit recouvert de cette omniprésente pellicule douceâtre et curieusement confortable. Il remarqua qu'il n'y laissait aucune trace et… s'endormit.

Lorsqu'il se réveilla, il mit un certain temps à comprendre où il se trouvait.

Pas dans son appartement. Pourquoi était-il dans cette cham... ? Soudain, tout lui revint en mémoire et il se redressa d'un coup. Il était mort. Totalement, définitivement mort. Bon sang, combien de fois cela allait-il le frapper, comme une claque dans la figure ! Il n'arrivait pas à s'y habituer. Il était *mort*.

Et il était *nu*.

Les vêtements de Brume ne faisaient vraiment pas long feu. L'Ange Flint l'avait prévenu, mais il avait oublié. Il eut un gros coup de blues. Tout ce qui lui était arrivé était insensé. Et injuste. Le sentiment qui l'envahit fut alors si effroyable qu'il se recroquevilla sur lui-même. Il avait tout perdu. Ses amis, sa vie, sa famille, même s'il n'avait plus beaucoup de relations avec elle. Il sentit les larmes couler sur ses joues et les essuya d'un geste presque surpris. Il n'avait pas l'habitude de pleurer or, depuis qu'il était dans ce monde, il n'arrêtait pas de sangloter.

Alors que Jeremy fixait sa main mouillée avec perplexité, l'Ange rouge boursouflé qu'il avait vu la veille traversa tranquillement la chambre, lui jeta un regard méprisant et poursuivit son chemin.

Jeremy frissonna, comme si quelque chose de froid et de visqueux l'avait touché. Soudain, il réalisa que l'Ange ne pouvait être ici que pour un seul objectif : continuer la patiente destruction de sa demi-sœur. Sans réfléchir, le jeune homme se leva brusquement, tenta de le suivre et rebondit sur le mur.

Cela lui fit un mal de chien, surtout parce qu'il ne s'y attendait pas.

D'accord, sa technique de passe-muraille n'était pas encore tout à fait au point. Heureusement, la porte de la chambre d'amis était restée ouverte et il put sortir. Jeremy se promit de perfectionner sa dématérialisation. Il ne voulait pas risquer de rester coincé un jour.

Pas compliqué de deviner où l'Ange se rendait. Jeremy allait le suivre, mais pas tout de suite. Il avait faim. En passant devant une fenêtre, il vit que la nuit était déjà tombée – il avait donc « dormi » toute la journée…

Le jeune homme ne comprenait toujours pas les règles de ce nouvel univers. Il « mangeait » des sentiments mais n'avait pas besoin d'éliminer, ce qui lui semblait illogique. Il était essoufflé s'il courait, pourtant, il ne transpirait pas. Il pouvait pleurer, les larmes mouillaient sa main et ses joues, mais il ne sentait pas son cœur battre. Comme si son corps était une sorte de projection de son moi originel. Comme si son âme avait pris la forme qui lui semblait la plus familière, par habitude, plutôt que pour une autre raison. Et avait adopté les limites qui allaient avec.

Là, il aurait tout donné pour un caleçon.

Flint avait dit qu'il avait créé ses vêtements avec de la Brume. Que Jeremy ne pourrait pas maîtriser la technique avant quelque temps. Mais il n'y avait aucun Ange près de lui, à part l'horrible Rouge, et Jeremy doutait de sa bonne volonté à aider autrui. Il allait devoir se débrouiller tout seul.

Il descendit vers les cuisines. Il sursautait chaque fois que les vivants le croisaient sans le voir.

La cuisinière et le majordome étaient assis. Ils riaient en lisant le journal et la vapeur qui émanait d'eux était blanche. Jeremy s'approcha et, presque à contrecœur, mangea un peu de Brume en guise de « petit déjeuner ». Bien que cette vapeur ne fût pas de la même couleur que la fois précédente, la sensation était exactement la même et toujours d'une incroyable puissance, le faisant vaciller, certes, mais pas tomber (bon, prudent, il s'était calé contre le mur avant de la savourer).

Une fois remis de son extase, il constata que la Brume qu'il avalait réduisait considérablement le débit des deux vivants. Non, il en avait besoin pour autre chose... Il essaya de la prendre dans sa main, mais elle passa entre ses doigts. Il mit alors ses deux mains en coupe, cependant la fumée trouvait toujours un interstice pour s'échapper.

Pendant vingt minutes, le temps que les deux vivants finissent leur journal, il essaya d'utiliser la Brume, sans succès. Petit à petit, la frustration commença à lui faire perdre patience. Flint l'avait pourtant prévenu. C'était justement la raison pour laquelle il *devait* y arriver. Toute sa courte vie, il avait combattu les préjugés. Surtout ceux concernant son jeune âge. Cet état d'esprit lui avait forgé une personnalité têtue et atypique. Il se concentra, se concentra au point de sentir une douleur dans la tête. Il l'ignora, força, força encore, mettant toute sa rage et sa volonté à dompter la Brume.

Soudain, ce fut comme s'il se produisait un déclic dans son cerveau. La Brume stagna dans sa main, un peu comme si la colère du jeune homme l'avait stoppée net. Jeremy avala sa salive, concentré à l'extrême. Ce n'était pas sa main qui tenait la Brume. C'était son esprit. Il pouvait modeler la Brume avec son esprit ! Tremblant, il tendit alors et la main et sa pensée.

La Brume se figea, lovée au creux de sa paume comme un petit animal chaud et doux.

— *Yeeeessss !*

Il avait crié et fut surpris que l'homme et la femme ne réagissent pas. Radieux, il relâcha son emprise. La Brume s'envola.

— D'accord, marmonna-t-il. Je peux l'arrêter. Voyons maintenant si je peux la modeler.

Ce ne fut pas facile, d'autant que les sentiments des deux vivants fluctuaient beaucoup, entre amusement, indignation et compassion. Mais, dans l'ensemble, c'étaient des sentiments positifs que Jeremy pouvait utiliser sans crainte. Au bout d'une heure d'efforts épuisants, il avait réussi à se confectionner un pagne blanc, bleu et gris, à peu près correct. Bizarrement, il lui était impossible de créer un bouton, par contre, imaginer une épingle à nourrice ne lui posa aucun problème. Sans doute parce que la Brume la plus puissante venait de la cuisinière, une femme à l'esprit pratique. Une épingle à nourrice tiendrait bien le pagne, même si cette solution n'était pas très virile.

Jeremy dut s'empêcher de rire tant il se sentait ridicule. Mais il avait réussi ! Flint lui avait dit que cela n'était pas possible. Cette petite victoire lui remonta le moral. Pour la première fois depuis qu'il avait atterri dans cet univers, il avait l'impression de pouvoir un peu contrôler son destin. Sifflotant, il remonta vers les étages sans se presser. Sa bonne humeur se dissipa lorsqu'il se souvint de l'Ange rouge.

Angela était en train de lire lorsqu'il arriva dans la chambre. La Brume qui émanait de la petite fille était marron clair, sa tristesse était perceptible. Son visage était boursouflé de larmes et Jeremy comprit qu'elle avait pleuré toute la journée. Il se sentit curieusement coupable. D'ailleurs, elle pleurait toujours, essuyant les larmes qui lui brouillaient la vue afin d'essayer de lire.

L'Ange rouge était fixé au plafond, juste au-dessus d'elle, et se frottait les mains. Son visage se crispa lorsqu'il vit Jeremy. La veille, il était en train de se nourrir et n'avait pas fait attention à lui, mais cette fois-ci, son apparition le gênait visiblement.

De nouveau, Jeremy sentit son estomac se retourner en sa présence.

Ce n'était pas uniquement son aspect, monstrueux, ni son regard, fou, c'était comme une onde qui se propageait autour de lui, corrompant tout ce qu'elle touchait. Jeremy recula un peu. Son mouvement acheva d'irriter le Rouge, qui fonça sur lui et l'attrapa par le cou, puis le plaqua contre le mur, l'y enfonçant à moitié sous la force de sa poussée.

— Saloperie de Bleu ! siffla-t-il. Qu'est-ce que tu fous ici ?!

Puis il força encore, au point que Jeremy se demanda si le monstre n'allait par l'étrangler pour de bon.

— J'ai vu ta photo sur le chevet de la gamine. Tu es son demi-frère hein, le paria ? Qu'est-ce que tu veux ?

Jeremy chevrota, baissant prudemment les yeux devant le visage tordu de haine :

— Bonsoir... Pardon, je ne voulais pas vous déranger. Je passais juste et... (il fit comme si la pensée venait tout juste de lui traverser l'esprit), mais il n'y a pas d'Anges bleus autour d'Angela, pourquoi ?

En fait, il n'y avait aucun autre Ange dans cette maison, ce que Jeremy commençait à trouver curieux.

— Je les ai chassés, ces minables, ricana l'Ange rouge. J'ai une vengeance à exercer sur cette petite. Et les Anges bleus, ça les rend malades, tous ces sentiments négatifs. Ils ont filé plus vite que les balles d'un Python .357 Magnum. Ah ah ah !

Il relâcha un peu Jeremy, flottant entre le sol et le plafond.

— Tu ne la sens pas, petit Bleu ? Toute cette haine, cette rage ? Normalement, ça vous rend malades, vous autres !

Jeremy comprit alors pourquoi il se sentait si mal en la présence du Rouge bouffi de haine. En plus, il était dégoûté, avait une grosse envie d'écraser la tête de l'Ange et se demandait si celui-ci allait le tuer, ou plutôt pouvait le tuer, vu qu'il était déjà en train de l'étrangler. Et s'il mourait une seconde fois, il irait où ?

Angela se moucha, le ramenant à des préoccupations moins philosophiques.

— En fait, je me demandais pourquoi vous aviez l'air tellement en colère contre cette enfant, répondit-il.

Le cri de fureur du Rouge le fit sursauter.

— Parce que son salopard de père m'a fait exécuter, voilà pourquoi !

— Oooh ! pas besoin de hurler ! Je ne suis pas sourd ! Et pourquoi il vous a fait exécuter ?

Le Rouge ouvrit la bouche pour répondre, puis s'arrêta net et jeta un regard méfiant à Jeremy.

— Et en quoi ça te regarde, le Bleu ?

Jeremy réfléchit à toute vitesse. Il avait besoin d'informations. Voir jusqu'où son beau-père était impliqué dans son meurtre.

— Parce que moi aussi, j'ai été assassiné, précisa-t-il d'un ton posé.

L'Ange rouge en resta bouche bée pendant quelques secondes. Puis se mit à rire.

— Et tu penses que ton propre beau-père, Franck Tachini en est le responsable ? Va falloir faire la queue mon petit gars. T'es loin d'être le seul !

Soudain Jeremy réalisa ce que lui avait dit l'Ange. Jusqu'à présent, les affaires de son beau-père étaient un sujet de fureur et de discorde. Mais pas de peur. Seule Claire était angoissée par le travail de son mari. Jeremy connaissait des gens qui vivaient du business des armes. Ils gagnaient énormément d'argent, tout comme ceux qui, à l'instar de Franck, travaillaient à la limite de la légalité. Et là, d'un seul coup, il réalisait que son beau-père était bien plus qu'un trafiquant d'armes. C'était un dangereux assassin.

Sauf que, de nouveau, quelque chose ne collait pas. L'image de Franck s'enrichissant grâce aux petits arrangements de son entreprise familiale ne lui posait maintenant aucun problème. Il avait plus de mal à l'imaginer ordonnant froidement d'éliminer des gens…

L'Ange rouge le regarda d'un air méprisant.

— De toute façon, t'es qu'un Bleu. Si tu veux te venger, influer sur les sentiments de la femme, des employés, les pousser à le voler, à le tromper, faut que tu deviennes un Rouge. T'as encore du boulot.

En effet, Jeremy ne pouvait que noter l'ironie de sa situation.

Le monstre boursouflé remonta se suspendre au plafond et refusa obstinément de répondre à Jeremy, devenant même carrément menaçant lorsque ce dernier insista.

Ce qui fit réfléchir Jeremy. Car il s'était passé quelque chose d'intéressant.

Le Rouge ne l'avait pas tué. Il l'avait malmené, certes, mais ne l'avait pas tué. Sa haine et sa fureur étaient telles qu'il n'aurait pourtant pas hésité. S'il avait pu. Cela signifiait-il qu'il ne pouvait pas ? Jeremy avait un demi-milliard de questions dans la tête.

Il jeta un coup d'œil vers sa demi-sœur, innocente, dont l'Ange rouge buvait à nouveau la tristesse avec délectation. Pour l'instant, il ne maîtrisait pas les règles et ne pouvait lutter contre le monstre. Mais il se promit qu'il allait intervenir. Que le Rouge décide de se venger de Tachini, oui, qu'il veuille le faire en rendant sa demi-sœur folle, hors de question.

Claire apparut alors dans l'embrasure de la porte, prête à border sa fille. Angela essuya vivement ses joues avec son mouchoir et lui lança un petit sourire misérable.

— Maman !

— Ma chérie !

Le visage de Claire s'illumina, gommant les soucis. Elle s'assit sur le bord du lit et entoura sa fille de son étreinte parfumée. Leur amour colora en bleu la Brume qui s'élevait d'elles, atténuant le marron de la tristesse, et l'Ange rouge se décala avec un rugissement de dégoût.

— Oh, maman, finit par dire Angela, je n'arrive pas à croire que Jeremy est mort. Aux informations, ils ont dit qu'il avait été décapité. Qui a fait ça à mon frère ? Et pourquoi tu ne me l'as pas dit ce matin ? Pourquoi tu m'as dit que c'était un accident ? Ce n'était pas un accident !

Claire hocha la tête et Jeremy vit la colère colorer ses sentiments. Elle en voulait sans doute aux journalistes. L'Ange rouge se rapprocha.

— Je ne voulais pas te faire encore plus de peine, ma chérie, murmura-t-elle. C'est déjà bien assez pénible comme cela. J'ai voulu te protéger…

Angela grimaça. Sa Brume se colora de rose. Elle était en colère, elle aussi. L'Ange rouge se rapprocha un peu plus, salivant. Puis s'exclama :

— Tu es une grande fille ! Ne la laisse pas te manipuler ! Tu veux aller à cet enterrement !

La petite réagit à ce que lui soufflait l'Ange, au grand désarroi de Jeremy.

— J'ai dix ans et demi, maman, je ne suis plus un bébé ! Je veux aller à son enterrement.

Claire se figea.

— Son… mais ma chérie, ce n'était pas prévu… ce serait mieux que…

Angela leva la tête et Jeremy retrouva le fameux air buté de la famille sur son visage soudain sévère.

— Mais je veux y aller, maman ! C'était mon grand frère !

Et elle éclata en sanglots. Incapable de résister, Claire fit de même. Satisfait, l'Ange rouge bondit sur le lit et se nourrit de leur tristesse. Jeremy grinça des dents. Il n'avait qu'une seule envie : envoyer ce monstre en enfer, mais comment s'y prendre ? Puisque, apparemment, ni l'enfer ni le paradis n'existaient.

—Je... je vais encore faire des cauchemars, n'est-ce pas, maman ? murmura Angela d'une voix craintive.

L'Ange rouge se redressa, attentif.

Claire essuya son visage et hocha la tête. Elle caressa les beaux cheveux blonds de sa fille.

—Je ne sais pas, ma chérie, peut-être que non.

—Je me sens trop triste, je suis sûre que je vais en faire...

Claire soupira. Jeremy sentit à quel point elle détestait cela.

— Tu veux du sirop ? dit-elle d'une voix hésitante.

— Tu crois que je peux, maman ? Deux jours d'affilée ?

Claire se força à sourire.

— Ce n'est pas beaucoup, deux jours. Oui, je vais te donner du sirop ma chérie. Tu dois dormir, car dans quelques jours nous irons ensemble à l'enterrement de Jeremy, je veux que tu puisses te reposer.

Elle lui tendit une cuillerée de sirop que la petite avala sans plaisir.

L'Ange rouge poussa un rugissement de frustration puis disparut une nouvelle fois, au grand soulagement de Jeremy.

— Tu restes un peu avec moi, maman ? demanda Angela, tu me racontes des histoires sur Jeremy ?

Claire soupira, puis obéit et commença une absurde histoire de cirque, d'éléphant, de carottes, avec Jeremy en train de faire une énorme bêtise en pleine connaissance de cause. Angela sourit à plusieurs reprises en dépit de sa tristesse. Jeremy les laissa. Cela lui faisait trop mal d'entendre sa mère évoquer les jours heureux.

Il sortit de la chambre.

Son cerveau, à présent bien remis du choc de sa mort, de sa renaissance et de sa nouvelle existence, recommençait à tourner rond. Non, Jeremy n'allait pas devenir l'un de ces fantômes évanescents, parce que, lui, il avait désormais plusieurs buts dans sa nouvelle vie : trouver un moyen de protéger sa sœur de l'Ange rouge et sa mère de Franck Tachini. Prouver que c'était bien Tachini qui l'avait tué et chercher à savoir pourquoi. Car si Claire l'apprenait, cela les séparerait à jamais. C'était un bien gros risque pour une si maigre satisfaction...

Il descendit l'escalier et s'installa confortablement dans l'un des luxueux sofas du salon gris et or. En ce qui concernait Franck, plusieurs hypothèses s'offraient à lui.

Ou son beau-père avait donné l'ordre de le tuer lui, Jeremy, l'unique héritier de la fortune de son grand-père (or Franck avait semblé vraiment désarçonné lorsque Claire lui avait dit qu'elle était désormais riche), en pensant pouvoir éliminer Claire afin de s'approprier l'héritage (mais la couleur de ses sentiments montrait que Franck était sincèrement amoureux)...

Donc un mobile crapuleux.

Ou bien il avait ordonné ce meurtre par vengeance, parce que Jeremy était celui qui l'avait privé de l'amour de sa femme à cause de cette enquête sur ses activités illicites.

Donc un mobile amoureux, possessif.

Ou alors il y avait une troisième raison, en lien avec l'assassinat de cette mystérieuse fille, Annabella Dafing, la nuit de son meurtre, mais Jeremy était bien incapable de trouver laquelle.

De plus, qui était ce tueur mongol ? Et pourquoi ce psychopathe lui avait-il réservé une mort aussi horrible et surtout... spectaculaire ? Il y avait là comme un avertissement. Qui menait donc à une autre hypothèse. Cela venait-il d'un des ennemis que Franck assurait ne pas connaître, qui avait décidé de lui montrer qu'il n'était plus intouchable ?

Jeremy repensa à une scène culte dans le film *Le Parrain*. Celle de la tête de cheval ensanglantée retrouvée dans le lit de son propriétaire. Était-ce lui, le cheval, dans l'histoire ? Rien de plus qu'une victime collatérale ? Génial.

Il commençait d'ailleurs à avoir mal à la tête et toujours pas le plus petit bout de solution. Il allait donc devoir espionner Franck. Mais, avant tout, il devait chasser l'Ange rouge en train de persécuter sa s..., il se raidit à cette pensée. Il allait dire « sa sœur », or ce n'était que sa demi-sœur. Il soupira. Tant pis. Autant l'appeler sa sœur. Il était surpris de l'amour qu'il ressentait soudain pour cette enfant maintenant qu'il était mort. Il devait la protéger. Et surtout se ressaisir, trouver les informations, comprendre. Enfin, plus que tout, il devait devenir fort. Pour cela, il allait avoir besoin de la Brume, il en était bien conscient.

Il sortit de la propriété.

Dehors, la sarabande des Anges bleus et rouges continuait, inlassable. Lorsqu'il passa devant les chiens de garde, il vit les bergers allemands relever brusquement la tête sur son passage. Les bêtes ne le voyaient pas mais semblaient avoir conscience de sa présence, d'une façon ou d'une autre. Incroyable ! L'un d'entre eux émit même un bref jappement, puis se recoucha. Ah, il venait de trouver une explication à un phénomène qui l'avait toujours intrigué. Maintenant, il savait pourquoi, parfois, les chiens aboyaient sans aucune raison. Ils sentaient les Anges !

Jeremy se planta devant les animaux. Ceux-ci frémirent. Il se pencha avec précaution et caressa leur pelage soyeux, sa main passant légèrement au travers. Les chiens s'agitèrent mais sans plus. Ils ne sentaient pas sa caresse, dommage.

Il se releva, indécis. Ce qu'il avait avalé n'était pas suffisant. La faim lui tiraillait l'estomac, mais il n'avait pas envie de revenir dans le manoir.

Il se dirigea alors vers New York. Au bout d'une demi-heure de marche dans la nuit, il en avait assez. Les seuls déplacements à pied qu'il avait effectués pendant ces sept dernières années, c'étaient celui qui le conduisait de son bureau à son domicile tout proche et le jogging qu'il s'imposait deux fois par semaine, histoire de garder la forme. Sauf que là, il avait beau avancer d'un pas rapide, ce n'était pas suffisant et courir le fatiguait davantage. Bon, il en avait assez. Il allait trouver de quoi manger et tout de suite ! Il observa les propriétés alentour. Comme celle de Franck, que des demeures fastueuses. Les Anges volant au-dessus n'étaient pas faciles à distinguer dans l'obscurité. Étaient-ils rouges, bleus, ou les deux ? Il se dirigea vers l'une des maisons et franchit le portail. Au travers d'une large baie vitrée, un couple se faisait face, amoureusement. Des Anges bleus flottaient et se nourrissaient sur le toit. Bon, bleu cela signifiait qu'il pouvait y aller, il avait le feu vert. Ah ! ah !

Il s'approcha. Il n'avait aucune idée de comment saisir la Brume qui s'échappait par le toit, vu qu'il ne savait pas voler. Du moins, pas encore. Entièrement préoccupé par cette idée, il ne réalisa pas qu'il passait à travers le mur d'entrée comme si celui-ci n'existait pas. C'était quand même bien pratique cette faculté.

Dans le salon, les deux amoureux se dévoraient des yeux, un verre de champagne à la main. La jeune femme brune était ravissante dans son ensemble de soie gris, le jeune homme aux cheveux noirs la regardait comme si elle était la huitième merveille du monde.

La vapeur bleue qui s'échappait de leur tête avait l'air terriblement appétissante. Cela le fit saliver. Même s'il lutta aussitôt contre ce réflexe, cela ne l'empêcha pas d'avoir faim. Une faim à laquelle se mêlait encore une certaine peur. À force de devoir céder à son besoin, allait-il finir par se perdre dans les brumes du plaisir ? Il soupira et, malgré lui, se rapprocha du couple.

Jeremy s'aperçut alors qu'il avait un léger problème. Comment, sans décoller, récupérer cette satanée Brume qui s'envolait de la tête des deux vivants ? Dans la cuisine du manoir de Franck, les employés étaient assis, or là, l'homme et la femme se tenaient debout. Il observa les lieux. C'était une grande pièce gris clair et crème. De longs canapés aux dossiers dodus et bas attendaient les visiteurs. De petites tables, de jolis tableaux, mais ce n'était pas ce qui l'intéressait. Pas très loin du couple se trouvait une chaise d'acajou foncé.

Dès qu'il visualisa l'idée, il décida de tenter sa chance. Il monta sur la chaise et se pencha. Nouveau problème, celle-ci était bien trop loin et pas question de la déplacer. Merde. Il se pencha encore, encore, et soudain… il bascula la tête la première et tomba par terre. Il se releva en grimaçant. Alors ça, pour être ridicule, il était ridicule ! Et, en plus, il avait l'impression d'avoir mal. D'accord, la chaise était une mauvaise idée. Le canapé, peut-être ?

Il se jucha alors sur le sofa et, en équilibre sur la pointe des pieds, parvint tant bien que mal à placer sa bouche au niveau de la Brume. Une nouvelle fois, il faillit hoqueter tellement c'était bon. Il commença à avaler la vapeur le plus vite possible. Au bout de quelques minutes, alors qu'il était en pleine extase, une tête bleue curieuse passa à travers le plafond.

— Eh, les gars, c'est un Nouveau, un Bleu, c'est pour ça qu'il y en a moins !

Jeremy leva les yeux, interrompant son festin.

Les Bleus qui le regardaient lui sourirent.

— Laisses-en un peu pour les autres mon gars ! s'exclama l'un d'entre eux. Tu vas te rendre malade si tu te tiens aussi près de la source, y a que les Rouges qui agissent comme ça !

Jeremy fronça les sourcils. La source ? Mais de quoi parlaient-ils ? Soudain, honteux, il réalisa qu'il n'avait vu les amoureux que comme de simples garde-manger, pas comme des êtres humains. Il se sentit mal. Et un peu ballonné.

— Pardon, dit-il, je ne savais pas que je vous gênais.

— Ben si tu en avales, y en a forcément moins pour nous. C'est pas très grave, mais préviens quand tu fais ça, on a cru qu'il y avait un problème avec les deux petits. Les Rouges sont féroces lorsqu'il s'agit de nourriture. Ils sont prêts à tout, même à détruire un gentil couple comme celui-ci.

Il y avait de la crainte dans la voix de l'Ange. Ah, la vie après la mort ne semblait décidément pas paisible…

— Désolé, désolé. La prochaine fois, je préviendrai bien sûr. Dites, à propos des Rouges, il y en a un, justement, que je voudrais chasser, il est en train de faire mourir de peur une petite fille, est-ce que vous… ?

Les Anges bleus grimacèrent.

— Si c'est un Rouge, il est violent. Les Anges ne peuvent pas tuer d'autres Anges, du moins c'est une opération très difficile. Mais ils peuvent te faire mal, oh oui. Ne t'oppose surtout pas à lui et, s'il t'attaque, envole-toi !

— Parfait. Sauf que je ne sais pas voler…, marmonna-t-il.

— La prochaine fois que tu viens ici, crie un bon coup et on t'entendra, précisa une jolie Bleue aux longs cheveux blonds. À mon avis, on va pouvoir se nourrir pendant un bon bout de temps sur ces deux-là, ils viennent tout juste de se marier.

Les Anges sourirent à Jeremy puis disparurent.

— Eeeehh ! cria Jeremy, pourquoi ce n'est pas bon d'être aussi près de la source ?

La tête de la fille blonde reparut au travers du plafond.

— Parce que les sentiments sont très forts lorsqu'ils sortent des êtres et sont un peu plus dilués quand tu les captes plus haut. C'est plus « digeste ». Tu n'as pas un peu mal au cœur là ?

Jeremy réalisa qu'il se sentait un peu barbouillé.

— Euh, si, dit-il d'un air penaud. D'accord. Ne pas consommer trop près de la source. Mais comment je fais pour voler ?

La jeune fille sourit.

— Tu dois penser que tu es léger, léger. Tu vas voir, ça marche tout seul, c'est facile ! À plus !

Et, cette fois-ci, elle disparut pour de bon.

Jeremy soupira et regarda le couple extatique. Puis il s'inclina.

— Merci de m'avoir nourri, dit-il, et soyez très, très heureux tous les deux…

Il se détourna et termina à voix basse.

— … comme ça, j'aurai mon prochain repas d'assuré.

Le moral dans les chaussettes, il repartit vers le manoir.

Il avait un type à hanter.

4

Le goût de la culpabilité

Jeremy n'apprit rien de particulier en écoutant son beau-père. Il semblait travailler sur plusieurs affaires en même temps, mais ne parlait ni d'assassinat ni de tueur. Décidé à ne plus vivre en décalé, le jeune homme alla se coucher en même temps que lui, bénissant la demeure aux nombreuses chambres vides. Pendant les quatre jours qui suivirent, il tenta de prendre ses marques dans ce monde si mystérieux où il avait atterri.

Puis arriva le jour de *son* enterrement.

Après une messe où il crut périr à nouveau – cette fois d'ennui (alors qu'il avait tant à faire) –, Jeremy suivit sa mère, son beau-père et Angela, petite procession vêtue de noir et de tristesse, jusque dans leur limousine.

Le jeune homme avait appris quelques règles depuis son passage dans l'au-delà. En se concentrant très fort, il pouvait traverser n'importe quels objet ou matière, mais ceux-ci pouvaient lui opposer une grande résistance. S'il parvenait à entrer dans une voiture, elle le transportait, comme l'avait fait le bus. Pourquoi ? Mais pourquoi subissait-il la gravité ? Il était censé être un pur esprit, non ? À ce sujet, pourquoi certains Anges étaient pourvus d'ailes, magnifiques, rouges ou bleues, alors que d'autres n'en avaient pas et volaient quand même ? Pourquoi pouvait-il manger la Brume et comment arrivait-il à la modeler (enfin pas très longtemps, son pagne passait son temps à disparaître, et cela devenait très agaçant) ? Il allait devoir trouver rapidement une réponse à toutes ces questions.

Et, surtout, se trouver des alliés.

Dans son métier, il savait que les choses ne se font jamais toutes seules. C'est le travail d'une équipe qui fonctionne, pas celui d'un solitaire. Or, pour l'instant, à part Flint qui avait parlé d'une partie de poker entre amis, il avait l'impression quc les Anges passaient leur temps à voler et à se nourrir, parlant même, pour certains, à l'oreille des vivants qu'ils suivaient. Peu d'entre eux avaient « les pieds sur terre », et se contentaient de tournoyer au-dessus de leurs « fournisseurs ». Ce qui ne facilitait pas la conversation. Cela dit, Jeremy les comprenait. Ce devait être grisant de pouvoir voler…

Le monstrueux Ange rouge ne les accompagnait pas au cimetière. Jeremy pensait pourtant qu'il serait content de pouvoir se nourrir de la tristesse de sa famille, comme il l'avait fait à l'église. Il comprit pourquoi il ne se montrerait pas en découvrant les collines parsemées de stèles de Green-Wood.

Le célèbre cimetière grouillait littéralement de Rouges. Leur présence lui retourna l'estomac, certes pas autant que celle du boursouflé. L'immonde Rouge exerçait une vengeance, alors que les Anges qui se trouvaient là voulaient juste se nourrir. Il y avait aussi des Bleus qui accompagnaient leurs vivants, ceux auxquels ils s'étaient attachés. Mais il y avait surtout des Anges de couleurs variables, ni franchement bleus, ni franchement rouges. À un moment, Jeremy crut apercevoir un visage familier, un peu rond, celui de cette femme... Téti quelque chose, si c'était bien elle, d'ailleurs, mais il la perdit de vue lorsque la masse impressionnante des Anges s'agita violemment.

Comme des vautours, ils se réunirent autour du prêtre, puis s'envolèrent afin d'absorber la tristesse la plus intense, celle de Claire et d'Angela. Jeremy fut étonné de constater qu'il y avait autant de monde à son enterrement. Ah, ses associés étaient là. D'après la couleur de leurs sentiments, ils semblaient plus furieux que tristes. « Désolé, les gars, d'avoir bousillé le business en mourant ! » Jeremy soupira. À quoi d'autre pouvait-il s'attendre ? Toutefois, plusieurs de ses employés étaient sincèrement bouleversés. Sa secrétaire, notamment, qui sanglotait dans son mouchoir, bien plus que ne le faisait Claire, impériale et figée.

Mais la Brume qui montait de sa mère la trahissait. Les Anges rouges se nourrissaient avec délectation de sa terrible peine. Jeremy serra les dents d'exaspération, luttant contre l'envie croissante de distribuer des coups de poing à tous ces Anges amassés au-dessus des vivants.

Soudain, plongeant du ciel tel un missile, un Bleu-Rouge fonça sur les Anges et les dispersa avec une violence inouïe. Les agressés hurlèrent leur colère, mais le nouveau venu, enragé, attaquait tout ce qui était à sa portée et ils finirent par reculer à bonne distance. Jeremy faillit en tomber par terre de surprise. Il lui avait semblé reconnaître cet Ange furieux…

Non, Jeremy ne pouvait s'être trompé.

C'était…

… son père !

Tétanisé par la stupéfaction, il assista, impuissant, à l'incroyable spectacle. Après avoir héroïquement chassé la meute d'Anges rouges, Paul Galveaux, le regard dément, éructant, se jeta sur Franck Tachini et commença à le frapper au visage de toutes ses forces.

— Salaud, enfoiré, bâtard ! Je t'interdis de la toucher, tu m'entends ! Je vais te tuer ! Je vais te tuer ! ELLE EST À MOI !!

Tachini ne broncha pas. Il ne sentait rien de la furie de Paul. Les coups le traversaient. Soudain, Paul se mit à hurler comme un loup, leva son visage de fou vers le ciel, puis vint s'enrouler autour de Claire, tel un lierre autour d'un pilier, pour finir à ses pieds en larmes, la couvrant de caresses aussi immatérielles qu'inutiles.

— Mon Dieu, murmura Jeremy, anéanti. Papa ?

Il se précipita, voulut étreindre son père, qui l'ignora en dépit de ses appels désespérés.

— Il ne t'entendra pas, grommela une voix cassée par des années de cigares et de bons alcools. Il est devenu complètement fou…

Jeremy sursauta en entendant cette voix familière. Il se retourna.

Devant lui se tenait James Stewsant, son grand-père ! Il détestait Paul Galveaux, l'étudiant français qui lui avait volé sa fille lors d'un de ses séjours universitaires à Paris, et semblait pourtant veiller sur lui à présent. Le descendant des Stewsant de Boston qui avait formé Jeremy à la finance et lui avait tout appris. Il avait réussi à le faire venir aux États-Unis et même à le faire naturaliser américain, avant de s'éteindre d'une glorieuse crise cardiaque à soixante-quinze ans avec deux jolies femmes dans son lit. Son grand-père, le banquier qui avait terrorisé des nations entières avec des raids sur leurs monnaies, contemplait l'enterrement avec fureur, un cigare bleu allumé à la bouche.

Avant que James puisse ajouter quelque chose, Jeremy se jeta sur lui et l'entoura de ses bras. Un peu surpris, le vieil homme faillit tomber en arrière puis finit par rendre son étreinte, gêné, à Jeremy, soulagé. Son grand-père était là, il pouvait se souvenir qu'il n'avait que vingt-trois ans et n'était pas encore si loin que cela de son enfance. Jeremy laissa toute la pression se relâcher.

— Grand-père ! Merci, merci, mon Dieu, j'étais... j'étais si seul, j'ai eu si peur !

James pencha la tête d'un air goguenard.

— Dieu n'a rien à voir dans l'affaire, grogna-t-il en se dégageant. Pas un jour ne passe sans que je doive m'occuper de ton père et l'empêcher d'aller voir ta mère... C'est d'ailleurs pour cela que nous avons raté ta mort. Sinon, tu penses bien que nous aurions été là pour t'aider ! Je lui en veux beaucoup. Tu étais mon meilleur investissement Jeremy. J'ai toujours essayé de te conseiller au mieux depuis ma mort. Je pense que tu me dois la moitié de tes meilleures affaires !

Il rayonnait tandis que Jeremy essayait de se remettre du choc de leurs retrouvailles. Le jeune homme comprenait aussi tout à coup d'où venaient les maudits acouphènes.

Probablement de son grand-père en train d'intervenir dans sa vie. Encore.

— Bon sang de bonsoir, se rembrunit James, tu étais un petit gars si prometteur. Quel gâchis ! Comment as-tu fait pour te faire tuer, mon garçon ? Nous ne l'avons appris qu'en passant à la maison tout à l'heure, on a foncé pour te retrouver. Tu as eu un accident ? Maudits chauffards ! Quand celui qui t'a écrasé mourra, on lui fera sa fête, fais-moi confiance.

Ah oui, évidemment. Dans ce monde, les personnes assassinées devaient attendre leur meurtrier de pied ferme. Jeremy en retrouva sa voix.

— Euh, pas exactement, grand-père. J'ai été décapité. Par le katana d'un… ninja, apparemment.

En prononçant ces mots, il réalisa à quel point sa mort pouvait paraître délirante.

Il avait raison, James fronça les sourcils et hasarda :

— Hou là, tu es sûr que tu vas bien Jeremy ? Un ninja ?

— Je ne suis pas le seul, grand-père. Il a aussi tué une femme ce soir-là, une certaine Annabella Dafing.

Pour une fois, James fut tellement surpris qu'il en oublia de parler.

— Ça par exemple, finit-il par lâcher, mais c'est totalement aberrant ! Deux décapitations ?

— Oui, à moi aussi, ça me paraît dingue. Le seul truc génial dans l'histoire, c'est de vous avoir retrouvés, continua Jeremy, profondément apaisé. Que se passe-t-il avec papa ?

— Il est devenu un esprit errant, un Frappeur. Sa mort l'a rendu fou.

Jeremy se souvint de ce que lui avait raconté Flint à ce sujet.

— Il est comme un drogué, Jeremy, poursuivit James, ennuyé. Il se nourrit de ta mère, n'arrive pas à s'en détacher. Mais comme elle est triste et furieuse depuis quelques années, il devient de plus en plus rouge. Je suis très inquiet.

Et dire que, de son vivant, son grand-père détestait profondément Paul… Pour quelle étrange raison s'occupait-il de lui maintenant ?

— Mais pourquoi ? finit par demander Jeremy, tandis qu'ils observaient son enterrement côte à côte.

James ne fit pas semblant de ne pas comprendre.

— Parce que, mon garçon, ta mère va bien finir par nous rejoindre un jour ou l'autre. Et si je lui dis que j'ai laissé tomber ton père pour aller m'éclater avec quelques jolies Bleues, et des Rouges très coquines, je vais passer l'éternité à l'entendre. Je fais preuve de prudence, c'est tout.

— Est-ce… est-ce que si je parle à papa, il y a quand même une chance qu'il me réponde ?

— Je ne sais pas s'il aura conscience de toi, mais tu peux essayer.

Jeremy hocha la tête et s'approcha. Il s'accroupit devant son père qui gémissait.

— Claireclaireclaireclaireclaireclaireclaire…

— Papa ?

— Claireclaireclaireclaireclaireclaireclaire…

La litanie n'avait pas de fin. Le jeune homme en eut la chair de poule et sentit son cœur et sa gorge se serrer.

— Papa ? Je t'en prie, écoute ! C'est moi, Jeremy, ton fils !

Mais son père demeurait sourd et aveugle à toute personne qui n'était pas Claire. Il ne réalisait même certainement pas où il se trouvait. Ravagé par le chagrin, Jeremy se redressa. Mourir n'était pas la seule épreuve. Il lui fallait aussi apprendre que les Anges restaient là, attachés à leurs familles, à leurs amours. Et que certains en perdaient la raison.

— Mon garçon, dit alors James, je suis sincèrement désolé de ce qui t'est arrivé.

Jeremy hocha la tête, la gorge encore serrée. Son père lui avait tellement manqué ! Paul était l'absolu opposé de James. Il avait été peintre. Un bon peintre. Mais pas un génie. Il n'avait jamais réussi à « percer » à Paris. Il avait à peine pu entretenir sa propre famille et permettre à sa ravissante femme de vivre, certes pas aussi confortablement que lorsqu'elle était la fille chérie de son milliardaire de père. Il était donc resté pauvre. Au point que lorsque James avait proposé de payer les études de Jeremy, à condition que son petit-fils vienne habiter aux États-Unis, il n'avait pas pu refuser. Claire ne lui en avait jamais voulu. Elle aimait profondément Paul et sa mort, dans un accident stupide, l'avait affectée au plus haut point. Elle avait alors rejoint son père et son fils à New York. Puis avait rencontré Franck et l'avait épousé. Paul, mort, n'avait pourtant cessé de l'accompagner. Et il avait tout vu, tout su. À cette idée, Jeremy se sentit mal.

James posa une lourde main sur l'épaule de son petit-fils.

— Jeremy, trêve de sensiblerie. Je veux comprendre ce qui s'est passé, pourquoi tu as été tué et par qui. Retrouve-moi après-demain à 20 heures, au *Rose's & Blues*, sur Lexington Avenue. La musique est bonne et les vivants y éprouvent du plaisir. J'emmène ton père avant qu'il trouble un peu plus ma fille avec ses pleurnicheries psychiques. En général elle ne l'entend pas, mais là, elle a un tel chagrin…

Jeremy sursauta.

— Mais, je ne veux pas vous quit…

— Paix mon garçon. Nous avons toute l'éternité devant nous pour discuter. Et ton père n'est pas raisonnable lorsqu'il est en présence de ta mère. Nous devons vraiment y aller. Il va lui falloir ces deux jours pour se remettre. Il sera plus lucide lorsque nous nous verrons, je te le promets.

Jeremy protesta. James ne l'écoutait plus. Il peina à arracher Paul à Claire. Son gendre finit par céder. James le prit par le bras et le traîna littéralement derrière lui.

Avant de s'envoler.

Éberlué, Jeremy les regarda s'éloigner. Puis il réalisa que les seules personnes qu'il connaissait et aimait dans ce nouvel univers l'abandonnaient à son sort. Il commença alors à leur courir après… et percuta une jeune fille.

Enfin, plus exactement, il la traversa à moitié avant de piler, puis de reculer, mal à l'aise. Il ne s'était pas encore fait à l'idée de passer à travers les gens.

Il jura lorsqu'il réalisa que James et Paul avaient disparu.

Heureusement, il savait où les retrouver. Encore bouleversé par la scène avec son père et son abandon, et un peu en colère contre cette vivante qui avait distrait son attention au mauvais moment, il mit plusieurs secondes à comprendre ce qu'il voyait.

La jeune fille blonde pleurait à chaudes larmes. Mais ce n'était pas uniquement de la tristesse qui émanait d'elle. Il avait déjà vu cette couleur chez son beau-père. C'était de la culpabilité. Elle fixait l'inhumation avec horreur.

Puis il réalisa une seconde chose. Vêtue d'un ensemble jupe et veste noires, de grosses lunettes de soleil sur les yeux, les cheveux dissimulés sous un foulard de soie noir et blanc, plusieurs mètres en retrait de la cérémonie, la jeune fille se cachait. Comme si elle ne voulait pas que quelqu'un en particulier la remarque. Jeremy en fut intrigué. Avait-elle un rapport avec Franck Tachini ? Elle semblait jeune, à peine vingt ans, mais les trafiquants se fichaient pas mal de l'âge de leurs victimes. Elle parlait toute seule et ce qu'elle murmurait, lorsqu'il l'écouta, l'immobilisa, aux aguets.

— Mon Dieu, mon Dieu, mon Dieu, qu'ai-je fait !? gémissait-elle. Jeremy Galveaux est mort et c'est de ma faute…

Ah, ça ! Il recula un peu, secoué. Mais qu'est-ce qu'elle racontait ?

Quelques Anges rouges vinrent flotter au-dessus d'elle, attirés par sa tristesse, sa peur et sa culpabilité. Comme il n'avait jamais vu cette fille de sa vie, il ne comprenait pas du tout pourquoi elle se sentait tellement…

Soudain, il eut un flash. Mais si ! Il l'avait déjà vue ! Son visage était resté gravé dans son esprit lorsque, apeurée, elle fuyait le tueur à sa poursuite. Et qu'elle n'avait eu la vie sauve que grâce à l'arrivée de la police… au moment où le tueur avait trébuché sur la tête tranchée de Jeremy.

Le jeune homme se rapprocha de la jeune fille en dépit des Rouges. Ceux-ci l'ignorèrent.

— Pourquoi dis-tu que c'est de ta faute ? demanda-t-il, pressant, comme si la vivante pouvait vraiment l'entendre. Parle ! Explique-moi ! Qui es-tu ? Tu dis que tu es responsable. Qu'est-ce que tu as fait ? Pourquoi j'ai été assassiné ?

Mais la fille se contentait de sangloter. Au bout d'un moment, elle se détourna et se dirigea d'un pas chancelant à travers les stèles funéraires. Jeremy ne put réprimer un rictus ironique en voyant les sculptures d'Anges et d'Angelots fessus autour des tombes. Si les vivants savaient…

À propos de savoir, c'était le moment. Il allait suivre cette fille et essayer de comprendre ce qui s'était passé. Machinalement, il regarda le ciel, mais James et son père avaient bel et bien disparu. Après un dernier coup d'œil à sa mère, semblable à une statue de marbre blanc et noir tant elle était pétrifiée par le chagrin, il marcha derrière la fille. Elle était le seul point qui le rattachait à son meurtre, il ne pouvait pas la perdre.

Elle s'engouffra dans une voiture, faillit emboutir deux limousines mal garées et fila à toute vitesse. Jeremy s'était faufilé sur le siège passager et la regardait, le nez et les yeux rouges. Elle était très jolie en dépit de son visage gonflé par les larmes. Heureusement, elle ne portait aucun maquillage, sinon il n'aurait jamais résisté à un tel déluge. La tristesse et la douleur qui s'exhalaient d'elle sentaient bon. Il se raidit. Il devait résister.

— Mais pourquoi es-tu venue ? dit doucement Jeremy, au bout de quelques minutes. Qui es-tu *vraiment* ?

La jeune femme laissa échapper un autre déluge de larmes au feu rouge et il se tut le temps que la tempête s'apaise.

— D'accord, tu ne me connais pas, je ne te connais pas, mais tu sembles être la raison pour laquelle je me retrouve invisible dans ta voiture, vêtu d'un pagne ridicule retenu par une épingle à nourrice. Il va donc falloir que j'arrive à te faire parler.

La jeune femme redoubla de sanglots.

— Ouais, soupira Jeremy, sauf que là, tu pleures tellement que jamais tu n'entendras ce que je te demande. Même si je crie aussi fort que papa…

Mentionner son père lui rappela aussitôt ce qu'il venait de vivre dans le cimetière. Le reste du trajet ne fut plus troublé que par les pleurs sporadiques de l'inconnue.

Soudain la jeune fille freina et s'engagea dans un parking. Toujours ravagée par les larmes, elle claqua la porte de la voiture et fila. Jeremy la suivit. Quelques étages plus haut, ils étaient dans un petit appartement simple, clair, mais chaleureux. Il y avait du courrier sur la table, recouverte d'une jolie nappe blanche brodée de rouge. Les rideaux étaient colorés, les meubles bas et confortables. Aux murs Jeremy remarqua des tableaux représentant de mièvres paysages de campagne. L'appart était bien rangé. Et même si Jeremy se sentit un peu honteux d'espionner ainsi une jeune fille chez elle, il trouvait légitime de vouloir comprendre ce qui s'était passé. Soudain il sursauta. Fou de bonheur, un petit scottish terrier se mit à japper et à sauter autour de la jeune vivante. Celle-ci le prit dans ses bras et le chien lécha ses joues salées de larmes.

— Oui, oui Frankenstein, reste tranquille, je te promène tout de suite.

Elle attrapa une laisse, attacha le chien et sortit.

Jeremy se pencha sur les lettres. Elles portaient toutes le même nom : Allison Darthmouth.

— Allison Darthmouth… ? répéta-t-il tout haut. Ce nom ne me dit rien du tout !

Un petit carton blanc reposait à côté du courrier. Jeremy reconnut, froissée et mouillée de larmes, *sa* propre carte de visite ! Il jura. Cette fille le connaissait ! Mais comment ? Il ne comprenait plus rien. OK, il était devenu une sorte de moine, OK, il passait ses soirées à bosser comme un fou depuis des années, mais quand même, si une fille aussi jolie l'avait approché au point qu'il lui donne sa carte, il s'en serait souvenu ! Et elle ne pouvait pas être une cliente. D'une part parce qu'il ne l'aurait pas oubliée – il était peut-être chaste par manque de temps mais pas aveugle –, d'autre part parce que tout dans l'appartement lui montrait que la jeune fille n'était pas très riche.

Et, vu son comportement, elle n'avait pas non plus été engagée par Tachini pour le distraire pendant que le tueur le… tuait.

Il se promena de pièce en pièce. Faillit se casser la figure dans la salle de bains rose lorsqu'il tomba nez à nez avec des culottes et des soutiens-gorge en train de sécher au-dessus de la baignoire, et se sentit étrangement gêné dans la chambre en se retrouvant devant le lit. Immense. Cela lui parut bizarre, parce que l'appartement était somme toute assez petit, qu'il n'avait vu qu'une seule brosse à dents près du lavabo, que le courrier n'était adressé qu'à une seule personne et qu'Allison lui donnait vraiment l'impression d'être célibataire…

Elle revint. Frankenstein poussa des gémissements en regardant dans la direction de Jeremy, cependant Allison n'y prêta aucune attention. Curieux, car maintenant que sa tristesse et sa culpabilité s'atténuaient, elle émettait par intermittence une jolie Brume bleue apaisante. Alors pourquoi n'avait-elle aucun Ange bleu avec elle ? À moins qu'ils ne soient…

Il s'élança et passa la tête à travers la fenêtre fermée. Il maîtrisait de mieux en mieux sa dématérialisation. Ah oui, ils étaient là, au-dessus de l'immeuble, voletant et nageant dans la Brume de toutes les couleurs.

Allison se déshabilla et Jeremy se retourna aussitôt. Il n'avait pas envie de jouer les voyeurs. Enfin si, il en avait envie, mais un reste de bonne éducation le retint. Elle enfila un pyjama en pilou, pas franchement sexy, se fit une salade, puis attrapa une pile de copies et commença à travailler. En regardant par-dessus son épaule, Jeremy réalisa qu'elle était sûrement institutrice. Il fut interloqué parce que, comme lui, elle paraissait très jeune pour exercer ce métier.

La fin de l'après-midi passa paisiblement. C'était bizarre, Jeremy se sentait presque bien, comme si la jeune fille diffusait une sorte de calme olympien.

Pendant une grande partie de ce temps, Jeremy lui murmura à l'oreille. Des questions, des milliers de questions. Mais elle ne semblait décidément pas du tout sensible à ses paroles parce qu'elle ne se lança dans aucun monologue qui aurait pu éclairer le jeune homme sur son propre meurtre. Il finit par se lasser et se contenta de la regarder. Au fil des heures, son visage se dégonflait et il vit à quel point elle était jolie. De beaux yeux bleus, un menton têtu, un large front intelligent, une ravissante bouche charnue.

Il comprenait un peu mieux le pourquoi du grand lit. Elle devait avoir une pléthore d'amants. Pourtant, ce soir-là, personne ne l'appela. Elle termina ses corrections, puis se déshabilla, cueillant Jeremy par surprise, et se lança en petite culotte et soutien-gorge en une succession de mouvements étranges sur une machine qui tournait à s'en faire dévisser les vertèbres. Une heure d'exercices plus tard, elle était rouge, en sueur, nettement moins jolie, mais la Brume qui émanait d'elle était devenue tout à fait blanche. Elle fila dans la salle de bains, prit une douche rapide, remit son repoussant pyjama qu'elle recouvrit d'un gros manteau, et sortit à nouveau promener Frankenstein.

En rentrant, elle avala un bol de céréales devant la télévision. Or avant de se coucher, au grand étonnement de Jeremy, Allison se plongea dans des livres de cours. Il se pencha par-dessus son épaule. Ah ! Elle n'était pas institutrice, mais étudiante, et donc probablement en stage dans une école. Très vite, Allison dodelina de la tête et finit par aller se coucher. Jeremy soupira : son enquête n'avait pas vraiment progressé. Absorbé par ses pensées, il passa la porte de l'appartement et se balada dans la rue, avala un peu de Brume bleue au-dessus d'une bouche de métro, puis revint chez Allison. Il ne savait pas pourquoi, mais il ne voulait pas se nourrir de la jeune fille. Et il sentait qu'il n'avait pas non plus envie de la quitter.

Finalement, que le lit soit aussi grand était une bonne chose : il s'allongea avec précaution à côté d'elle et s'endormit.

Lorsque Jeremy se réveilla, il était à nouveau nu, et Allison le regardait.

— Tu sais que tu es beau, toi, dit-elle d'une voix caressante.

Il hurla de surprise, bondit en arrière et se cassa la figure. Un jappement répondit à la déclaration d'Allison et Jeremy comprit que Frankenstein s'était installé à sa place et que c'était à lui que ces paroles s'adressaient.

— Oui, oui, je sais que la flatterie ne sert à rien avec toi, soupira Allison. Ce que tu veux c'est ton petit déjeuner et sortir, et pas forcément dans cet ordre. J'arrive, j'arrive !

Grommelant, elle s'extirpa de son lit. S'occupa de Frankenstein tandis que Jeremy, le cœur encore battant, s'étirait et filait se fabriquer un autre pagne. Être nu le rendait nerveux.

Lorsqu'il revint, après avoir pris son petit déjeuner lui aussi, Allison était déjà prête. Elle récupéra sa voiture et fila vers une école à une vingtaine de minutes de chez elle. Jeremy, qui avait réussi à se faufiler dans le véhicule, l'accompagna et entra avec elle dans la classe. De nombreux Anges bleus et quelques Anges rouges étaient là. Les Bleus murmuraient à l'oreille des enfants, afin de les aider. Les Rouges dissipaient les plus agités. De nouveau, Jeremy fut frappé par le fait que les vivants réagissaient en général bien plus aux conseils des Anges rouges que des Anges bleus. Certains enfants, les plus vifs, les plus brillants, semblaient mieux à même de capter la parole des Anges.

Il était en train d'admirer la façon dont Allison s'occupait des élèves, les récompensant et les encourageant sous l'œil attentif de l'institutrice d'un certain âge qui la surveillait, lorsqu'une voix bien connue le fit se redresser comme un ressort.

Claire, sa mère, entra dans la salle de classe, la mine abattue en dépit de son impeccable maquillage, sanglée dans une robe noire, avec des chaussures assorties à son sac gris.

Alors ça ! Mais que faisait sa mère ici ?

L'institutrice l'accueillit avec chaleur, ce qui prouva à Jeremy qu'elle la connaissait bien. Allison pâlit. Et plus encore lorsque Angela apparut derrière sa mère, les yeux encore brillants d'avoir pleuré. Depuis cinq jours. Et presque sans interruption. Cela brisait le cœur de Jeremy.

De nouveau, la fumée de la culpabilité, d'un brun sale, émana de la jeune fille, mais celle, plus foncée, de la peur aussi. Jeremy recula, surpris. Puis il comprit le lien. Il savait à présent comment sa carte s'était retrouvée dans les mains d'Allison.

C'était Angela qui la lui avait donnée.

Deux ans auparavant environ, sa mère et sa demi-sœur étaient passées à son bureau. Si Jeremy détestait Franck, il comprenait qu'il ne pouvait pas le montrer à Angela, qu'il rejetait tout autant à l'époque. Il restait donc froidement poli avec elle, comme si elle était une sorte d'étrangère. Bien sûr, la fillette adorait ce grand frère indifférent. Elle lui avait chipé quelques cartes de visite, il s'en souvenait maintenant. Mais pourquoi en avait-elle donné une à Allison et, surtout, pourquoi avait-il été tué lorsque…

Il retint sa respiration. En revoyant la scène, il venait d'avoir une illumination. Sous sa forme d'Ange, déjà passé de l'autre côté, il avait vu le mouvement du tueur.

Il allait la tuer, elle aussi.

Allison répétait sans cesse que c'était de sa faute à elle. Qu'elle était responsable de sa mort. Elle avait dû l'attendre en bas de chez lui pendant des heures, n'imaginant sans doute pas qu'il allait rentrer aussi tard. Lorsque enfin elle l'avait aperçu, elle avait dû alors se diriger vers lui…

Il n'y avait qu'une seule conclusion.

Ce n'était pas pour Jeremy que le tueur était venu.

Le tueur était venu… pour elle !

5

Le goût des autres

Pendant deux jours, Jeremy avait attendu avec impatience ce rendez-vous, restant, en alternance, aux côtés d'Allison et de sa demi-sœur. Le *Rose's & Blues* était un endroit tout à fait extraordinaire. Ancien hôtel de luxe des années trente, construit par le même architecte que le *Chrysler Building*, William Van Alen, ce club donnait à ses clients l'agréable impression de replonger dans le passé. À l'époque où les femmes étaient somptueuses dans leurs robes longues et leurs fourrures, les gangsters sans foi ni loi et les alcools interdits.

Mais ce qui frappa le plus Jeremy lorsqu'il entra, ce furent les tables.

Qui flottaient.

Au-dessus des vivants.

Les Anges profitaient de l'immense voûte où ils avaient aménagé leur propre espace. Ils flottaient eux aussi, assis autour des tables, sur les chaises, les sofas qu'ils avaient créés, discutant, riant à gorge déployée, s'exclamant tout autant que les gens au-dessous d'eux. Une fois remis de sa surprise, Jeremy balaya la salle du regard. Vingt heures pile. Son père et son grand-père n'étaient pas là. Le lieu regorgeait de gens ravis d'écouter un excellent quartet de jazz. De nombreux Anges bleus et rouges se repaissaient des vapeurs blanches, grises et bleues, mais nulle trace de Paul et de James. Une nouvelle fois, il crut apercevoir Tétishéri ; l'Ange bleue aux formes rebondies se fondit discrètement dans la masse des vivants.

Impatient de revoir son père et son grand-père, Jeremy s'assit, fébrile, sur un bout de banquette vide, incapable de se poser sur un vivant comme le faisaient bon nombre d'Anges.

— Pitié, tais-toi ! grommela, au bout de dix minutes, le jeune homme, qui n'en pouvait plus d'entendre une vivante tout excitée, affalée sur un sofa bordeaux, raconter sa vie d'un banal à pleurer.

— En fait, tu pourrais lui parler jusqu'à l'extinction de notre univers qu'elle ne t'entendrait pas plus, lança une voix joviale près de lui.

Jeremy faillit sauter jusqu'au plafond. Le cœur battant, il tourna la tête. Un jeune garçon bleu et rouge le contemplait, confortablement assis sur la banquette.

— Merde, jura Jeremy, j'ai bien failli…

— … Faire une crise cardiaque ? l'interrompit le garçon. Nan, impossible. Mais c'était trop tentant de te faire peur.

— Eh ! mais je te connais tu es…

— *Ja, ja,* le type qui t'a expliqué le différentiel de vitesse entre deux corps en mouvement mus par deux types de motricité non équivalents, quand tu voulais rattraper ton corps dans l'ambulance. Oui. Albert Einstein, passé en 1955.

Jeremy lui serra machinalement la main avant d'écarquiller les yeux, incrédule. L'enfant lui faisait-il une blague ?

— Einstein. LE Einstein ? $E = mc^2$? La lettre au Président ? Le projet Manhattan ?

Le garçon soupira.

— Mouais, cette lettre m'a poursuivi tout au long de ma vie et hélas aussi dans la mort. Mais mettons les choses au clair : je n'ai jamais participé à ce projet. La bombe nucléaire et tout ça ? J'ai juste envoyé une foutue lettre au président Roosevelt pour le prévenir que les nazis étaient en train de mettre la main sur l'uranium des mines du Congo et qu'ils étudiaient la possibilité d'une nouvelle sorte de bombe. J'aurais mieux fait de me couper la main ce jour-là…

L'au-delà avait beau lui avoir réservé, depuis son passage, les surprises les plus farfelues, Jeremy ne put s'empêcher de plisser les yeux, très sceptique.

— Einstein avait soixante-seize ans lorsqu'il est mort. Pardon de vous dire ça, mais vous me semblez un peu jeune pour un type de cet âge-là !

Le garçon hocha la tête.

— *Ja, ja, ich weiss.* Je me suis rajeuni, pour que mon cerveau soit plus performant. Mais posez-moi quelques questions et je me ferai un plaisir d'y répondre.

Jeremy avait été un petit génie en maths. Il avait passé son temps à créer des équations qu'il utilisait sur ses machines afin d'anticiper les réactions des marchés financiers. Il ne lui serait donc pas très difficile de piéger ce type qui se prenait pour Einstein.

Au bout de quatre minutes, il parvenait encore à comprendre le début des phrases du physicien, au bout de cinq, il était largué.

OK, c'était le véritable Einstein, ou alors quelqu'un qui l'imitait drôlement bien !

— Je suis... je suis très honoré, balbutia-t-il afin d'endiguer le flot d'équations encore en train de le submerger. Mais...

— ... Mais qu'est-ce que je fais ici ? poursuivit Einstein, avec cette agaçante manie de terminer ses phrases. Eh bien, disons que je viens souvent au *Rose's & Blues*, le lieu où se réunissent les Anges qui s'interrogent le plus sur leur mort, et que je suis curieux.

— Curieux ?

— Oui, j'essaie de percer le secret de l'univers dans lequel nous nous trouvons. Depuis déjà un paquet d'années d'ailleurs. J'ai réussi à comprendre deux trois grands principes, or il arrive sans cesse des événements qui mettent à mal mes théories et c'est très agaçant. La physique répond à des règles. Et, ici, les règles sont très subtiles à décortiquer. Mais je vais y arriver, j'en suis sûr !

Jeremy contempla le visage lisse du garçon qui le regardait d'un air malicieux. Et se sentit bizarrement inquiet.

— D'accord. Maintenant, pourquoi est-ce que j'ai l'impression étrange que vous vouliez me retrouver. Et que votre présence ici n'est pas due au hasard ?

— Tu peux me tutoyer, tu sais. Non, inutile d'être paranoïaque, je ne te cherchais pas en particulier, même si je sais que les Anges les plus intéressants se retrouvent vite ici. Et, justement, ta mort est intéressante. Tu t'es fait décapiter, ce n'est pas banal. Je m'efforce de suivre tout ce qui sort des schémas établis. Et j'espère bien arriver à Le comprendre et à comprendre ce qu'Il veut faire.

Jeremy écarquilla les yeux, sensible aux majuscules dans la voix du garçon.

— *Le* comprendre ? Comprendre *qui* ?

Einstein se pencha et murmura, comme si on pouvait les entendre :

— Mais Dieu bien sûr !

Cette réponse frappa Jeremy au point qu'il en resta muet, la bouche ouverte, à dévisager le jeune garçon.

— Dieu ?

— Oui, j'aime bien ce terme générique, parce que ceux de « Grand Architecte », ou de « Grand Horloger » comme le disait Voltaire, je ne les utilisais déjà pas de mon vivant, alors encore moins une fois mort. Et même si c'est un principe féminin, Dieu, ça va aussi.

— Parce que vous n'êtes pas sûr ?

Einstein haussa les épaules.

— Non.

Jeremy hésita à se lancer dans ce genre de discussion, mais après tout, son père et son grand-père n'étaient toujours pas arrivés, il avait donc le temps.

— Stephen Hawking avait tort, constata-t-il en regardant les Anges. Lui qui pensait prouver que Dieu n'existe pas parce que les principes posés par la M-théorie d'Edward Witten, à savoir le Multivers ou la naissance simultanée de milliers d'univers, lui permettaient de s'en passer !

Einstein soupira.

—Je n'en suis même pas sûr. C'est justement cette M-théorie regroupant la théorie des cordes en une théorie du Tout, qui me pose problème. Et si cet univers où nous sommes était justement l'un de ces mondes parallèles créés au moment du Big Bang ? Quelques millimètres de matière surchauffée il y a 13,7 milliards d'années et boum ! : explosion et création, non pas d'un seul Univers comme on le croyait, mais de milliers d'univers infiniment plus vastes et plus froids. Dont le nôtre, qui, par un hasard incroyable, parvient à produire de la vie et, mieux encore, de la vie consciente.

Les neurones de Jeremy commençaient à chauffer.

— Vous pensez que nous sommes dans un autre univers ? Créé en même temps que le nôtre, c'est ça ? (Il lutta pour exprimer ce qu'il comprenait.) Un peu comme les pages d'un livre ? Un point commun d'intersection, mais aucune interaction entre les pages qui sont les unes au-dessus des autres ? Des couches d'univers ?

— Peut-être. (Albert mit ses mains l'une au-dessus de l'autre.) Ici le monde des vivants et, au-dessus, cet autre univers, notre au-delà. Vide, inutile, jusqu'au moment où les toutes premières âmes sont passées et s'y sont « incrustées », dans leur désir désespéré de ne pas mourir une seconde fois. Et si cet univers était protéiforme ? capable de s'adapter à ceux qui y apparaissent ? Dans ce cas, où serait l'action de Dieu ?

Un saxophoniste se mit alors à jouer et sa musique était si parfaite, si joyeusement désespérée qu'on avait l'impression que l'instrument pleurait et chantait tout seul. C'était… magique.

Einstein sourit.

— Tu vois ? D'un autre côté, comment douter de Son existence. Lorsqu'on entend des choses pareilles, c'est Lui, l'Ange ! Et il s'exprime à travers nous.

Il jeta un regard noir vers les Anges rouges et ajouta d'un ton aigre :

— Comme le diable s'exprime à travers eux.

Jeremy hocha la tête, mais remarqua que tous, Anges bleus, rouges et vivants étaient sous le charme. Lorsque les autres instruments reprirent le thème, il revint à regret à ses préoccupations.

— Pourquoi ne puis-je pas toucher les vivants alors que les murs ou les objets semblent solides ? Pourquoi dois-je utiliser leurs véhicules pour me déplacer ? Comment se fait-il que je puisse ressentir la gravité ? Où va la nourriture de sentiments que je consomme ?

Einstein n'avait pas de théorie pour la nourriture. En revanche, si l'on acceptait l'idée du multi-univers, le savant pensait qu'il existait une sorte de membrane entre les deux univers, qui entourait les objets, les rendant solides pour les Anges et qui ne pouvait entourer les vivants. Juste ce qui était inanimé. C'était la raison pour laquelle, à l'inverse, les Anges passaient systématiquement au travers de tout ce qui était vivant, comme si les hommes ou les animaux n'avaient aucune substance. Ce qui, pour lui, était une règle qu'il ne pouvait comprendre, juste constater.

Ah, cela expliquait pourquoi Jeremy était tombé sur le toit de l'ascenseur et s'était fait mal. Ce n'était pas le métal qu'il avait heurté, mais la membrane de l'univers qui l'entourait. Et lorsqu'il avait réussi à passer au travers pour tomber dans l'ascenseur, c'était parce qu'il avait pu se dématérialiser. Dans ce cas, pourquoi, lorsqu'il s'était dématérialisé et avait franchi la membrane, les vivants ne l'avaient-ils pas vu ?

— La membrane entre les deux univers ne le permet pas, même lorsqu'on passe au travers de la matière, elle empêche les vivants de nous percevoir, répliqua Einstein d'une voix posée. Certains y parviennent cependant, ce qui prouve encore que, dans cet univers, pour chaque règle il semble y avoir des exceptions. Je pense qu'il existe des endroits où la membrane est moins imperméable, ou alors des moments où le cerveau des vivants est plus réceptif. C'est ce qui explique peut-être que pour les vivants, les Anges aient des ailes…

Jeremy le regarda, totalement perdu.

— Oui, expliqua Albert, de leur vivant les premiers Anges étaient des chasseurs, dominés par les dangers terribles sur Terre. À leurs yeux, seuls les oiseaux étaient capables d'échapper à ces dangers. Ces hommes étaient des êtres frustes. Alors, lorsqu'ils sont morts, puis ont été assez vieux pour être capables de modifier leur corps, ils ont recréé les ailes des oiseaux afin de pouvoir voler et se nourrir au-dessus des vivants. Cela a continué jusqu'au XIXe siècle. Le siècle de la révolution industrielle. Bien que Newton ait démontré la théorie de l'attraction universelle au XVIIe siècle, ce n'est que deux siècles plus tard que les Anges ont réalisé qu'il n'était pas utile d'avoir des ailes pour voler, qu'il suffisait de modifier leur masse corporelle pour devenir légers. Mais entre-temps, les vivants les avaient vus…

Jeremy tressaillit. Pourtant, il avait cru comprendre que les vivants n'avaient aucun moyen de les percevoir. Einstein surprit sa réaction et expliqua :

— J'ai beaucoup discuté avec les disciples des grands prophètes. Ils m'ont dit que, surtout lorsqu'ils étaient déshydratés et affamés, ils avaient eu de nombreuses visions de notre monde, expliqua Einstein. Dans ces moments-là, leur cerveau était capable de percevoir certains d'entre nous et de nous entendre. Ils ont vu des êtres lumineux, colorés et pourvus de grandes ailes. Ils les ont décrits. Les enlumineurs, les sculpteurs, les vitraillistes, ont lu leurs écrits et nous ont représentés. Mais petit à petit, avec l'ère de la science, les vivants ont perdu cette faculté de nous percevoir. Leurs esprits se sont fermés, ou alors l'intervalle qui nous sépare s'est agrandi, je ne sais pas. Quoi qu'il en soit, très peu d'entre eux peuvent nous percevoir à présent. Et la majorité se trouve dans des hôpitaux psychiatriques.

— Oui, si j'avais entendu des voix, moi aussi j'aurais demandé une belle chambre capitonnée, confirma Jeremy. Et les morts vivants ?

— *Was ?*

— Enfin, je veux dire les gens qui meurent, puis qui reviennent parmi les vivants, vous savez, ces gens qui ne passent que quelques minutes dans notre monde. Lorsqu'ils revivent, ils évoquent souvent la lumière, les personnes qui les attendent ou les Anges.

— *Ja, ja,* approuva Albert, qui s'était demandé un instant pourquoi Jeremy voulait parler de zombies. Ils voient vraiment notre monde. Mais n'en sont pas sûrs. Ce qu'ils décrivent est la réalité. D'une certaine façon.

Jeremy hocha la tête, heureux d'avoir enfin quelques réponses à ses questions.

— Je vois que vous avez trouvé des tas d'explications. Si on élimine cette histoire des univers multiples et qu'on revient vers un Dieu qui a créé l'Univers, pourquoi nous aurait-il mis ici ? Et vous avez aussi dit « les disciples des grands prophètes », cela signifie que vous n'avez rencontré ni Moïse, ni Jésus, ni Mahomet, ni Bouddha, par exemple ?

Albert pinça les lèvres, frustré.

— Non. Impossible de les trouver, pourtant, je suis allé partout, crois-moi. Quant à la raison pour laquelle nous sommes ici, aucune idée. Nous ne pouvons pas recréer de civilisation, parce que les objets que nous fabriquons disparaissent trop vite. Et nous poussons les vivants vers des expériences de plus en plus extrêmes afin de nous nourrir…

Soudain la jeune femme insupportable à côté d'eux balança son verre qui traversa Einstein, l'interrompant net, et se renversa sur son voisin. Elle laissa éclater un rire hystérique et se pencha pour essuyer le malheureux, insistant sur son entrejambe. L'Ange rouge qui se trouvait près de l'homme chuchota de plus belle à son oreille et la Brume qui s'échappait du vivant éclaboussé se teinta d'avidité.

Einstein grogna, agacé.

— Ce qui explique aussi pourquoi il y a tant de tromperies et de jalousie sur Terre, alors que la majeure partie des gens sont très heureux en couple. Ce n'est pas uniquement une histoire d'hormones. La Brume du plaisir est quant à elle blanche, consommable par les deux couleurs, alors les Anges bleus s'en fichent, du moment qu'ils peuvent survivre. Cela dit, beaucoup d'Anges se contentent de planer au-dessus des vivants ou des immeubles et de manger. Sur une population de plusieurs millions d'Anges, nous sommes à peine dix mille à New York qui nous intéressons vraiment à notre entourage. Et les plus obstinés se retrouvent ici.

Il se tut, méditant avec un intense sentiment de frustration. Jeremy attendit un moment, puis, comme Einstein paraissait vraiment ailleurs, reprit la conversation :

— Vous pensez que nous « passons » ici juste pour... nous nourrir ? C'est un peu réducteur non ?

Einstein releva la tête et grimaça.

— D'un certain côté, pas plus que ce que nous faisions déjà sur Terre. Sans être cynique, nous naissons, nous vivons, nous mourons. Entre-temps, nous nous sommes nourris et nous avons éprouvé des émotions. C'est aussi ce que nous faisons ici...

Jeremy regarda les Anges bleus et rouges et se souvint de ce qui était arrivé à l'un d'eux lors de son passage. Il le mentionna au savant.

— Je ne sais pas non plus. Les plus bleus et les plus rouges disparaissent, c'est ainsi, regretta Albert. De fait, j'évite de trop manger d'émotions extrêmes, parce que, pour l'instant, je n'ai pas envie de quitter ce monde, même si, à mon avis, ce serait pour passer dans un autre univers.

Jeremy trouvait la discussion passionnante, mais n'avait pas pour autant oublié la raison de sa venue au *Rose's & Blues*. La métaphysique et la cosmologie devraient attendre un peu. Si le brillant Albert Einstein n'avait pas réussi à prouver l'existence de Dieu en cinquante ans, ce n'était pas lui, le petit Jeremy

Galveaux, qui allait y arriver. D'ailleurs, rien que l'idée lui semblait terrifiante. Parce que si l'on pouvait prouver l'existence de Dieu, alors il serait aussi possible de prouver l'existence du diable et ça, il n'y tenait pas du tout.

— À propos, vous qui avez étudié cet univers, savez-vous comment chasser, détruire ou éliminer un Ange qui tente de rendre fou un humain ?

— *Was ?*

Il raconta une partie de l'histoire de sa demi-sœur à Einstein, mais pas tout, parce qu'il ne faisait pas encore entièrement confiance au mystérieux garçon. Celui-ci fourragea dans son épaisse crinière brune.

— Nous avons tous le même souci, nous les Bleus... Ces salauds de Rouges continuent à pourrir l'existence des vivants comme celle des morts.

Son exposé fut clair. Les sentiments d'amour et de joie étaient aussi puissants que ceux de peine ou de haine, les Rouges n'étaient donc pas plus forts que les Bleus, juste plus violents. Mais il n'existait aucun moyen d'empêcher un Rouge de hanter un vivant.

Apparemment.

Ce fut presque imperceptible. Une façon de hocher la tête, de le regarder par en dessous, puis d'éviter son regard. Dans son métier, Jeremy avait appris à lire le langage du corps. À voir lorsque son interlocuteur mentait, ou dissimulait une information.

Et Einstein lui mentait. Par action ou par omission. Il en était sûr.

Le jeune homme soupira. Sa méfiance augmenta. Il existait forcément un moyen de venir à bout de l'Ange rouge d'Angela, et Einstein ne voulait pas en parler. Pourquoi ?

Soudain Jeremy se redressa, soulagé, son père et son grand-père venaient enfin d'arriver. Il agita la main dans leur direction. Paul et James l'aperçurent, lui sourirent et se dirigèrent vers lui.

— *Ach,* petite réunion de famille, je suppose, fit Einstein en remarquant la similitude des traits entre les trois hommes. Bon, je vais te laisser, mais retrouvons-nous de temps en temps ici si cela ne t'ennuie pas, je veux savoir ce que tu deviens, d'accord ?

Impatient de revoir son père, Jeremy lui fit signe qu'il reviendrait et Einstein s'éclipsa. Par chance, la vivante insupportable et son voisin firent de même et la banquette se libéra, permettant aux trois hommes de s'asseoir sans avoir à le faire sur les genoux… ou plutôt au travers des genoux des gens.

— Mon fils, fit Paul en l'étreignant avec tendresse. Mon fils !

L'espace d'un instant Jeremy fut tellement submergé par l'émotion qu'il fut incapable de parler. Seule comptait l'étreinte chaleureuse et rassurante de son père. Il ne sentait pas son habituel after-shave, mais une odeur fraîche d'herbes et d'épices. Libéré, Jeremy sentit des larmes couler sur ses joues et ne fut pas étonné de voir son père pleurer aussi.

— Arrêtez ça ! lança James d'une voix grinçante, on dirait des fillettes ! Vous êtes des hommes, oui ou non ? Ça va pas de chialer comme ça devant tout le monde !

Jeremy leva les yeux au ciel. Son père aussi. Finalement, les choses ne changeaient pas tant que ça après la mort. Son grand-père restait un tyran insensible. Ils s'assirent et Paul regarda son fils d'un air gêné.

— Tu... tu étais au cimetière ?

— Oui, répondit Jeremy. On enterrait mon corps.

Cela se passait de commentaire.

— Je... je suis désolé. Je crois que j'ai un peu pété les plombs, s'excusa Paul.

Jeremy balaya son excuse d'un revers de la main.

— Aucune importance papa. Comment vas-tu maintenant ?

— Si je ne suis pas en sa présence, ça va, avoua Paul. Mais c'est très dur lorsque je suis avec ta mère. Et je ne peux pas m'empêcher d'aller la voir. C'est... c'est pénible. J'espère qu'elle va vite mourir parce que je n'en peux plus.

Jeremy le dévisagea, choqué. Paul réalisa aussitôt la cruauté de ses propos et se frotta le front, puis ébouriffa ses cheveux bruns.

— Pardon, parfois je raconte n'importe quoi. Bon, parlons un peu de toi. Tu es si jeune, Jeremy, qu'est-ce qui s'est passé ? Je n'ai pas bien compris. J'ai cru entendre ton grand-père parler d'un sabre...

Jeremy leur raconta comment il était mort, et James, lorsqu'il mentionna Allison, faillit en avaler son cigare. Lequel disparut, emporté par l'émotion. Il attrapa un peu de Brume et s'en confectionna un autre.

— Par tous les saints du paradis ! jura-t-il. C'est complètement fou. Mon petit-fils ! Assassiné par un dingue qui en voulait à une blonde ! Tu as réussi à savoir pourquoi depuis ?

Jeremy leur expliqua qu'il avait suivi Allison, puis l'avait reconnue comme le témoin de son assassinat. Le lien entre elle et lui ayant été sa demi-sœur Angela, qui avait donné sa carte à la jeune stagiaire pour une raison inconnue. Voilà où il en était. Maintenant, il soupçonnait que le tueur allait s'attaquer à Allison. Comme il s'en était pris à cette mystérieuse autre femme, Annabella Dafing.

— Bien, fit James, l'esprit ailleurs.

— Pardon ?

— Oui, fit son grand-père sans état d'âme, si elle est tuée, elle va pouvoir te dire pourquoi tu as été assassiné.

Jeremy fut suffoqué par sa réaction.

— Mais enfin, grand-père ! Je ne veux pas qu'elle meure ! Je veux qu'on me dise comment faire pour la protéger ! Je dois absolument l'avertir du danger !

James le regarda, puis fixa le bout de son cigare qui s'enflamma. Il se mit à faire des ronds de fumée, non sans une certaine délectation, avant de déclarer d'un ton grave :

— Tu ne peux pas.

Jeremy allait argumenter lorsqu'il se rendit compte que c'était inutile. James avait raison. Allison n'était ni prophète ni folle. Il n'arriverait donc jamais à atteindre sa conscience. Il s'affaissa sur la banquette.

— Je ne peux rien faire du tout, c'est ce que tu veux dire ?

— Mais si, tu peux tenter quelque chose, tu peux l'inquiéter, répondit Paul en jetant un regard noir à James. Lui murmurer des mots à l'oreille. C'est ce que j'ai fait avec ta mère. Je savais que Franck était un trafiquant d'armes. J'ai instillé pendant des années le soupçon dans son esprit et dans le tien. Tu as été plus réceptif qu'elle, puisque tu as fini par faire réaliser une enquête sur lui. Mais ces soupçons, ces doutes que tu avais, c'est moi qui te les ai soufflés. Je n'ai pas arrêté. Ça me rendait fou de vous voir en danger tous les deux, toi et ta mère.

James hocha la tête, confirmant à regret. Oui, fou était bien le mot. Jeremy essayait tant bien que mal d'établir un rapport entre son beau-père, sa mère, Allison, cette Annabella Dafing et l'assassin. Sauf qu'il avait deux théories et aucun moyen de savoir laquelle était la bonne. Mais peut-être Paul pourrait-il le renseigner. L'Ange rouge dans la maison avait dit qu'il avait été tué par Tachini. Jeremy doutait que son élégant beau-père ait pris la peine de se salir les mains. Il avait dû faire appel à un professionnel. Si c'était le cas et que c'était le même homme qui avait tué Jeremy, il aurait sa preuve.

— Tu sais alors qui est l'Ange rouge qui tourmente Angela ? demanda-t-il pressant.

— Non, répondit Paul. Il est apparu il y a un an. Je n'ai pas bien compris ce qui s'était passé, à part qu'il accuse Tachini de l'avoir tué. Et qu'il refuse de répondre à mes questions.

— Tu n'as pas essayé de le chasser ? Mais enfin, papa, il est en train de rendre Angela complètement cinglée !

Paul évita son regard.

— Je n'y peux rien, confia-t-il faiblement. Ce n'est pas ma fille. Cela ne me concerne pas. La seule qui prime à mes yeux, c'est Claire. Tu crois que l'assassin pourrait s'en prendre à elle ? Ce serait formidable !

La gorge serrée, Jeremy se leva. Il s'était trompé. Paul était bien fou, au-delà de toute rémission, totalement obsédé par son idée fixe : récupérer Claire.

— Excusez-moi, mais je dois y aller, annonça-t-il froidement à Paul et à James. Je suppose que vous venez souvent ici ?

James hocha la tête.

— Oui, nous autres les Anges, nous avons pas mal de temps libre. Et comme tu as pu l'entendre, la musique est excellente au *Rose's & Blues.* Tu nous y trouveras si tu as besoin de nous. Ah et, fiston ?

— Grand-père ?

— Trouve le moyen de faire disparaître cet Ange rouge. Il y a toujours une solution. Ne te laisse pas abattre. Nous évoluons dans un endroit bizarre, mais il ne faut pas se fier aux apparences. Un conseil fiston, bats-toi !

6

Le goût du désir

Jeremy n'en revenait pas de ce qu'il venait d'entendre. La mort semblait avoir un peu arrangé le caractère de son implacable grand-père, puisque celui-ci arrivait à faire preuve de compassion. Étonnant. Il lui sourit, reconnaissant, et le salua. Paul, de nouveau perdu dans ses pensées, lui adressa un geste vague. Il était déjà 23 heures. Jeremy quitta le *Rose's & Blues,* mais après réflexion, au lieu de rentrer chez lui (enfin, chez sa mère), il décida de retrouver Allison. Il avait soudain très envie de savoir comment allait la jeune fille.

Sauf qu'elle n'était pas chez elle. Seul Frankenstein l'accueillit avec un aboiement interrogateur. Jeremy se pencha et le caressa, sachant pertinemment que le chien ne sentait rien, cela le réconforta. Il s'allongea sur le lit. Il n'avait pas faim, s'étant nourri de Brume au club. Et il se sentait vaguement inquiet. Où était-elle passée ?

Il finit par s'endormir quelques minutes, mais fut bientôt réveillé par des voix dans l'appartement.

Allison était rentrée… Et elle n'était pas seule.

Il y avait un jeune homme avec elle.

Ainsi que deux Anges flottant au-dessus du sol. L'un bleu, l'autre rouge.

Ils saluèrent Jeremy d'un signe, puis se concentrèrent sur l'inconnu et Allison.

Décontenancé, Jeremy se leva d'un bond. Le garçon était plutôt séduisant. Jeremy n'accordait pas une grande importance à la beauté masculine or, là, il dut admettre que le type le surpassait, surclassant la majorité des gens d'ailleurs, et de quelques têtes. À propos de tête, il avait déjà vu ces épais cheveux bruns, ces grands yeux verts rieurs, ce menton décidé, ce front large et ce nez patricien, mais où donc ?

La gorge un peu nouée, il se demanda ce qu'il allait bien pouvoir faire si Allison et le garçon s'abattaient soudain sur l'immense lit pour y faire passionnément l'amour, lorsqu'il réalisa ce que venait de dire le jeune homme.

— Vraiment, mon cœur, ce que ça peut faire petite secrétaire, cette déco. É-pou-van-table !

Jeremy se sentit pris de vertige. Au point qu'il dut s'asseoir sur son lit. Ah, il savait à présent où il l'avait vu. C'était ce célèbre mannequin dont les abdos faisaient saliver toutes les filles de la côte Est à la côte Ouest, Clark machin-chose…

— Clark ! s'exclama Allison, comme en écho. Si tu pouvais ranger ta langue de vipère pendant quelques secondes, ce serait formidable. J'ai besoin de ton aide, pas de ton… très contestable sens de la mode.

Clark lissa ses luisants cheveux bruns, cligna un œil vert doré et posa son manteau en cachemire sur l'une des chaises.

— Ma petite chatte, je suis tout ouïe. Tu m'as fait rater le cocktail de lancement du nouveau BB, Noémie va me faire une crise parce que je suis le seul qui ne ressemble pas à un nain dans son entourage et que j'étais censé lui servir de cavalier, alors autant que je me rende utile ici.

L'Ange bleu poussa un soupir, désolé, en posant une main délicate sur l'épaule de Jeremy.

— En fait, ce garçon est extrêmement intelligent. Ce que c'est agaçant cette manie qu'il a de toujours le dissimuler sous des airs évaporés !

— Tu as été son premier amant ? demanda l'Ange rouge intéressé.

— Non, répondit l'Ange bleu à regret en reculant un peu. Pas son premier. Mais je l'ai vraiment aimé et, lorsque je suis mort, j'ai décidé de le suivre un peu. Sa vie est gorgée d'émotions, comme tu le sais, puisque tu t'en nourris toi aussi !

L'Ange rouge lui sourit. Et Jeremy à son tour.

Clark était donc homosexuel. Formidable. Soudain, il considéra le jeune homme avec beaucoup plus de sympathie, un peu intrigué tout de même par l'intense sentiment de jalousie qui l'avait saisi.

C'est alors que Clark fit quelque chose de totalement déconcertant. Il s'empara de la bouche d'Allison et l'embrassa d'un baiser fougueux et passionné.

Les deux Anges en oublièrent de se nourrir, perdant de la hauteur. Ils se posèrent par terre.

— Ça par exemple ! fit l'un, tu savais qu'il était bi ?

— Pas du tout, s'émut l'autre, là, je suis sous le choc. Quel scoop ! J'en connais deux ou trois qui vont rager de ne pas l'avoir su de leur vivant ! Bon, cela dit, elles étaient tellement refaites de partout, je pense qu'il serait parti en courant !

Ils éclatèrent de rire.

Jeremy, lui, grinçait des dents, réprimant l'envie de séparer le couple.

Allison finit par repousser Clark, rouge, essoufflée et un peu chamboulée.

— Clark ! s'exclama-t-elle, qu'est-ce qu'on avait dit !

Le jeune homme agita une main élégante, absolument pas coupable.

— Le fruit défendu, tu sais, c'est cela qui est excitant. Tu es la seule avec qui j'ai envie de faire ça, rassure-toi. Et puis, tu te prives depuis si longtemps, Allison, avec cette stupide histoire de prince charmant. Il n'existe pas ! Je te l'assure !

Pour se donner une contenance, Allison posa son petit chien sur ses genoux pour faire rempart, s'assit sur le canapé et parvint enfin à retrouver ses esprits.

— J'ai promis…

— … À ta mère sur son lit de mort, que tu te marierais avant. Que tu resterais vierge jusqu'au soir de tes noces, parce que tu aurais choisi, pas parce que cela t'aurait été imposé. Je sais tout ça. C'est complètement ridicule ! Ce que je te propose, c'est un ticket pour la liberté ma chérie, pour te délivrer de cette décision stupide !

Le joli visage d'Allison se buta.

— J'ai promis. Quand on promet, on tient ses promesses. Maman a été obligée de se marier très jeune parce qu'elle était enceinte de moi. Cela a totalement ruiné sa vie. Elle a dû arrêter ses études et dépendre d'un homme : mon père. Elle m'a fait jurer que je ne commettrais pas la même erreur. Mon père et elle ont fini par se séparer et il ne me parle plus parce que j'ai toujours pris sa défense à elle. C'est pour ça que lorsqu'elle est tombée malade, touchée par cet horrible cancer qui a fait d'elle un misérable squelette, sur son lit de mort elle m'a fait promettre de terminer mes études, d'être indépendante financièrement, de me marier avant de coucher avec un homme. « Aucun préservatif ou aucune pilule n'est sûr à cent pour cent, me répétait-elle. Tu ne peux pas prendre le risque ! » Alors, même si c'est pénible, même si ça me rend folle par moments et même si j'ai l'impression qu'aucun garçon ne peut comprendre ça à New York, je tiendrai bon. Jusqu'à ce que je trouve celui que j'ai envie d'épouser et qui comprendra mon engagement.

Clark souffla, agacé.

— OK, OK ! J'ai compris, je connais ce discours par cœur, je te rappelle qu'on a quasiment été élevés ensemble. Mais faire l'amour, mon cœur, c'est… c'est comme de tutoyer les Anges !

Les deux Anges bleu et rouge éclatèrent de rire.

— Ça, tu l'as dit !

Allison rejeta ses longs cheveux blonds et le foudroya du regard.

— Eh bien nous n'allons pas faire l'amour et tutoyer qui que ce soit, tu vas par contre m'aider à comprendre pourquoi un type a été assassiné à cause de moi !

Ces derniers mots interrompirent net les tentatives de séduction de Clark, au grand soulagement de Jeremy.

— A été quoi ?

— Assassiné, fit Allison d'une petite voix. On lui a tranché la tête. Aux infos, la police dit qu'il y a eu deux meurtres. Les deux victimes ont été tuées à l'aide d'un sabre japonais.

Clark fronça les sourcils puis hocha la tête. Il attrapa une chaise, la posa devant Allison et s'assit lentement.

— Mais pourquoi dis-tu que c'est de ta faute ? Allison, rassure-moi, tu n'as pas joué dans un remake de *Tigre et Dragon* ? Je t'avais dit que ces cours de kung-fu, c'était une mauvaise idée, petit scarabée.

Allison resta insensible à son humour.

— Je n'en suis pas sûre ! C'est juste un soupçon. Je pense que cela a un rapport avec ce... avec ce truc que j'ai entendu. Si c'est le cas, alors je suis en danger moi aussi !

Clark se frotta le front, soudain très attentif.

— Allison, non, ne me dis pas que tu es dans le rôle, en général très court, de la fille qui était au mauvais endroit au mauvais moment ! Parce que tu as raison, elle meurt souvent assez vite dans le film. Qu'est-ce que tu as entendu ? Allison, donne-moi des détails !

— Oui, Allison, renchérit Jeremy, donne-lui des détails !

— Je... je ne sais pas quoi te dire sans trop t'impliquer, Clark, répondit la jeune fille, sincèrement bouleversée. Disons que tu as raison pour le mauvais endroit et le mauvais moment, hélas. J'ai surpris une conversation. Sur... sur un truc, un produit qui aurait été trouvé. Mais que le créateur garderait secret. Sauf que je ne sais pas pourquoi il fait ça... c'est... c'est dingue, d'autant plus que, d'après ce que j'ai compris, l'entreprise porte son nom.

— Et le lien avec ton assassiné ? la coupa Clark.

— L'assassiné comme tu dis, Jeremy Galveaux, avait une petite sœur qui est dans la classe où je fais mon stage. Très fière de son grand frère, elle m'a donné un jour sa carte de visite. Je l'ai vu à la télé, c'est un spécialiste des très grosses entreprises. Je voulais juste parler à un expert qui pourrait m'expliquer pourquoi cet homme dont j'ai surpris la conversation agissait apparemment contre son propre intérêt. Avant de faire accuser un innocent.

Clark était perplexe, il pencha la tête, ses yeux verts soudain très graves.

— Ma belle, là, j'avoue que c'est moi qui ne comprends pas très bien. Donc ma question sera très simple : pourquoi veux-tu dénoncer le créateur du produit en question ? En quoi est-ce que cela te concerne ? Tu vas te mettre dans une sacrée merde si tu fais ça. Et je ne parle pas de ton histoire hallucinante de ninja à New York hein, moi je te parle d'une petite étudiante prête à dénoncer un puissant groupe pharmaceutique !

Allison lui décocha un regard méfiant.

— Et comment sais-tu que c'est un groupe pharmaceutique ?

Clark soupira et désigna son corps sculpturalement musclé.

— Je ne suis pas juste un canon, ma chérie, j'ai aussi un cerveau sous toute cette incroyable beauté.

— Ce que j'aime avec toi, c'est que tu es surtout d'une immense modestie, persifla Allison. Mais tu as raison. Il s'agit bien de laboratoires.

— Et tu veux absolument t'en mêler parce que… ?

Allison se recroquevilla, hésita, puis avoua.

— Parce que d'après ce que j'ai saisi de la conversation, le produit en question peut guérir le cancer. Pas tous les types de cancers. Mais bien la moitié. C'est énorme !

Clark se figea. Jeremy aussi. Même s'il était peu enclin à réfuter la culpabilité de son beau-père dans son assassinat, il ne pouvait pas écarter la possibilité d'un meurtre commandité par un rival. Un meurtre spectaculaire. C'était ce qui ne collait pas avec les soupçons d'Allison. Le jeune Ange se doutait de ce qu'avait voulu faire le type : probablement prendre le contrôle de sa boîte avant de sortir son médicament miracle. Ce n'était pas parce qu'il portait le même nom qu'il en était le propriétaire. Cependant, si Jeremy avait voulu éliminer des gens afin de prendre le contrôle de laboratoires juste avant la mise sur le marché d'un médicament miracle, jamais il n'aurait attiré l'attention sur lui en tranchant des têtes à tout-va ! Il aurait agi en toute discrétion. Une seringue empoisonnée, un accident malheureux, une noyade accidentelle…

— Un produit qui peut guérir le cancer ? murmura Clark. Je vois. Ta mère est morte de cette horrible maladie, donc tu nous fais une petite obsession. OK, j'ai une autre question. Est-ce que tu peux prouver ce que tu dis ?

Allison avait les yeux pleins de larmes.

— Non, gémit-elle, bien sûr que non ! Je n'ai pas pensé à enregistrer ! Pour faire court, j'étais juste là, en train d'attendre, l'homme ne m'a pas vue, il parlait au téléphone dans son bureau avec quelqu'un. Ensuite, la personne que j'attendais est arrivée et nous sommes partis. Mais je suis presque sûre que c'est à ce moment-là qu'il a réalisé ma présence dans la pièce voisine et a compris que j'avais entendu sa conversation…

Clark reprit exactement le même raisonnement que Jeremy.

— Mon cœur, fit-il tendrement en venant s'asseoir sur le canapé et en entourant Allison de son étreinte chaleureuse, tuer des gens en leur tranchant la tête, ce sont des histoires de serial killers, certainement pas de discrets hommes d'affaires qui veulent gagner des millions sans se faire remarquer. Ton histoire ne tient pas debout. Redis-moi le nom de ton assassiné, je n'ai pas fait attention.

— Jeremy Galveaux, renifla Allison, lâchant Frankenstein qui descendit de ses genoux avec un jappement joyeux. J'ai vu sa mère et son beau-père, Franck Tachini à son enter…

— Quoi ! s'exclama Clark, quel nom tu viens de dire ?

— Jeremy Galv…

— Non, non, l'autre !

— Euh, Franck Tachini…

Clark se dégagea et fit face à Allison.

— C'est le Parrain ! s'exclama-t-il, de nouveau très en phase avec Jeremy, ce qui agaça ce dernier. Franck Tachini, c'est le Parrain.

Allison écarquilla les yeux. Les Anges qui l'écoutaient aussi, totalement captivés.

— Le parrain de qui ?

— Non non, le film, *Le Parrain* ! Ton type, là, Jeremy, il a été tué pour l'exemple, rien à voir avec toi. Mais enfin, ma petite chatte, il faut que tu te tiennes un peu plus au courant de l'actualité, quand même. Tu ne sais pas qu'il y a eu une enquête menée contre Franck Tachini, à la demande justement de son beau-fils, qui l'a dénoncé comme trafiquant d'armes ? Tu sais bien ce que ces gens-là font à ceux qui les trahissent !

Allison resta interloquée. Puis la peur vint colorer la Brume de ses sentiments.

— Tu... tu veux dire que non seulement je connais un secret dangereux, mais qu'en plus j'ai assisté par hasard à un meurtre commis par contrat ? Par un trafiquant d'armes ?

Clark la regarda, tout aussi stupéfait.

— Tu as raison, ma douce, tu cumules un peu, là. Pour ton secret, je ne sais pas, mais pour le meurtre cela me semble clair comme de l'eau de roche : il faut que tu ailles voir la police.

Allison se recroquevilla.

— Non.

— Non ? Et pourquoi non ?

— Parce que je n'ai rien vu !

Elle reprit sa respiration et ajouta :

— Juste la tête de ce pauvre garçon qui roulait dans le caniveau. Je me suis enfuie. Coup de chance, le tueur ne m'a pas poursuivie.

Clark la serra contre lui, sincèrement angoissé.

— C'est la meilleure chose que tu pouvais faire ! Mais je suis sûr que la poli...

— Clark, si mon témoignage pouvait être utile, bien sûr que j'irais tout raconter à la police ! Il faisait noir, j'ai vu Jeremy Galveaux approcher. Je m'étais cachée dans un renfoncement, cela faisait des heures que je l'attendais, je ne voulais pas me faire repérer. Plus l'heure tournait, plus je me disais que c'était stupide de perdre mon temps comme ça, mais lorsque j'avais appelé à son bureau dans la soirée, sa secrétaire n'avait pas voulu me le passer. Impossible d'obtenir un rendez-vous. Je ne savais plus quoi faire, c'était donc la seule solution. Je me suis avancée, soulagée qu'il arrive enfin, il était très tard. Il a marché vers son immeuble, il est passé dans une zone sombre, j'ai entendu un bruit.

Elle frissonna.

— Puis j'ai vu sa tête tomber. Du sang. Un mouvement dans le noir. Et c'est tout. Je me suis tout de suite enfuie.

Le mannequin plissa un front soucieux.

— Oh là là, fit l'un des Anges, il devrait éviter de faire ça, il va se coller des rides !

Clark pesa ses mots :

— Je suis très inquiet, Allison, tu es en danger ! Je comprends ta réaction. Avoir affaire à la police, c'est inquiétant. Mais j'insiste. Ce n'est pas parce que toi, tu sais que tu n'as rien vu, que le tueur, lui, le sait !

Allison en perdit la parole pendant quelques secondes. Puis ferma les yeux.

— Oui, j'en ai conscience.

— Alors ? Qu'est-ce que tu vas faire ?

— Ça, je n'en ai aucune idée pour l'instant. Si ce que tu dis est exact à propos de Tachini, je suis soulagée que la mort de ce garçon n'ait rien à voir avec moi, mais je ne renoncerai pas à dénoncer les laboratoires. Il faut que ce médicament soit mis sur le marché, Clark ! Que tous les malades puissent en profiter, c'est… c'est primordial !

— Ben voyons, grommela Jeremy, merci les gars, content d'apprendre que ma mort ne vous pose aucun problème.

Les Anges se tournèrent vers lui, une lueur d'intérêt dans l'œil.

— Tu es la victime ? demanda le Rouge.

— Ouais, lâcha Jeremy.

— Tu es ici pour savoir qui t'a tué et pourquoi ?

— Ouais, répéta Jeremy, toujours aussi agacé.

Les deux Anges tapèrent dans leurs mains avec un ravissement identique.

— Rohhh, roucoula le Bleu, on va t'aider, hein, Mike, qu'on va l'aider ! On va susurrer à l'oreille du beau brun de faire une enquête de son côté.

Jeremy se redressa, intéressé.

— Vous feriez ça, vraiment ?

Les deux Anges hochèrent la tête.

— Et comment ! On commençait à s'ennuyer un peu tous les deux. Mais là, de l'aventure, du mystère, du sexe...

— Nan, fit l'autre, pas de sexe, du moins pas pour l'instant. Enfin pas avec elle.

— Pfff, c'est vrai, mais, bref, plein de raisons dc te donner un coup de main. Tu connais le *Rose's & Bl...*

— ... *Blues,* termina Jeremy, notant que les Anges avaient décidément l'air d'aimer cet endroit. Oui, leur musique est fantastique.

— Dis donc, tu es très branché pour un petit Bleu ! Bien, fit le dénommé Mike. Rejoins-nous là-bas dans deux jours, on te dira ce qu'on a trouvé.

Clark tenta encore pendant un petit moment de convaincre Allison de contacter la police. Celle-ci finit par lui dire qu'il lui donnait la migraine et qu'elle commençait à avoir le dos tout crispé à force de batailler avec lui.

Le mannequin abandonna, mais il avait l'air franchement contrarié.

— Allonge-toi, petite chatte, je vais dénouer ton dos, mais ne crois pas t'en tirer comme ça avec cette histoire !

Assise sur le canapé, Allison obéit, satisfaite de changer de sujet. Les mains sous son tee-shirt blanc, elle retira son soutien-gorge au prix de quelques gesticulations, puis s'étendit sur le ventre avant de remonter son tee-shirt au-dessus de ses épaules, ses seins magnifiques chastement dissimulés par les coussins.

Au départ, ce fut un massage très impersonnel. Allison mit d'ailleurs un certain temps à se détendre tant elle était crispée. Puis, imperceptiblement, les caresses amicales de Clark se firent plus marquées.

— Ohhhh, ce que c'est bon, susurra Allison, mais tu masses comme un dieu !

Lentement, patiemment, les mains de Clark commencèrent leur descente vers le pantalon d'Allison. Sans parler, il la souleva un peu, dégrafant bouton après bouton, afin de dégager le bas de son dos et le haut de ses fesses rebondies. Allison se tortilla mais, à la grande horreur de Jeremy, ne protesta pas.

Soudain, Clark se plaça à califourchon sur elle, ses grandes mains habiles jouant sur la peau et les muscles comme s'il faisait vibrer un magnifique violon.

Il finit par lui retirer complètement son pantalon, massant les longues jambes puis les fesses de la jeune fille au travers de la sage culotte blanche de coton, mordillant le creux sensible des genoux, lui faisant perdre la tête. L'amical massage s'était transformé en caresses torrides.

— Noooon, hurla Jeremy fou de rage, noooon, Allison ! Résiste-lui, tu as juré ! Tu l'as promis à ta mère !

Mais la jeune fille ne l'entendait pas. Clark la recouvrait maintenant de son corps brûlant, l'embrassant, lui mordant la nuque, et elle s'abandonna, gémissant avec passion. Clark la retourna, ne lui laissant pas le temps de protester, retira le tee-shirt et commença à lécher doucement, tendrement, les seins superbes. Allison se cambra. Les caresses de Clark lui avaient fait tout oublier, tout à part les sensations fantastiques qui naissaient sous la langue et les mains expertes.

Clark allait lui faire l'amour, là, juste devant lui, et cela allait rendre fou Jeremy.

Soudain, le regard du jeune Ange tomba sur Frankenstein qui somnolait un peu plus loin, peu concerné par les galipettes de sa maîtresse. Il fonça vers le petit chien et se mit à bondir partout en hurlant.

— Yeaaahhh, yeaaaahhhh ! je suis là, je suis là ! Frankenstein, yeaaaahhhh !

Surpris par le vague mouvement qu'il percevait grâce à son cerveau canin, Frankenstein releva la tête.

— Ouuuiiiii, ouuuiiiii ! hurla Jeremy de plus belle, vas-y mon beau, vas-y, tu me vois, tu me vois !

Et il agita ses mains dans tous les sens, bondissant, sautant partout. Le chien finit par se sentir mal à l'aise, avec l'impression floue qu'on attendait quelque chose de lui. Il lâcha un jappement interrogateur. Suivit d'un autre lorsque le mouvement récidiva. Et d'un troisième lorsque Jeremy tapa dans ses mains en continuant de l'appeler.

Allison s'immobilisa. Puis, repoussant Clark, elle émergea, tout échevelée, et quasiment nue.

Clark soupira et mit un peu de temps à retrouver sa voix.

— Je déteste ton chien, tu sais ça ?

— Ouais, répondit Allison en attrapant son tee-shirt et en l'enfilant à toute vitesse, les doigts un peu tremblants. Ce coup-ci, moi aussi. Mais il m'a permis de ne pas déraper. Donc, merci Frankenstein, tu m'as sauvé la mise !

Furieuse, elle se tourna vers Clark et le menaça du doigt.

— Quant à toi, tu es vraiment, vraiment infernal. Bon sang, Clark !

— Allllleeezzz, sourit le garçon, ses très appétissants abdominaux bien en évidence. Ne me dis pas que ce n'était pas bon…

Allison émit un petit gémissement, le corps en feu.

— Oh, si, espèce de Don Juan, c'était super bon ! C'est bien pour ça que tu vas filer d'ici avant que je n'oublie ma promesse.

Clark l'attrapa par la taille.

— Allez, laisse-moi te détendre encore un peu. On n'ira pas jusqu'au bout, promis.

Allison lui tapa sur les doigts et se dégagea.

— Ooooohh non, pas question ! Tu m'as assez détendue comme ça. Je te connais, toi, les promesses, tu t'en fiches complètement.

Elle se radoucit devant le regard navré du garçon.

— Mais j'ai passé un super moment, Clark, et surtout, merci de m'avoir écoutée et informée concernant ce trafiquant. Même si cela ne règle pas mon problème, tu m'as beaucoup aidée. Je t'aime.

— Moi aussi je t'aime, répondit tendrement Clark en se rhabillant à regret. Je vais poser quelques questions à des copains sur le labo et son fonctionnement. Sans donner de détails, ajouta-t-il en voyant le regard soudain inquiet d'Allison.

— Cool, lança l'Ange rouge, on n'a même pas besoin de le pousser à le faire, il va enquêter de lui-même.

L'Ange bleu, Mike, lui, dévisageait Jeremy avec anxiété.

— Mince, fit-il, je crois que notre ami ici présent vient de vivre un angélique coup de foudre. Mauvais ça, très mauvais...

Jeremy le regarda.

— Un quoi ?

— Tu es tombé amoureux de la vivante, sombre idiot ! répondit l'Ange rouge.

— Quoi ? Mais pas du tout, protesta Jeremy, je la connais à peine !

— Ah ouais ? Et pourquoi tu t'es donné tout ce mal pour que Clark ne lui fasse pas l'amour, alors ? Pauvre chien, j'ai rarement vu un animal aussi surpris.

— Mais... mais parce que... parce qu'elle a fait une promesse et que c'est mal de rompre ses promesses. Je... je suis juste... euh... protecteur. Voilà, c'est ça. Je la protège.

Les deux Anges étudièrent Jeremy avec beaucoup d'intérêt.

— Il raconte vraiment n'importe quoi, hein Mike ?

— Oui, pathétique. *Ciao bello,* on se revoit vite !

Et ils filèrent à la suite de Clark qui réussit à arracher un baiser supplémentaire à Allison avant de partir.

Encore toute tremblante, la jeune fille referma la porte, puis fixa Frankenstein qui jappait en remuant la queue.

— La vache, murmura-t-elle, qu'est-ce qu'il embrasse bien ! J'ai failli...

Elle respira profondément pour retrouver son calme, puis retira de nouveau son tee-shirt, et Jeremy dut se retourner précipitamment. La vision de ses seins nus était plus qu'il n'en pouvait supporter. Il n'était pas amoureux de cette inconnue, il était donc immoral de la regarder nue. Bon, d'accord, s'il avait été amoureux, cela aurait été tout aussi immoral... Il rit de lui-même. Les Anges avaient raison : il était pathétique. Qu'est-ce qu'elle s'en fichait qu'il la voie ou pas ? Il était mort !

Mais le temps qu'il se retourne elle était déjà dans la salle de bains. Les cris et les jurons qu'elle poussa lui indiquèrent qu'elle prenait une douche glacée. Lorsqu'elle revint, elle avait enfilé une chemise trop courte.

Jeremy avala sa salive au spectacle des longues jambes. Et dut assister à une séance d'épilation en règle.

— Yerk yerk yerk ! fit la jeune fille, il a touché mes jambes velues, quelle horreur !

Jeremy ne put s'empêcher de penser que les filles étaient tout de même très compliquées parce que Allison avait trois malheureux poils qui se battaient en duel sur ses cuisses et ses mollets.

Elle passa le reste de la soirée à travailler, puis alla se coucher.

En dehors du meurtre de Jeremy et des informations qu'elle avait apprises, Allison avait une vie bien remplie qu'elle devait continuer à mener normalement.

Le jour suivant, Jeremy l'accompagna de nouveau à ses cours (d'après ce qu'il avait compris, elle faisait un stage de quinze jours dans cette école, mais était encore à l'université), puis, le soir, il assista fasciné à son premier « dîner filles ».

Deux autres amies plus âgées qu'Allison la rejoignirent au restaurant. Elles avaient des Anges qui les survolaient, l'une d'entre elles très rouge, ce qui inquiéta Jeremy. Les Anges le saluèrent sans donner leurs noms. Jeremy se demanda si les filles se nourrissaient des filles et les garçons des garçons, car elles eurent l'air surprises qu'il escorte Allison.

Le dîner fut très instructif. Les trois filles avaient beaucoup de repartie et se moquaient facilement. Si Allison ne raconta pas sa petite aventure avec Clark, ses deux copines ne se privèrent pas de lui détailler leur vie sexuelle. Jeremy fut sidéré et amusé par la crudité de leurs propos. Sur ce sujet, elles n'avaient vraiment rien à envier aux garçons.

Celle qui était la plus mordante était la fille à l'Ange rouge, une certaine Misty. Avocate d'affaires, à l'écouter, elle avait l'air de bosser vingt-quatre heures sur vingt-quatre et la Brume qu'elle émettait était rose. On sentait qu'elle était excédée. Contre tout. Contre son mari qui ne gagnait pas assez d'argent, contre son amant qui n'était pas assez performant, contre sa manucure ratée, contre son boss qui exigeait trop d'heures d'elle, contre les rides qui commençaient à apparaître sur son visage (de fait, elle faisait nettement plus vieille que les deux autres)...

Avec un tel stress, Jeremy se dit qu'elle allait vite se payer un ulcère. À vingt-sept ans à peine, sept de plus qu'Allison, elle donnait l'impression d'avoir déjà tout vu, tout vécu. Jeremy la trouva un peu effrayante.

Allison était apaisante et avait de l'humour. Elle fit rire Misty, ce qui la détendit. À la fin du repas, lorsqu'elles se dirent au revoir, elle étreignit Allison, sa Brume s'allumant d'un désir vaguement sexuel, ce qui ébranla Jeremy, puis s'éloigna, chaloupant sur ses hauts talons, pestant contre les taxis.

Jeremy n'en revenait pas : Allison attirait tout le monde. Elle était belle, elle était intelligente, et il émanait d'elle quelque chose d'unique. Une sorte de pureté.

Il était en train de délirer sur Allison lorsqu'il vit quelqu'un qui le fit redescendre aussitôt sur Terre.

Un homme.

Un homme dissimulé derrière un journal au fond du restaurant, qui regardait Allison avec une effroyable intensité. Au-dessus de sa tête, trois Anges rouges. Pas un, pas deux, mais trois. Ils étaient gros et la Brume puissante, toxique, d'un rouge presque noir, qui émanait de l'homme les nourrissait sans problème. Jeremy hoqueta lorsqu'il croisa le regard froid et les yeux légèrement bridés.

C'était lui ! Le métis mongol.

L'homme qui l'avait décapité.

7

Le goût de la peur

Jeremy sentit un frisson glacé le traverser. L'homme était grand, très grand même, décharné, on aurait dit une araignée à moustache, il était pâle, et il émanait de lui une force titanesque. Il était tout de noir vêtu avec pour unique couleur une rose rouge sang à sa boutonnière. Bien sûr, il n'avait pas son sabre, mais Jeremy devinait qu'il était armé. Instinctivement, il se cacha dans un coin du restaurant, comme si le tueur pouvait le voir. Puis une terrible colère l'envahit, parcourant ses veines comme un poison. La haine, la fureur. Il était mort à cause de cet homme et il n'avait aucun moyen de se venger. L'espace d'un instant, cela le rendit ivre de rage et il faillit se jeter sur le tueur, tout en sachant que cela ne servirait à rien.

Un reste de raison le retint. Les trois Anges au-dessus du tueur étaient monstrueux, difformes et d'un rouge profond. Rien que de les regarder, Jeremy en avait la nausée. Contre eux, il ne faisait pas le poids et même s'ils ne pouvaient le tuer, ils lui feraient certainement beaucoup de mal. Il se maîtrisa du mieux qu'il put et fit comme s'il n'avait pas remarqué l'homme. Il se posta près d'Allison tout en le surveillant du coin de l'œil.

Curieusement, les trois Anges rouges ne parlaient pas à l'oreille du tueur. Ils restaient immobiles, extatiques, se nourrissant goulûment. L'homme éprouvait apparemment des émotions extrêmes.

Le problème, c'était qu'Allison lui procurait ces émotions.

Jeremy se sentit désemparé. Son assassin était à l'évidence en train de surveiller la jeune fille. Mais il n'en connaissait ni la raison ni le motif. Allison avait été, à n'en plus douter, au mauvais endroit au mauvais moment et, vu la façon dont le tueur se faisait discret, elle était clairement sa cible.

— Allison ! dit Jeremy à son oreille d'un ton pressant, alors que la jeune fille saluait son autre amie et s'apprêtait à rentrer chez elle. Il faut que tu m'écoutes ! Un homme est en train de t'espionner. Il va sans doute essayer de te tuer. Tu dois absolument parler à... d'accord, même à Clark si tu veux, mais à quelqu'un pour qu'on arrête le commanditaire de ce type, tu m'entends ! C'est certainement un tueur à gages, vu les trois Anges qu'il nourrit ! Allison ! Bon sang ! Écoute-moi !

Mais la jeune fille n'avait aucune conscience du danger. Elle rentra chez elle d'un pas tranquille, ferma sa porte à double tour comme toute New-Yorkaise digne de ce nom. Jeremy constata, terrifié, qu'il suffisait d'un coup de pied pour faire sauter les deux verrous.

Il était minuit.

Et… Allison ressortit avec Frankenstein.

— Noooon, hurla Jeremy, Allison, noooon !

Frankenstein qui devait commencer à en avoir assez de percevoir des hurlements venus de nulle part se mit à grogner, avec force, cette fois. Elle le calma d'une caresse et descendit. Les nerfs à vif, Jeremy la suivit dans la rue. Le petit chien se mit à courir sur le trottoir, reniflant partout avec délice.

Jeremy se sentit encore plus mal lorsqu'il réalisa que, comme le soir de son assassinat, deux des réverbères de la rue étaient éteints, leurs lampes brisées.

— Et merde ! jura-t-il, il va la tuer ! Allison, remonte, je t'en prie, je t'en supplie !

Soudain le petit chien jappa et fila à fond de train, dévidant la laisse à enrouleur jusqu'à entraîner Allison vers une ruelle obscure.

— Non non non non non ! Je t'en prie, continua de supplier Jeremy, non, ne le suis pas, laisse-le, fuis !

Toujours imperméable à ses prières, Allison se laissa guider, haussant la voix pour que Frankenstein ne tire pas trop sur sa laisse, puis arriva devant la ruelle où il s'était engouffré.

Soudain la laisse mollit. Comme s'il n'y avait plus rien au bout.

Jeremy ferma alors les yeux, incapable de voir la fille qu'il aim… la fille qu'il appréciait tellement, se faire tuer.

Une forme noire bondit, arrachant un cri à Allison.

À ce moment, Jeremy ne put résister, il ouvrit les yeux, les joues pleines de larmes. Et s'effondra. Mais de soulagement. Il se mit à rire comme un dément, sous le regard surpris des Anges qui passaient par là. Un chat ! Ce n'était qu'un foutu chat ! Le poil hérissé, l'animal insulta copieusement Frankenstein qui le poursuivit à toute vitesse, trop occupé même pour aboyer, avant d'être stoppé net par la fin de sa laisse. La main sur le cœur, Allison fit de même, furieuse contre le chien piteux. Ils finirent enfin par rentrer à pas lents, escortés par Jeremy qui, Ange ou pas, avait frôlé la crise cardiaque.

Une fois Allison et Frankenstein chez eux, Jeremy décompressa. Il réalisa qu'il n'avait jamais eu aussi peur de sa vie. Bon, sauf la fois où il avait réalisé qu'il était mort, mais, à part ça, éprouver une telle terreur, c'était usant.

Il se coucha lorsqu'elle se coucha.

Et se réveilla lorsqu'elle lui dit, comme la veille, qu'il était beau. Il savait très bien qu'elle s'adressait à son chien qui bavait derrière lui, mais tant pis. Il sourit et lui répondit :

— Merci. Toi aussi tu es belle.

Puis il se souvint du tueur et ajouta d'un ton pressant :

— Et tu es en grand danger, Allison ! Écoute-moi, s'il te plaît ! Entends ma voix !

Allison se contenta de sourire, de caresser Frankenstein qui gémit de bonheur, et elle se prépara pour le sortir.

Jeremy la suivit, mais cette fois-ci, il faisait grand jour, elle ne risquait rien.

Toute la journée, il veilla pourtant. Il crut voir le tueur au supermarché, dans les toilettes pour femmes et dans le *Starbucks* où elle s'acheta un *caffè latte*. C'était samedi, elle ne travaillait pas. Après avoir terminé ses courses, elle déjeuna avec ses amies, alla au cinéma, pleura de bon cœur devant une comédie romantique, ce qui exaspéra Jeremy.

Depuis quelques jours, il avait accompagné Allison dans ses nombreux déplacements, avide d'en apprendre plus sur elle. À vingt ans à peine, elle était déjà en stage, elle avait sans doute aussi de l'avance dans ses études. Elle était mûre par certains côtés et complètement infantile par d'autres. Elle était courageuse et, d'après ce que Jeremy avait pu constater, très têtue, loyale et franche. Elle avait plusieurs amis homos, sans doute parce que c'était bien moins risqué pour elle de sortir avec eux pour s'amuser. Mais elle semblait seule. C'est ce qui le frappa le plus. Dans cette jungle qu'était New York, avoir des parents, une famille, était comme une bouée de sauvetage. On savait que s'il y avait un problème on pouvait toujours aller se réfugier dans des bras accueillants et compréhensifs. Pas Allison. Son père ne l'appelait jamais d'après ce qu'il avait pu comprendre lors de la discussion avec Clark, l'autre soir. Sa mère était morte et n'était même pas restée près de sa fille, comme la mère de la jeune femme de ménage que Jeremy avait vue non loin de l'église. Elle n'avait ni frère ni sœur. D'une certaine façon, sa solitude transparaissait dans la tristesse qui la saisissait parfois. Elle frissonnait et s'entourait de ses bras. Jeremy en avait mal pour elle. Et cela lui déchirait le cœur de ne pouvoir la toucher, de ne pouvoir dire qu'il était là. Près d'elle. Qu'il la protégeait. Qu'il resterait à ses côtés jusqu'à ce qu'elle le rejoigne, un jour.

Alors qu'il la suivait dans le soir tombant il tourna une nouvelle fois la tête afin de vérifier si le tueur n'était pas embusqué quelque part. Allison héla un taxi et s'engouffra si vite que Jeremy n'eut pas le temps de réagir, le taxi s'éloignait déjà.

Le jeune homme jura, glacé par la peur. N'ayant aucune idée d'où elle allait, il décida de retourner chez elle pour l'attendre.

Le jeune Ange venait à peine de traverser la porte d'entrée qu'il se figea. Il y avait quelqu'un dans l'appartement. Il aperçut une silhouette noire et masquée. Qu'il ne reconnut pas tout d'abord, avant de voir les trois Anges qui volaient au-dessus d'elle.

Le tueur. Le tueur était chez Allison !

Il avait neutralisé Frankenstein qui, ligoté sur le côté, jappait comme un enragé. Désespéré, Jeremy se mit à hurler après l'assassin, sous le regard amusé des trois Rouges. L'homme l'ignora, forcément. Il manipulait le téléphone d'Allison. Jeremy le vit placer un petit micro à l'intérieur du haut-parleur, puis refermer soigneusement le tout. Le tueur inspecta tout l'appartement, plaça un deuxième micro dans l'une des prises téléphoniques de la chambre et un troisième dans celle du salon.

Jeremy finit par se calmer. L'homme n'avait apparemment pas reçu pour consigne de tuer Allison. Du moins pas tout de suite. Il se dit que c'était plutôt une bonne nouvelle. Le tueur pensait qu'Allison l'avait vu. Jeremy devait donc faire dire à la jeune fille, soit à voix haute, soit au téléphone, qu'elle ignorait qui était le tueur. Ainsi, ce dernier n'aurait plus de raisons de vouloir la supprimer. Sauf s'il mettait des micros dans son appartement pour connaître l'identité de la personne à qui elle avait parlé, afin de l'éliminer aussi…

L'homme se déplaçait avec une précision mortelle. Silencieux comme un fantôme, il attrapa le petit chien, le délivra, retira la muselière tout en le bâillonnant de la main afin qu'il ne le morde pas, puis, juste avant de ressortir, le lança au milieu de la pièce. Le temps que Frankenstein, fou de rage, patine sur le parquet bien ciré et se rue sur lui, la porte s'était refermée. L'animal aboya furieusement, sautant un moment après la porte close, puis partit renifler les endroits où l'intrus avait posé ses micros.

Lorsque Allison rentra chez elle, elle trouva son chien curieusement agité et elle ne comprit pas pourquoi il grattait les plinthes, ce dont elle l'empêcha avec vigueur. Elle ne se rendit pas compte que son appartement avait été visité. Jeremy, lui, était surtout effaré de la façon dont l'homme avait pénétré chez elle. Cela paraissait un jeu d'enfant d'ouvrir des serrures sans laisser aucune trace. Du coup, il ne savait plus très bien s'il préférait qu'Allison reste dans ce lieu, qui n'avait rien d'une forteresse, ou en sorte. Il n'eut pas beaucoup de choix en la matière car, après sa douche, Allison enfila une ravissante robe noire. Puis une robe blanche. Puis une bleue. Une rouge. Une autre noire. Un pantalon. Une tunique avec des leggings. Des talons hauts. Bas. Une robe longue, une jupe courte, un chemisier transparent, un autre opaque, une grosse ceinture, un pantacourt, de nouveau la première robe noire. Jeremy fut stupéfait par le temps que la jeune fille consacra à trouver une tenue : une robe champagne avec des sandales dorées à talons hauts assortis et une petite pochette. Puis elle maquilla ses grands yeux bleus et cela lui donna un regard spectaculaire qui fit défaillir le jeune homme. Enfin, après quelques gouttes de parfum et une dernière grimace à son reflet, pourtant magnifique, elle fut prête.

Jeremy ne se fit pas avoir. Cette fois-ci, il s'engouffra avec Allison dans le taxi. Malheureusement pour lui, la jeune fille ne se rendait pas à un dîner de filles, mais passait la soirée avec un homme.

Aaahrg ! c'était un rendez-vous galant. Bon, cela dit, vu l'attention qu'elle avait portée à son apparence, il aurait dû s'en douter.

Avec Marc quelque chose. Jeune interne à l'hôpital, brillant, amusant, il lui avait été présenté par Misty. Pendant toute la soirée, il fut absolument charmant et fit beaucoup rire Allison. Ils discutèrent de tout et de rien. Mais lorsque l'homme se rendit aux toilettes, Jeremy, rongé de jalousie, le suivit et l'entendit parler au téléphone.

— Salut Misty, fit Marc en vérifiant que personne ne pouvait l'écouter, j'ai fait tout ce que tu m'as demandé. Aucune allusion sexuelle, sage comme une image. Mais dis donc, ça va pas être facile, c'est une bombe cette fille !

Effectivement, si Allison était jolie au naturel, maquillée et avec une robe au-dessus du genou qui dévoilait ses longues jambes, elle était tout simplement irrésistible. Même si Jeremy la voyait tirer discrètement sur l'ourlet de sa robe histoire de ne pas trop dénuder ses cuisses lorsqu'elle s'asseyait. Une telle pudeur lui plaisait. Bon, il aurait bien voulu que la robe en question soit encore un peu plus courte, juste pour lui, pas pour la gent masculine.

— Oui, oui, j'ai bien compris qu'elle ne couchait pas, merci, tu as dû me le répéter un demi-million de fois, grogna Marc. Maintenant, explique-moi encore pourquoi je sors avec une fille, jolie certes, mais qui ne couche pas ? Il est où l'intérêt ?

Il soupira en entendant la réponse.

— Ah oui, j'oubliais que ton père est mon boss. Quel idiot je suis ! Rassure-moi, tu ne vas pas m'obliger à l'épouser hein ?

Il émit un petit rire en entendant la réponse.

— Ah, je suis soulagé. Oui, je vais la traiter avec toute la délicatesse voulue. Mais franchement, les vierges sont trop chiantes, crois-en mon expérience, c'est vraiment parce que je t'adore… OK, OK, que tu vantes mes mérites auprès de ton père… que je te donne ce coup de main ! Est-ce que j'ai quand même le droit d'essayer de coucher avec elle ? Oui, oui, sans faire de gaffe ou précipiter les choses. Génial, merci Misty, tu es une mè… une sœur pour moi.

Il raccrocha et soupira de nouveau. Il décida de se laver les mains et retourna tenir compagnie à Allison.

Jeremy était furieux. L'Ange bleuté nimbé d'une sérieuse touche de rose qui se nourrissait de Marc haussa les épaules en l'entendant insulter son vivant.

— Il fait ça tout le temps. Mais bon, on lui pardonne parce qu'il sauve des tas de vies. J'espère qu'il ne rendra pas ta protégée trop malheureuse. D'ailleurs, c'est curieux, d'habitude les filles se nourrissent des filles et les garçons des garçons, on préfère ça… Pourquoi tu te nourris d'une fille, toi ?

— Je ne me nourris pas d'elle, rétorqua Jeremy, encore ulcéré.

— Oh, un esprit amoureux. Bon courage alors, tu n'as pas fini d'en baver mon pauvre vieux !

Jeremy grimaça. De quoi se mêlaient-ils tous ces Anges ! Il n'était pas amoureux, il était juste… protecteur, voilà, c'était le bon mot.

Il profita du restaurant pour manger un peu de Brume, puis raccompagna Allison chez elle. Enfin… plus précisément, il suivit Marc qui raccompagna Allison. Marc la laissa galamment au pied de son immeuble et lui vola un chaste baiser au coin des lèvres. Puis il démarra son agile petit roadster.

— Quel frimeur, maugréa Jeremy tandis qu'Allison, radieuse, le saluait de la main.

Elle rentra dans son appartement et raconta sa soirée à Frankenstein. Jeremy eut le cœur serré de voir à quel point elle trouvait le stupide Marc tellement craquant.

— Tu te rends compte Franky, s'écria-t-elle, il a une maison dans les Hamptons… enfin, ses parents ont une maison dans les Hamptons, et il m'a invitée ! Il est super mignon, il n'a pas essayé de m'embrasser ou de me sauter dessus, il est super drôle, il sauve des vies, j'adore !

Elle fit tournoyer le chien qui jappa, mal à l'aise de se retrouver aussi haut dans les airs. Elle le reposa en s'excusant.

— Il veut me revoir. Lundi soir. C'est génial ! Il faut que je l'annonce à Misty ! (Elle regarda sa montre et sursauta.) Euh, plutôt demain matin parce que là, il est déjà très tard. Je n'ai pas vu le temps passer ! Hop ! hop ! un texto à ma copine pour lui dire qu'il est divin…

Jeremy, le cœur serré, se tassa sur le canapé. Elle était en train de tomber amoureuse d'un garçon qui se fichait éperdument d'elle. Cela lui déchira le cœur. Enfin, au moins, en entendant ce babillage stup… ce babillage, le tueur ne se sentirait pas inquiet pour sa sécurité.

L'amour, ça rendait aveugle. Et idiot.

Une fois en sécurité dans son lit, dès qu'elle eut sorti son chien, Jeremy la laissa à contrecœur et partit retrouver les Anges.

Jeremy ne savait pas très bien pourquoi il s'agitait ainsi. Après tout, il ne pouvait rien faire pour protéger Allison et même s'il découvrait qui était le véritable commanditaire de son meurtre, qu'est-ce que cela allait changer ? Il n'allait certainement pas se transformer en Ange rouge pour se venger…

Ce fut donc un peu découragé qu'il se rendit en flânant au *Rose's & Blues.*

Hélas, ni son grand-père ni son père n'étaient là, pas plus que les deux Anges à qui il avait confié la mission de s'occuper de l'enquête avec Clark. Bon, en fait, c'était un peu normal, ils lui avaient dit de les retrouver dans deux jours…

Après avoir absorbé de la Brume, Jeremy décida de rendre une petite visite à son beau-père. Auparavant, il fit une brève incursion dans la chambre d'Angela. À son grand soulagement, la petite dormait d'un sommeil paisible et l'Ange rouge s'était éclipsé. La bouteille de sirop n'était pas sur la table de chevet, ce qui prouvait que sa mère n'avait pas eu besoin d'utiliser le somnifère pour apaiser Angela. Il en fut vraiment heureux et, d'un geste tendre, passa une main fantomatique dans les cheveux blonds de la petite fille.

— Je n'ai pas été un très bon frère, chuchota-t-il, mais je te promets que je vais essayer de me rattraper en faisant partir ce maudit Ange rouge qui te torture. Je te le promets, ma chérie.

Claire dormait également. Elle était agitée, sans doute encore sous le choc de la mort de son fils. Franck en revanche ne dormait pas, alors qu'il était presque 2 heures du matin. Il arpentait son bureau, l'air fatigué, la Brume émanait de son corps avec un étrange mélange de bleu et de rose. Un mélange de contentement et de colère. Intrigué, Jeremy se rapprocha et lui parla, d'une voix douce et persuasive.

— Allez, dis-moi ce qui te tracasse. Tu as réussi à te débarrasser de moi, tu t'es vengé. Tu aimes toujours ma mère et tu es inquiet pour ma sœur, c'est ça ? Explique-moi ce qui se passe dans ce crâne.

À sa grande surprise, Franck réagit bien plus à sa voix tranquille que ne l'avait fait Allison à ses hurlements inquiets.

— Bordel ! laissa-t-il échapper, quel merdier ! Maintenant que tout est presque terminé, elle veut me quitter ! Qu'est-ce que je vais faire ?

La Brume vira au marron, un marron d'une infinie tristesse. Jeremy recula, sourcils froncés. La couleur... il y avait quelque chose avec la couleur. Soudain, cela lui revint. Quel imbécile il avait été ! Lorsqu'il avait vu Franck et que celui-ci s'était vanté d'avoir « réglé les deux affaires et que la personne ne l'ennuierait plus », la Brume qui s'échappait de son beau-père était bleue ! Il n'éprouvait donc pas une satisfaction malsaine, mais un bonheur sincère ! Il n'avait pas commandité son meurtre. Il n'y était pour rien. Sinon jamais la Brume n'aurait arboré cette couleur.

Involontairement, Franck confirma sa découverte. Il tapa dans sa main avec son poing fermé et s'écria :

— Non mais quel petit con ! Se faire assassiner juste au moment où j'allais le voir pour lui dire que j'avais réussi à liquider toutes mes affaires « douteuses » et qu'il pouvait faire la paix avec sa mère parce qu'elle en souffrait et moi aussi ! Cet abruti a décidément tout gâché !

— Oui, merci, répliqua Jeremy, ironique, et moi aussi je vous aime.

Cette nouvelle le galvanisa. D'une façon ou d'une autre, il allait devoir réparer son erreur. Il avait tout fait pour séparer son beau-père de sa mère et il constatait à présent que l'homme qu'elle avait épousé était sincère.

Peut-être pas très honnête, mais sincèrement amoureux.

Il devait sauver Allison. La jeune fille était plus que jamais en danger. C'était vraiment à cause d'elle qu'il avait été assassiné.

Jeremy bondit sur ses pieds et fila.

Il devait absolument trouver Einstein.

8

Le goût de la folie

Presque à bout de souffle, Jeremy fit irruption dans le *Rose's & Blues*, priant du fond du cœur pour que le savant s'y trouve. Quelqu'un devait apparemment l'écouter quelque part là-haut, si tant est qu'un là-haut existât, parce que Einstein était bien au club, entouré d'autres jeunes garçons. Tous avaient l'air furieux, flottant sur leurs chaises autour d'une grande table. Encore incapable de voler, Jeremy dut lever la tête.

— … *Und ich bin nicht einverstanden mit ihnen !* rageait Einstein.

— *Vaffanculo !* répliqua un gamin au visage grêlé par la varicelle.

— Galilée, s'écria un autre, qu'est-ce qu'on avait dit à propos des insultes ! Garde ta grossièreté d'Italien du XVIe siècle pour toi s'il te plaît !

—Je suis mort en 1642, répliqua Galilée, au XVIIe siècle, tu veux que je te le dise dans ta langue, monsieur Benjamin Franklin Je-Sais-Tout ? *Fuck…*

— Eeeh ! Ohhhh ! cria Jeremy au milieu du brouhaha. Albert ! Descends s'il te plaît !

Einstein baissa les yeux et son visage s'éclaira en voyant Jeremy.

— Ah, fit-il en ondulant gracieusement jusqu'au sol, mon aberration préférée. Juste à temps. Nous avons une petite convention d'Anges physiciens en ce moment et, franchement, à part Léonard et Benjamin qui est très drôle, tous les autres sont d'une arrogance ! Comment vas-tu ? Dis-moi, as-tu enfin réussi à accomplir des choses que les autres Anges sont incapables de faire en temps normal ?

En posant sa question, il penchait comiquement la tête de côté, comme un chien qui attend son os.

— J'ai besoin de vous, c'est une question de vie ou de mort, lâcha Jeremy. Si je réponds à votre question, vous m'aiderez ?

Un sourire éclatant illumina le jeune visage.

— Évidemment, *ja, ja,* avec plaisir ! Quand tu dis « de vie ou de mort », j'en déduis qu'il ne s'agit pas d'Anges mais de vivants…

Jeremy opina de la tête et désigna son pagne.

— J'ai cru comprendre qu'il n'était pas possible pour un jeune Bleu de se créer des vêtements.

— Non, confirma Einstein. Personnellement, il m'a fallu plusieurs années pour y arriver.

Il utilisa la Brume qu'il avait autour de lui afin de transformer son jean et son tee-shirt en toge, puis en smoking, puis en short et sandales, puis de nouveau en jean. Jeremy fut impressionné. Il lui fallait dix fois plus de temps qu'Einstein pour fabriquer son maudit pagne et sa ridicule épingle à nourrice !

Très bien, à son tour d'en mettre plein la vue au savant. Il se haussa sur la pointe des pieds, se concentra et attrapa un pan de Brume. Le seul fait qu'il puisse la tenir surprit Einstein. Jeremy confectionna une boule, chaude et bleue, qu'il tint au creux de sa main, puis l'étira. Quelques manipulations supplémentaires et il avait un tissu bleu solide, un simple drap, mais, à voir la tête ahurie du savant, il avait à l'évidence réalisé un exploit.

— *Unglaublich !* s'écria Einstein.

Il jeta un regard méfiant aux autres savants rajeunis qui discutaient toujours avec passion au-dessus d'eux et entraîna Jeremy dans un coin plus calme du *Rose's & Blues.*

— Ce n'est pas normal, fit-il. Pas du tout. Je suis très intelligent, vraiment très intelligent. Et je n'ai pourtant réussi ce que tu viens de réaliser qu'au bout de plusieurs années, si bien que j'ai dû dépendre d'autres Anges pour me vêtir. Je le répète, tu es une exception. Et cela commence à poser une question passionnante : pourquoi toi ?

Jeremy n'en savait rien et il avait suffisamment de raisons d'avoir peur et d'être désorienté dans cet étrange univers pour ne pas avoir, en plus, à se demander s'il était spécial.

— C'est vous le génie, à vous de trouver le pourquoi du comment. Pour ma part, j'ai répondu à votre question. Alors ? Vous pouvez m'aider ? Je dois absolument sauver mon amie Allison. Le tueur l'a retrouvée ! Il a truffé son appartement de…

— Truffé ? le coupa Einstein interloqué. Pourquoi a-t-il mis des truffes dans son appartement ?

— Non, je veux dire qu'il a posé des micros. Il veut vérifier à qui elle a parlé et la tuer ! Il faut que je la prévienne, à tout prix !

Jeremy raconta alors à Einstein tous les événements depuis leur dernière rencontre. Quand il eut terminé, Einstein grimaça.

— Si tu n'étais pas... spécial, je ne t'aiderais pas. Or là, je n'ai pas le choix. Viens.

— Qu'est-ce qu'on va faire alors ? répliqua Jeremy, quelque peu survolté.

— Toi et moi, nous ne pouvons rien faire. Mais je connais quelqu'un... peut-être...

— Qui ? fit Jeremy, pressant. Et comment va-t-il nous aider ? Je croyais que ce n'était pas possible, que rien ne pouvait interférer avec le monde des vivants !

Albert Einstein se retourna et lui sourit, tout fluet dans son jean et son tee-shirt bleu.

— Oh ! si, nous allons te trouver un Esprit Frappeur, c'est tout !

L'Esprit en question n'habitait pas à New York, mais dans le New Jersey. Cela angoissa légèrement Jeremy de devoir laisser Allison sans surveillance aussi longtemps, toutefois cette visite était cruciale, il avait vraiment besoin d'aide. Il ne fit pas part de ses inquiétudes à Einstein, les Anges s'étaient déjà assez moqués de lui à cause de son coup de foudre pour la vivante.

Se déplacer leur prit plusieurs heures. Ils durent trouver des voitures qui allaient dans la bonne direction et, aussi, changer rapidement de véhicule lorsqu'ils bifurquaient. Jeremy eut droit à une leçon accélérée de dématérialisation : en suivant l'exemple d'Einstein, il apprit à sauter de voiture en voiture, sans y penser. Les débuts furent... difficiles, compliqués, mais surtout douloureux, et Jeremy se retrouva vite couvert d'ecchymoses, ce qui fit ricaner le savant.

— Vous, les jeunes Bleus, vous ne savez pas encore vous guérir tout de suite, votre corps réagit comme s'il avait vraiment été frappé !

Puis Albert haussa un sourcil intéressé.

— À moins que toi, tu n'y arrives ? Après tout, tu accomplis déjà des choses extraordinaires, alors pourquoi pas une de plus ?

Jeremy lui jeta un regard noir. Il avait super mal, bon sang ! Il se concentra pour faire taire la douleur, mais il devait être trop obsédé par Allison parce que rien ne disparaissait en fait. Ni les quelques bleus qu'il voyait (il n'osait imaginer le reste de son corps), ni cette douleur lancinante.

Dépité, Einstein n'insista pas. Sur leur parcours, il surprit Jeremy en attrapant le plus de Brume possible, se moquant qu'elle soit rouge ou bleue, et fabriqua une sorte de cordage multicolore. Il le fourra dans un sac à dos qu'il avait aussi créé en un temps record. L'aisance avec laquelle il avait formé les deux objets donna le vertige à Jeremy qui décida de s'entraîner le plus vite possible afin d'obtenir le même résultat.

Enfin, ils parvinrent à destination.

La maison se dressait sous le clair de lune pâlissant. Jeremy trouva le lieu sinistre. Un véritable cliché de maison hantée...

— L'Esprit Frappeur 24 était ici la dernière fois qu'il a été signalé, indiqua Einstein en baissant la voix. Ne fais pas de bruit, il est assez… agressif.

— Le saut de voiture en voiture m'a semblé plutôt « sportif », je n'ai donc pas eu le temps de vous demander ce que nous cherchions exactement, ironisa Jeremy. L'Esprit Frappeur 24 ? Mais encore… ?

— Nous ne cherchons rien. Nous savons précisément où le trouver. Celui-ci est le 24ᵉ Esprit Frappeur vivant dans un périmètre de mille kilomètres. Il existe une carte très précise donnant la localisation des Esprits Frappeurs qui ont réussi à entrer en contact avec le monde des vivants.

Allons bon. Les Anges localisaient les Esprits Frappeurs, maintenant. Avec une carte. De Brume ? Formidable, Jeremy adorait sa nouvelle vie pleine de surprises. En général douloureuse, vu les ecchymoses qu'il avait sur le corps. À présent, il méritait vraiment son surnom de Bleu…

Ce petit moment de cynisme passé, il écouta Einstein avec attention.

— Oui, c'est ce que vous avez dit tout à l'heure, grogna-t-il. Mais je croyais que c'était impossible de communiquer avec les vivants !

— Impossible, non, extrêmement aléatoire, oui. Les Esprits Frappeurs réussissent une fois sur mille, ce qui fait qu'ils ne parviennent jamais à former des messages cohérents.

— Mais pourquoi eux et pas nous ?

— Parce que nous, nous ne sommes pas fous. Eux si. Totalement. Donc, nous allons en capturer un et le transporter jusque dans l'appartement de ta vivante. Une fois là-bas, il ne pourra pas entrer en contact avec elle, mais on peut espérer qu'il lui fasse suffisamment peur pour qu'elle soit sur ses gardes. Si elle est sur ses gardes, peut-être finira-t-elle par surprendre le tueur. Et, si elle voit le tueur, peut-être pourra-t-elle le reconnaître, aller à la police et le dénoncer.

— Ça fait beaucoup de « peut-être », renifla Jeremy, sceptique.

— Tu as un meilleur plan ?

— Non, non, pardon, s'excusa le jeune homme en secouant ses épais cheveux bruns, je suis fatigué, c'est tout.

Le savant grommela quelque chose dans sa langue, que Jeremy supposa être un juron, puis, sur la pointe des pieds, ils s'avancèrent vers la maison.

Une fois les murs franchis, ils ne découvrirent rien de spécial à l'intérieur. Les lieux avait été décorés dans les années soixante et étaient restés en l'état ou, plutôt, en mauvais état. Il y avait pas mal d'humidité et, bizarrement, Jeremy se surprit à frissonner.

— Qui vit ici, enfin… à part EF 24 ? murmura-t-il.

— Deux personnes très âgées qui, à mon avis, ne vont pas tarder à passer elles aussi. Les propriétaires sont sourds comme des pots et donc personne ne comprend pourquoi EF 24, comme tu dis, s'obstine à essayer de communiquer avec eux. Mais il a l'air de leur en vouloir à mort, ah, ah, parce que ça fait une bonne trentaine d'années qu'il tape sur leur tuyauterie. Leurs enfants ont fait venir des dizaines de plombiers qui n'ont jamais réussi à localiser leur problème, et pour cause.

Jeremy s'arrêta net, interloqué.

— Vous voulez dire que les bruits inexpliqués, les maisons hantées et tout ça, sont le fait d'Esprits Frappeurs ? D'Anges ?

Soudain un « boum ! boum ! boum ! » irrégulier les fit sursauter. Il résonnait dans toute la maison.

— Chhhhuutt ! parle plus bas, intima Einstein en se déplaçant à pas de velours, collé au mur. Oui. C'est plus difficile pour eux dans les appartements modernes parce que les canalisations sont coffrées. Ils doivent avoir un contact direct avec le conduit. Il existe aussi plusieurs autres types d'esprits. Les Esprits Frappeurs Électriques. Eux, ils parviennent à faire fluctuer le courant. Avant, ils s'amusaient à souffler les bougies pour plonger les gens dans le noir, maintenant, ils font sauter les compteurs, les ampoules, les réfrigérateurs, les machines à laver, les télévisions ou les ordinateurs, ils allument et éteignent la lumière ou les chaînes hi-fi. Personne ne sait pourquoi ils font ça, mais ils ont l'air de s'amuser comme des petits fous… Enfin, il y a les Esprits Frappeurs Ectoplasmiques. Ils arrivent à projeter une image d'eux-mêmes et, parfois, des vivants plus sensibles peuvent les apercevoir. Mais cela leur demande un tel effort qu'ils ne peuvent renouveler l'exploit avant plusieurs mois. Parfois, ils en disparaissent même. Certaines maisons ont plusieurs EF. Là, également, personne ne sait pourquoi ils se réunissent dans des endroits particuliers et pas d'autres. Ce sont presque toujours des Rouges. Ils se nourrissent de la frayeur ou du malaise qu'ils créent.

— Mais pourquoi ne le dites-vous pas tout de suite aux nouveaux Anges ?

Jeremy avait du mal à contenir sa colère. Allison était en danger et on lui avait caché des informations primordiales !

Einstein sentit sa rage et répondit d'un ton apaisant :

— Parce qu'il est très rare qu'un Nouveau pense à autre chose qu'à se nourrir. Tu es vraiment une exception. La vie est dure sur Terre. Lorsqu'ils arrivent ici, les Anges sont fatigués. Alors n'avoir qu'à s'amuser, dormir ou passer du temps avec d'autres en se nourrissant de la Brume des vivants, c'est un soulagement pour eux. Pas de bagarre, pas de plus fort ou de plus faible, pas de compétition. Seuls ceux qui veulent se venger, qui sont obsédés ou fous de jalousie, d'amour ou de haine tentent de communiquer, de « revenir » chez les vivants. Afin d'éviter de créer trop d'Esprits Frappeurs obsédés, les anciens ne parlent pas aux Nouveaux de ces possibilités.

Jeremy se souvenait maintenant que Tétishéri avait fait allusion à cette catégorie d'Anges. Elle les avait appelés les « Vengeurs »...

Albert s'immobilisa devant la porte de la cave.

— Bon, fit-il en sortant de son sac le cordage de Brume qu'il retissa rapidement en un solide filet, maintenant, nous allons traverser la porte. EF 24 sera sûrement là. Nous ne serons pas trop de deux, crois-moi !

Les deux amis passèrent en silence de l'autre côté et se retrouvèrent dans l'escalier menant à la cave. Les nerfs de Jeremy étaient tendus à l'extrême et la descente des quelques marches n'arrangea rien.

L'Ange rouge était bien là comme l'avait supposé Einstein. Trop occupé à taper sur sa canalisation, il ne les entendit pas s'approcher. C'était très étrange, car seuls certains des coups semblaient porter. L'Ange tapait sans relâche, mais à peine un coup sur dix passait dans le monde des vivants. Il n'était pas très gros, pas aussi boursouflé que certains des autres Rouges. Il avait les cheveux hirsutes et lorsqu'il releva les yeux vers Jeremy et Albert, le jeune homme s'aperçut en frissonnant qu'ils n'étaient plus que deux lacs de sang flamboyants.

— Aaaahhhh ! fit aussitôt l'Ange, furieux, en fonçant sur eux avec l'énorme barre de Brume qu'il s'était créée.

Jeremy attira son attention en sautant et gesticulant dans la cave tandis qu'Albert se tenait prêt à lancer son filet sur l'Ange fou. Jeremy faisait de grands pas de côté afin d'éviter les coups. Il n'était pas trop sûr de ce qui se passerait si le fou réussissait à le frapper, et n'avait pas du tout l'intention de le découvrir. Lorsque enfin EF 24 se trouva juste en dessous d'Einstein qui flottait en embuscade, ce dernier jeta le filet et emprisonna le dément.

L'Esprit Frappeur était tellement hors du monde qu'il mit du temps à réaliser ce qui venait de lui arriver. Il continua donc à courir après Jeremy. Albert, qui ne s'y attendait pas, commit l'erreur de s'agripper à son filet et fut traîné derrière l'Ange fou, comme un pécheur imprudent qui aurait ferré un énorme espadon. Vu qu'il devait peser quarante kilos tout mouillé et que EF 24 devait en peser une bonne centaine, il ne parvint pas à le stopper. Il lança alors une série de jurons en allemand, toujours absurdement agrippé à son bout de filet.

Si la situation n'avait pas été aussi tendue, Jeremy aurait pu en rire, mais là, en voyant ce Rouge furieux qui essayait de lui taper dessus avec sa barre, il regrettait surtout qu'Albert se soit choisi un corps aussi malingre.

Il esquiva un énième coup avant de crier :

— Einstein ! Il ne s'arrête pas ! Qu'est-ce qu'on fait ?

Son cri surprit l'Ange fou qui tressaillit et trébucha sur le filet qui s'était resserré autour de ses pieds. Il tituba. Albert en profita aussitôt pour se relever et tira d'un coup sec, achevant de le déséquilibrer. L'Ange tomba de toute sa hauteur, tel un chêne foudroyé, avec un gros « baoum ! ». À terre, il continua à s'agiter dans tous les sens, tentant de se libérer, tandis qu'il essayait toujours de les atteindre avec sa barre. Jeremy parvint enfin à la lui prendre lorsque l'Esprit Frappeur passa son bras armé au travers des mailles du filet qui commençait à faiblir. Malgré cela, la lutte dura encore un petit moment. Albert emmaillotait l'Ange rouge aussi vite que celui-ci défaisait le filet. Heureusement, l'Esprit Frappeur ne réagissait qu'à l'instinct et face à la méthodique patience d'Albert, il perdit finalement la bataille.

Jeremy se releva et épongea son front en sueur.

— Pffffiouu, j'ai bien cru qu'on n'allait jamais y arriver !

— Oh, ça, grommela Albert en se relevant à son tour et en époussetant ses vêtements, c'était la partie facile ! Maintenant, il faut arriver à le ramener chez ta copine !

Immobilisé au point de ne pas pouvoir bouger un orteil, l'Ange rouge hurlait de toutes ses forces. Au bout de cinq minutes passées lui aussi à hurler pour se faire entendre de Jeremy, Albert perdit patience, fila au rez-de-chaussée, préleva un peu de Brume des deux vieux propriétaires et forma un bâillon. À peine revenu dans la cave, l'Ange rouge tenta de le mordre, mais Albert positionna habilement le bâillon sur la bouche écumante de rage. Le silence qui s'ensuivit fut un vrai soulagement.

— Je ne sais pas lequel est le pire à supporter, soupira Jeremy, le tueur ou cet Ange complètement dingue...

— Oh, tu n'auras pas à le supporter très longtemps. Il va tenter de rendre folle ta copine, il va faire un maximum de bruit, puis, lorsqu'elle se sera enfuie, ou s'il en a assez, il reviendra ici. Il revient toujours ici.

Jeremy le regarda, bouche bée. Il finit par retrouver la parole :

— Vous voulez dire que ce n'est pas la première fois que vous le kidnappez ?

— Il y a quelque temps, nous avons voulu voir s'il était possible de lui apprendre le morse, avoua Albert d'un air piteux. Nous avons partiellement réussi, mais seuls quelques-uns des coups arrivaient à passer, rendant le rythme totalement aléatoire chez les vivants. Impossible, même avec la meilleure volonté, d'émettre un message compréhensible. Certains Ectoplasmiques, surtout parmi les plus vieux, ont réussi à rejoindre le monde des vivants et à prendre possession de corps. Bien sûr, ils parlaient dans leurs langues d'origine qui, pour la plupart, étaient des langues mortes. Ce qui fait que les vivants ne comprenaient rien du tout ou s'étonnaient qu'un homme ou une femme parvienne soudain à parler des langues qu'ils ne connaissaient pas du tout.

— Ces histoires de possession, ne me dites pas que c'étaient les Anges ?

— Pas vraiment les Anges. Des Anges dingues. Par conséquent, ils n'arrivaient pas à exprimer ce qu'ils voulaient. Un peu comme si le fait de s'être réincarnés bousillait encore plus leurs circuits...

— Les vivants pensaient qu'ils étaient possédés par des démons, c'est ça ?

— Ce sont des Anges rouges qui parviennent à passer, le plus souvent. Donc pas des enfants de chœur, et certains sont sacrément démoniaques, oui. Et très superstitieux. Ni l'encens, ni les prières, ni l'eau bénite ne pouvaient vraiment les atteindre, mais ils réagissaient comme si cela les brûlait. Nous pensons que c'est purement psychologique. Ces vieux Anges viennent souvent du fin fond des âges, au moment où les religions balbutiaient et où l'on pensait que les dieux et les démons parcouraient le monde. Ils sont donc très sensibles aux objets saints. Cela pouvait durer des années, puis l'Ectoplasmique finissait par s'évaporer. Il ne pouvait pas s'incarner aussi longtemps. Hélas, l'hôte involontaire, lui aussi, finissait complètement dingue, le plus souvent.

— Mais pourquoi ne pas capturer un de ces Esprits pour posséder Allis..., commença Jeremy avant de stopper net. Ah oui, cela la rendrait folle, bien sûr.

— Crois-moi, lui faire peur est la meilleure solution.

L'Ange rouge à leurs pieds s'agita de plus belle et l'attention des deux Anges se reporta sur lui.

— Ça va être l'enfer de le transporter ! soupira Einstein. D'autant que tu ne sais pas encore créer d'objets... Bon, mets-le sur ton épaule et monte-le au rez-de-chaussée. Je vais préparer une plateforme.

Jeremy obéit sans trop chercher à comprendre et souleva l'Ange fou. Il était horriblement lourd et gesticulait comme un asticot de cent kilos. Peinant et soufflant,

Jeremy monta les marches de l'escalier de la cave, tandis que, sur le toit, Einstein rassemblait et modelait la Brume des deux occupants de la maison. Il finit par former une plateforme bleue munie de sangles qui flottait paisiblement. Albert se jucha dessus et descendit jusqu'au sol. Ils y fixèrent l'Ange rouge qui beuglait comme un veau derrière son bâillon, tentant toujours de leur échapper.

Le prisonnier continua de s'égosiller pendant tout le chemin du retour, comme si s'éloigner de la maison l'affectait au plus haut point. Albert et Jeremy optèrent cette fois pour un trajet en bus, un voyage en voiture aurait relevé de la folie pure. Jeremy faillit délivrer EF 24 plusieurs fois, tant l'opération lui paraissait pénible, voire cruelle, mais son inquiétude pour Allison fut la plus forte. Il se dit que, au moins, les deux personnes âgées qui occupaient la maison allaient connaître quelques jours de calme.

Une fois qu'ils furent arrivés à l'appartement, Jeremy se précipita pour vérifier que la jeune fille allait bien. Il constata alors avec soulagement qu'Allison dormait, Frankenstein à ses côtés.

À la grande surprise de Jeremy, Einstein délivra l'Ange.

— Mais… mais qu'est-ce que vous faites ? s'écria-t-il, persuadé que celui-ci allait immédiatement s'enfuir.

— Tout va bien, murmura Einstein, ne crie pas. Il va faire le tour de l'appartement, voir s'il peut taper sur quelque… ah, regarde, il a déjà trouvé !

Dans un coin de la cuisine, de la tuyauterie dépassait, non coffrée. Le Frappeur se mit à hurler, mais, cette fois-ci, de joie. Il brandit sa barre qu'Einstein lui avait rendue et se mit à cogner comme un sourd. Hélas ! bien que Jeremy fût obligé de se boucher les oreilles, le son ne passait pas chez les vivants. Du tout. Pas le moindre petit décibel.

— Cela peut marcher, ou pas, précisa Einstein en élevant la voix. Il va rester ici quelques jours, puis, comme je te l'ai dit, il voudra retourner chez lui. J'espère que ce sera quand même efficace.

Ils n'avaient pas d'autre plan. Jeremy hocha la tête, priant de toute son âme pour que le fou parvienne à déranger Allison afin qu'elle fuie cet appartement devenu un piège fatal. Jeremy espérait alors qu'elle irait se réfugier chez quelqu'un, même si ce quelqu'un pouvait être Clark l'obsédé. Du moment qu'elle ne restait pas seule, c'était tout ce qu'il souhaitait.

Pendant deux heures, ils discutèrent en observant l'Esprit Frappeur taper sur la canalisation sans aucun résultat.

Allison finit par se réveiller. Elle s'occupa de son chien et de son petit déjeuner.

— Tu sais, fit Einstein en regardant le petit scottish japper tandis que la jeune fille cherchait sa laisse, si je m'étais appelé Franck, j'aurais le même nom que ce chien : Franck Einstein !

Jeremy éclata de rire. Albert avait le don de dédramatiser les situations les plus désespérées... Mais comme la matinée était déjà bien entamée et qu'Einstein devait retrouver ses amis savants, les deux amis durent se séparer. Ils convinrent de se retrouver plus tard dans la semaine au *Rose's & Blues* afin que Jeremy raconte à Albert la suite des événements.

Revenue de sa rapide promenade avec Frankenstein, Allison rangea un peu son appartement puis, Jeremy sur les talons, passa à l'université retrouver quelques copines. Elle leur raconta qu'elle avait quelques soucis avec l'institutrice auprès de laquelle elle effectuait son stage, elle la trouvait en effet particulièrement sévère. Enfin, elle fila à l'école. Pendant l'après-midi, à ses côtés, Jeremy guetta le tueur, qui ne se montra pas. Toutefois, il remarqua un détail curieux. Et encore, il ne le remarqua que parce que la Brume émise par Allison se teintait de couleurs bizarres. Allison avait peur. Dans sa salle de classe, quelque chose l'effrayait. Quelque chose… ou quelqu'un. Mis à part la seconde stagiaire et l'institutrice, une femme maussade aux joues tombantes et aux cheveux gris mal coiffés, il n'y avait aucun adulte. Il passa en revue les petits visages attentifs ou distraits, joyeux ou résignés, et entreprit de découvrir ce qui n'allait pas.

Cette opération lui demanda du temps, tant la cause semblait obscure. Allison luttait contre cette peur, il le voyait bien. Enfin, alors que les enfants rentraient dans la classe après la récréation, il eut soudain un flash.

Ce n'était pas un adulte.

C'était un enfant ! Un jeune garçon aussi blond qu'Allison, aux grands yeux marron, au visage souriant, inconscient du malaise de la jeune fille. Il semblait même très à l'aise avec elle, presque comme s'il la connaissait mieux que les autres.

Jeremy fronça les sourcils et l'observa attentivement. L'enfant n'avait rien de particulier. À en juger par sa Brume, il n'était ni malveillant ni méchant. Au contraire, il était ouvert, joyeux et heureux de vivre. Jeremy jeta un œil sur le cahier d'appel. Il se nommait Peter Ventousi. Ce nom ne lui disait rien...

La classe se termina et Allison libéra les élèves. Sur l'ordre de l'institutrice, elle s'occupa de ranger la pièce, d'effacer le tableau, puis de préparer ses affaires. Jeremy eut le cœur serré en voyant qu'elle était fatiguée. Elle avait l'air soucieux et tendu, le visage fermé durant tout le chemin du retour vers son appartement.

Il la suivit jusqu'au pied de son immeuble mais, trop occupé à décoder l'état d'esprit de sa protégée, il ne remarqua pas les deux hommes qui attendaient la jeune fille devant l'entrée. Il était déjà trop tard lorsqu'il réalisa qu'elle avait ralenti le pas. Derrière les inconnus apparut le beau, l'impeccable Clark, accompagné de ses deux Anges. Jeremy ne put se retenir :

— Et merde, grogna-t-il, manquait plus que l'obsédé sexuel. Qu'est-ce qu'il fait là, celui-là ?

Les deux Anges qui flottaient au-dessus de la tête du mannequin parurent ennuyés.

— En fait, il semble qu'on ait un peu trop bien fait notre travail, concéda l'Ange rouge.

— Oui, renchérit le Bleu, on lui a susurré à l'oreille qu'il devait aller voir la police et il nous a écoutés. Il pense que cette affaire n'a rien à voir avec cette histoire de médicament miracle, de cancer, et tout à voir avec un tueur à gages et la mafia. Nous, bien sûr, on n'en sait rien, sauf qu'à mon avis, la petite va être folle de rage contre lui. Au lieu d'enquêter discrètement, il a paniqué. Je crois qu'il a regardé trop de films à la télé...

— J'espère bien qu'elle va le carboniser, s'emporta Jeremy, parce que si le tueur se rend compte que les flics sont dans le coup, il va l'éliminer vite fait ! Il ne faut surtout pas qu'ils montent dans son appartement et parlent devant les micros !

Au-dessous d'eux, Allison observait, inquiète, les plaques et les cartes que lui montraient les inspecteurs.

— Oui ? dit-elle d'une petite voix, non sans avoir jeté un regard plein de reproches à Clark. Qu'est-ce que je peux faire pour vous ?

— Bonjour mademoiselle, inspecteur Bontemps et inspecteur Vrick. Eh bien, d'une part, accepter de nous faire entrer chez vous, histoire de ne pas rester dehors, proposa poliment l'un des deux policiers.

— Chez moi ? balbutia Allison. Mais…

L'homme eut un sourire de convenance, démenti par un regard austère, et ajouta sèchement :

— Et, d'autre part, nous donner quelques précisions concernant le meurtre de sang-froid auquel vous avez assisté. Celui de M. Jeremy Galveaux.

9

Le goût de l'impuissance

Visiblement sous le choc, Allison dévisagea les deux policiers. L'inspecteur Bontemps, le premier qui s'était adressé à elle, avait un large front dégarni et la bedaine qui allait avec, laissant imaginer un gros buveur de bière qui ne pratiquait l'exercice que du fond de son fauteuil devant la télé. Le second, l'inspecteur Vrick, était tout le contraire, mince, acéré et dangereusement attentif. Si Vrick faisait plus jeune, et était plutôt séduisant, il avait l'air plus effrayant et contrebalançait l'allure très « papa gâteau » de Bontemps. Passé ces considérations, Allison ne s'attarda pas plus avant. Les deux étaient des flics. Les deux recherchaient la vérité. Et les deux seraient sans pitié.

La seule inconnue était Jeremy Galveaux. Si les deux meurtres étaient liés, comme le supposait Clark, à des histoires de familles mafieuses, Allison était effectivement en grand danger. Bon, cela dit, si ce n'était pas le cas, elle l'était aussi. En fait, elle était très mal lotie. Elle se planta solidement sur ses deux pieds, bien déterminée à ne pas bouger d'un pouce de ce trottoir et inspira profondément avant de se lancer.

— Que vous a exactement dit mon ami Clark ? demanda-t-elle d'une voix plus aiguë que d'habitude, ce qui la rendit encore plus jeune d'apparence.

— Rien de spécial, répondit l'un des deux. Si ce n'est que vous avez été témoin du meurtre de M. Galveaux. Qu'il a été décapité devant vous. Mais que, a priori, vous n'avez pas vu le tueur.

La Brume émanant d'Allison révéla son soulagement. Clark lui avait donc laissé une porte de sortie.

Elle essaya alors d'afficher son plus joli sourire, le plus innocent aussi, celui qui mettait en valeur ses fossettes, et se figea dans une pose de circonstance, un peu comme une star.

— Oooh, fit-elle en battant et des cils et des mains, je vais être célèbre ? je vais passer à la télé ?

Tout à fait d'accord pour une fois, Clark et Jeremy lui lancèrent un regard navré. C'était quoi ce cinéma ?

Les deux policiers sourirent. Même si on les devinait perplexes.

— Tout dépend de ce que vous avez réellement vu, mademoiselle...

— Oh, alors ce n'est pas la peine de monter dans mon appartement, répondit Allison sur le ton de la légèreté, parce que je n'ai rien vu du tout. Juste une ombre, un éclair et tchak ! j'ai vu une tête tomber.

— Merde, jura Jeremy, j'ai changé d'avis, monte dans ton appartement et répète ça aux flics devant les micros !

Mais Allison, fermement décidée à passer pour une totale écervelée, n'avait pas du tout l'intention de laisser des policiers mettre les pieds chez elle.

— Évidemment, répondit-elle sur le ton de la confidence, je suis dégoûtée parce que comme j'ai eu super peur, je me suis enfuie. Si j'étais restée, j'aurais pu voir le tueur et le dénoncer. Ah oui, ça c'est sûr !

— Vous n'avez pas vu son visage ?

Allison fit une petite grimace dépitée.

— Non, pas du tout. Les réverbères étaient cassés, il faisait noir.

Elle se pencha et murmura :

— Vous croyez que c'était fait exprès ? Qu'il les a cassés pour qu'on ne le voie pas ? Comme dans les films où le tueur brise toutes les ampoules dans l'escalier avant de commettre son crime ?

Les deux hommes se regardèrent, puis l'un des deux sortit une carte de visite.

— Dans ce cas, il est inutile de vous déranger plus longtemps. Au cas où, mademoiselle, s'il vous revenait un détail, voici le numéro où vous pourrez nous joindre à tout moment.

Allison prit avec gravité la carte et les remercia.

— Mon interrogatoire est déjà fini ? J'espère vraiment que je vais me rappeler un truc et que je vais pouvoir être interviewée... Mais j'ai eu si peur, hou, c'était horrible, vous n'avez pas idée ! Vous ne trouvez pas que c'était horrible ?

— Nous n'avons pas vu le corps, mademoiselle, nous n'étions pas sur les lieux, répondit poliment le flic bedonnant. Veuillez nous excuser, mais nous devons y aller maintenant. Mademoiselle, monsieur.

Ils les saluèrent et partirent avant qu'Allison puisse ajouter un mot.

Dès qu'ils furent hors de vue, Clark explosa.

— Bordel, Allison ! Mais à quoi tu joues !

— Oui, Allison ! hurla Jeremy, espèce d'idiote, ils auraient pu te protéger !

Le beau visage d'Allison se durcit. Ses yeux bleus lancèrent des éclairs, elle attrapa Clark par le bras et le força à avancer dans le hall de l'immeuble.

— Et depuis quand, alors que je te fais confiance, tu me trahis en allant voir les flics ? Je t'avais pourtant dit de garder tout ça pour toi !

— C'est trop dangereux, Allison. Tu ne peux pas rester sans protection.

— Je ne peux me fier à personne ! ragea Allison. Clark, je t'ai demandé de m'aider, pas de m'enfoncer ! Ils ne m'ont pas crue. Ils pensent que je sais quelque chose. Sinon ils n'auraient pas abandonné aussi vite !

— J'espère bien ! répliqua Clark alors qu'elle le poussait dans l'ascenseur. Ces deux policiers veulent élucider ce meurtre. Tout autant que toi !

— Merci, et maintenant, grâce à toi, ils ont mon nom et mon adresse. Si c'est bien la mafia qui s'en prend à la famille Tachini, comme tu sembles le penser, ces gens-là ont des informateurs un peu partout. Ils ne vont pas tarder à apprendre qu'il y a un témoin. Même si je me tue à dire que je n'ai rien vu…

— Ah ! ah ! très drôle…

— Tais-toi. Je disais donc, ils vont penser, comme les flics, que je mens parce que j'ai peur, que je peux changer d'avis à tout moment et que je suis donc dangereuse.

— Mais…

— Et même si tes copains les flics n'informent personne, qu'ils sont honnêtes, ils vont me pourrir la vie pour me faire craquer, vérifier si effectivement je n'ai rien vu. Ils vont mener une enquête en bonne et due forme, interroger les voisins, mesurer la luminosité de la scène de crime, et j'en passe. Ils vont me mettre en danger pour rien !

Clark leva les yeux au ciel, exaspéré par l'entêtement d'Allison. À la grande horreur de Jeremy, ils rentrèrent dans l'appartement, fêtés par Frankenstein. Là, le jeune mannequin prononça exactement la phrase qu'il ne fallait pas.

— Et moi je persiste à dire que tu dois absolument expliquer à ces deux policiers, lorsqu'ils reviendront, puisque tu es si sûre qu'ils reviendront, que tu veux être protégée !

Jeremy laissa échapper un gémissement de désespoir.

— Noooon ! Ne dis pas ça devant les micros !

Les deux Anges qui suivaient Clark le regardèrent avec commisération.

— Quels micros ?

Jeremy leur expliqua en quelques mots ce qu'avait fait le tueur.

— Alors là, mon gars, elle est cuite, s'écria l'un des Rouges.

— Ouais, bon, l'avantage, c'est qu'elle va nous rejoindre très vite, ajouta le Bleu, rassurant.

Jeremy leur jeta à tous deux un regard furieux.

Soudain un énorme « clank ! » fit sursauter Allison et Clark, ainsi que les deux Anges, ces derniers n'ayant pas encore remarqué l'Esprit Frappeur dans la cuisine. Celui-ci poussa un hurlement de triomphe et tapa de plus belle.

— Un Esprit Frappeur ! s'exclama l'un des Anges, tu as fait venir un Esprit Frappeur ici ? Ça va pas la tête ?!

— Qu'est-ce que c'était que ça ? demanda Clark, inquiet.

— Je n'en sais rien, répondit Allison, c'est la première fois que la plomberie fait du bruit. (Elle fronça les sourcils.) C'était vraiment très fort. Il ne manquerait plus que ma tuyauterie me lâche !

— Bravo ! hurla Jeremy, encourageant l'Esprit Frappeur, ce qui eut l'air de surprendre ce dernier. Vas-y, cogne !

Avec un joyeux hululement, l'Ange rouge frappa de plus belle et une vingtaine de coups rapides et forts plus tard : « clank ! » Un deuxième coup tout aussi violent retentit dans l'univers des vivants.

— Ah, fit le second Ange bleu, tu veux la faire partir ! C'est plutôt malin, ça.

— Merde ! jura Allison, c'est pas vrai !

— *Yesss !* cria Jeremy. Vas-y mon gars, ça fonctionne comme je le voulais !

EF 24 eut une sorte de rictus joyeux, empoigna sa barre et cogna comme un fou… ce qu'il était d'ailleurs, encouragé par les trois Anges.

Tous les « clank ! » ne passaient pas, mais il y en avait suffisamment pour qu'Allison commence sérieusement à s'inquiéter. Avec Clark, ils cherchèrent partout, avant de s'immobiliser devant le tuyau que martelait l'Ange rouge.

— C'est la canalisation, pronostiqua Clark. Il doit y avoir quelque chose qui est passé dans le circuit d'eau.

Allison ferma les yeux un court instant. L'affliction se lisait sur son visage fatigué.

— Oh, ma chérie, murmura Jeremy, je suis tellement désolé, je n'avais pas le choix !

Les deux Anges relevèrent la tête, comme deux requins qui venaient de sentir du sang.

— Comment tu l'as appelée, mon joli ? fit le Rouge.

— Il a dit « ma chérie », j'ai bien entendu, fit le second en mettant sa main en cornet autour de son oreille comme s'il était sourd.

— C'est pas lui qui nous a assuré qu'il n'était pas du tout amoureux, juste... qu'est-ce qu'il a dit déjà ?

— Hum, « protecteur » il me semble, persifla le second.

Mais Jeremy se fichait bien des railleries des deux Anges. Il n'avait pas pu s'en empêcher, pas plus qu'il n'était capable de s'empêcher de protéger Allison.

C'était horrible.

Il réalisa soudain avec angoisse que ces deux imbéciles avaient parfaitement raison : il était tombé amoureux. Il aimait tout dans cette jeune fille. Sa naïveté, sa grande force aussi, son courage et ses obsessions, son air digne, son amour des enfants, des humains. Il aimait sa douceur, ses longues jambes et ses grands yeux, son front têtu et son nez droit. Bref, tout !

À ses yeux d'Ange, elle était tout simplement... parfaite.

— Ah, merde, laissa-t-il échapper.

La révélation le laissa anéanti. Il ne pouvait pas aimer une femme qui lui serait inaccessible pendant, au moins, les soixante prochaines années. Les deux Anges narquois confirmèrent sa pensée.

— Eh oui, ton problème, LE problème, c'est qu'elle est *là-bas* et toi *ici*. Séparés, distants, différents, incompatibles, mort et vivante, énuméra l'Ange bleu pour enfoncer le couteau dans la plaie.

— Il faut te trouver une jolie petite Rose, fit l'Ange rouge, sentencieux.

— Ou une petite Bleue, rectifia l'autre Ange.

— Une fille avec qui tu pourras passer le temps agréablement, reprit le Rouge en foudroyant le Bleu du regard. Tu sais, il y a des millions d'Anges, rien ne t'empêche de t'intéresser à elles, plutôt qu'à une vivante. Ce n'est pas très sain. Tu risques d'y laisser la raison (il désigna l'Esprit Frappeur qui continuait de cogner sur la canalisation la bave aux lèvres) et donc de terminer comme ce pauvre type.

Ils avaient raison. Jeremy savait qu'ils avaient raison. Mais quelque chose en lui le poussait à ne pas abandonner Allison.

— Je vais l'aider tant que le tueur ne sera pas neutralisé, grogna-t-il frustré. Et dès que cela sera fait, je… je… je la lâcherai.

Il se tourna vers les deux Anges.

— Je ne terminerai pas comme mon père. Je ne laisserai pas une obsession stérile bouffer ma vi… ma mort.

Les deux Anges saluèrent cette décision.

— Tu sais, faire ce choix, c'est un peu comme décider de renoncer à la cigarette, fit l'Ange bleu, très sentencieux. Au début, tu as l'impression d'agoniser, tellement tu en as envie, puis, avec le temps, cela passe… Là tu es dans la première phase. Tu viens de prendre conscience que tu es accro. Dans la seconde, tu vas essayer de te débarrasser de cette addiction.

Jeremy secoua la tête.

— Parce que vous pensez que l'amour est vraiment une addiction ?

Les deux Anges hochèrent la tête dans un bel ensemble.

— Bien sûr !

Ils se mirent à rire à gorge déployée. Et Jeremy comprit soudain que le fait d'être un Ange rouge ou un Ange bleu n'était pas le plus important. L'amitié, l'amour, tout ce qui existait sur Terre, tous les sentiments humains pouvaient exister ici aussi. Il en était maintenant convaincu.

Curieusement, l'enjouement des deux Anges le déprima un peu plus. Il n'avait pas encore trouvé sa place dans ce monde. Il était encore trop attaché aux vivants, enfin… plus spécifiquement à une vivante, même s'il n'oubliait pas sa famille et son autre mission, celle qu'il s'était donnée : débarrasser sa petite sœur de l'Ange qui tentait de la rendre folle.

Pendant que les Anges discutaient, Allison et Clark avaient appelé un plombier. Ce dernier avait promis qu'il tenterait de passer le lendemain.

— Tu ne peux pas rester ici cette nuit, dit Clark, tandis qu'un magnifique « clank ! » résonnait dans le petit appartement. Pour des tas de raisons, les flics, la mafia, le tueur et, surtout, ce bruit à rendre dingue. Viens chez moi.

Allison le regarda, puis sourit d'un air désolé.

— Je ne peux pas passer la nuit chez toi, Clark, tu le sais très bien. Nous ferions des choses que je regretterais au petit matin. Je te connais !

Le jeune homme bomba le torse.

— Mon chou, déclara-t-il, tu éprouveras certainement des tas de choses au petit matin, mais crois-moi, le regret n'en fera pas partie.

Pendant quelques secondes Allison en resta bouche bée.

— J'arrive pas à croire que tu viens de dire un truc pareil, espèce de… de frimeur !

Clark lissa ses cheveux châtain brillant qui faisaient ressortir ses yeux verts.

— Non, réaliste. Je suis un formidable amant. Fais-moi confiance. Et puis, je me sentirais plus tranquille si tu étais chez moi plutôt qu'ici, à la merci de n'importe qui. Ta porte est juste une plaisanterie pour un type un peu baraqué, un coup de pied et elle est par terre.

Allison haussa les épaules.

— La seule chose que je risque pour l'instant, c'est de devenir sourde avec ce bruit. Si cela continue, demain soir j'irai chez Misty.

— *Yesss !* s'écria Jeremy, surpris et heureux, ça a marché ! Elle va partir d'ici ! Mon pote, t'es le meilleur !

Et il montra ses deux pouces levés à l'Esprit Frappeur.

L'Ange, probablement stupéfait de voir pour la première fois quelqu'un d'aussi enchanté parce qu'il faisait du bruit, s'acharna de plus belle. Jamais on ne l'avait remercié, ou encouragé.

À la mention de Misty, Clark fit la moue. Jeremy constata que le mannequin n'aimait pas plus que lui l'avocate trop avide.

— Tu serais bien mieux chez m…

Il n'eut pas le temps de finir sa phrase, Allison lui avait déjà fait faire demi-tour et le dirigeait fermement vers la porte.

— Ta ta ta, ça suffit. Pars maintenant montrer tes talents de... de dragueur à d'autres filles que moi, et n'oublie pas les garçons. On se voit demain, d'accord ? Là je suis morte de fatigue, et tueur ou pas tueur, plomberie ou pas plomberie, ma vie continue et il faut que je m'occupe de donner son bain à Frankenstein.

L'intelligent petit chien releva la tête en entendant son nom accolé au mot « bain ». Il comprit qu'il allait empester le shampoing pendant au moins une semaine, la truffe saturée de parfum et les yeux larmoyants. Il ne lui restait qu'une seule solution, la fuite. Il fila aussitôt se cacher sous le lit.

— Mince, soupira Allison, j'avais oublié que mon chien est surdoué. J'aurais dû épeler...

— Tu veux dire qu'il a saisi que tu voulais lui faire prendre un bain ? demanda Clark, incrédule.

— Oui, il est très malin. D'ailleurs, je trouve qu'il a un comportement bizarre depuis quelque temps. Comme si... comme si quelque chose le dérangeait.

Jeremy soupira.

— Si seulement ton chien pouvait te parler !

— Ce chien est aussi intelligent que moi alors, ironisa Clark, parce que moi aussi, je trouve qu'il se passe des tas de choses très bizarres !

Il se laissa raccompagner jusqu'à la porte, entouré par ses deux Anges qui saluèrent Jeremy d'un air ironique, et Allison la referma sur lui, soulagée.

— Quel imbécile ! Aller voir les flics était vraiment la dernière chose à faire ! Peut-être que je suis parano, mais les scénarios des films ne sont pas construits à partir de rien. Il y a un fond de vérité. À savoir que l'appât du gain est et sera, encore et toujours, le moteur des hommes !

Après une partie de cache-cache imposée dans tout l'appartement, avec un bout de gigot et de nombreux jurons, Allison parvint à attraper et à laver Frankenstein. Lorsqu'elle eut terminé, le petit chien était propre, le poil resplendissant, et elle, trempée, savonneuse et épuisée.

En dépit de son inquiétude, Jeremy avait beaucoup ri. Surtout lorsque Frankenstein s'était échappé, entièrement recouvert de shampoing, et qu'elle avait dû courir après lui.

— Bon sang, rouspéta-t-elle en portant une main tremblante à son front trempé, j'ai l'impression d'avoir lutté contre une armée. Tu n'aurais pas un certain Cerbère dans tes ancêtres par hasard, à un moment j'aurais juré que tu avais trois têtes !

Le chien n'arrêta pas d'aboyer, ce qui était probablement une succession d'insultes canines, l'œil encore embué, puis éternua à plusieurs reprises. Furieux, il lui tourna le dos et, vexé, alla d'un air digne s'installer dans son panier. Puis il posa sa tête sur ses pattes et ferma les yeux. Il boudait.

Satisfaite, Allison sourit et entreprit de ranger la petite salle de bains. Quelques coups d'éponge plus tard, il ne restait de la lutte acharnée que quelques traces de savon et d'humidité dans l'appartement. Qu'elle essuya sans cesser de râler.

— Ouf, fit-elle en s'affalant sur son sofa bleu, on est tranquilles pour au moins six mois !

Elle alluma son ordinateur portable et cliqua sur un dossier protégé par un mot de passe.

Le dossier s'ouvrit. Le nom qui s'afficha, sous une image, sauta aux yeux de Jeremy.

Ventousi. Le même nom que celui du petit garçon dont elle avait peur dans sa classe ! Jeremy ne comprenait plus rien. Puis elle cliqua sur un sous-dossier et tout s'expliqua.

Il y avait plusieurs photos. Celles d'un homme élégant, la cinquantaine distinguée, cheveux noirs et tempes argentées, yeux bruns tranquilles, tenant un petit garçon par la main. La légende indiquait : « *Monsieur Arthur Ventousi, chercheur et ex-président des laboratoires pharmaceutiques du même nom, avec son fils, Peter, lors de l'avant-première du nouveau film des studios Disney* ».

Jeremy fronça les sourcils. Si les laboratoires portaient le nom de leur fondateur, pourquoi celui-ci voulait-il retarder la mise sur le marché de son produit anticancer ? Ce n'était pas logique. Et pourquoi « ex-président » ?

Cela avait dû également interpeller Allison, car elle cliqua sur le site du groupe afin d'accéder aux données financières. Et ils eurent un flash tous les deux. Ventousi n'était plus propriétaire de ses propres laboratoires. Ces derniers avaient été créés par son père, qui portait le même nom, d'où la confusion, et le fait qu'on lui attribue à tort l'étiquette de « fondateur ». Le père de Franck Ventousi avait cédé, par le passé, l'entreprise à un gros fonds d'investissement. Mais l'affaire était en train de péricliter. Mauvaise gestion de la branche Recherche et Développement, plusieurs de leurs molécules étaient tombées dans le domaine public et ils n'avaient rien trouvé qui leur permettrait de les remplacer. Petit à petit, les chercheurs étaient partis. De l'extérieur, les laboratoires Ventousi paraissaient fragiles et au bord de la faillite. Pourtant, le groupe qui les détenait n'était pas encore prêt à en céder les parts. Ils avaient remplacé le président à trois reprises. Mais chaque fois, cela n'avait pas fonctionné. Arthur Ventousi n'avait même pas un poste de dirigeant. Petit à petit, il avait été rétrogradé pour ne plus devenir qu'un simple chercheur dans une équipe.

Avec son expérience, Jeremy voyait tout à fait le but que voulait atteindre Ventousi. Annoncer un énième échec de leurs recherches, proposer un prix dérisoire pour les actions au groupe qui vendrait pour éviter d'être pris dans une faillite, attendre un an ou deux afin de persuader tout le monde qu'il avait travaillé entre-temps sur une nouvelle molécule, puis annoncer sa recette miracle.

Il allait devenir immensément riche.

Salopard.

Jeremy avait donc juste été tué pour une monstrueuse et pyramidale histoire de fric. Il avait envie de hurler et de pleurer. S'il n'avait pas été assassiné, il aurait fait la connaissance d'Allison. Vraiment. Peut-être aurait-il pu tomber amoureux d'elle, exactement comme il venait de le faire en tant qu'Ange.

Il soupira. Sauf que, bien évidemment, cela ne se serait pas passé comme ça. Si ça se trouve, trop obnubilé par son travail, il n'aurait même pas remarqué Allison. Il se serait contenté de lui répondre, puis l'aurait oubliée. Il avait fallu qu'il meure pour réaliser que le plus important dans la vie était justement de vivre.

D'aimer...

Il y eut un « clank ! » retentissant et ils sursautèrent tous les deux. Allison stoppa sa lecture. Marmonnant contre sa tuyauterie, elle éteignit son ordinateur, attrapa un manteau, puis sortit avec un Frankenstein encore boudeur pour sa promenade du soir. Ils firent leur tour, sous l'œil inquiet de Jeremy, et rentrèrent sagement. Allison ne sortait pas ce soir-là. Vers 22 heures, elle se mit à bâiller. Les « clank ! » qui passaient de temps en temps l'empêchaient de trouver le sommeil. À la fin, agacée, elle alla chercher des boules Quies qu'elle avait dû récupérer lors d'un voyage en avion et se les enfonça rageusement dans les oreilles.

Puis elle alla se recoucher après avoir vérifié qu'elle avait bien mis les verrous et la chaîne de sécurité sur la porte d'entrée. Jeremy se coucha en face d'elle et, juste avant de fermer les yeux, ne put résister au plaisir de « goûter » à la Brume bleue qui émanait de la jeune fille.

Il faillit s'étrangler tellement c'était bon. D'une intensité inimaginable, comme s'il n'avait jamais rien mangé, jamais rien bu de semblable de toute sa vie d'humain, et d'Ange. Une explosion de saveurs et de bonheur. Il en fut bouleversé.

—Je t'aime, murmura-t-il d'une voix tremblante, je t'aime et ça va me rendre fou !

Mais Allison ne l'entendait pas et, protégée du bruit par ses bouchons, elle glissa lentement dans le sommeil. Il la suivit dans l'oubli, sa main traversant celle de la jeune fille.

Jeremy ne sut jamais ce qui l'avait réveillé. Probablement le bruit de la chaîne cassée qui tintait, puis du grognement sourd de Frankenstein.

Soudain, le petit chien poussa des aboiements furieux et se précipita dans l'entrée au moment où la porte s'ouvrit violemment. La silhouette qui se trouvait derrière l'attendait. Le petit chien sauta sur l'individu, mordit dans un gant molletonné avec rage et fut neutralisé, comme la première fois, pour finir ligoté.

Jeremy se mit à hurler. Mais pas plus qu'elle n'avait entendu son chien, à cause de ses bouchons d'oreille, Allison n'entendit le tueur entrer dans son appartement, le sabre à la main.

Elle n'allait tout de même pas se faire tuer parce que Jeremy avait amené un Esprit Frappeur chez elle et que, pour échapper au bruit, elle avait mis des boules Quies ?!

Comme un fou, Jeremy fonça sur l'homme et tenta de toutes ses forces de le toucher. Ce qui ne servit évidemment à rien. Un instant décontenancés, les trois monstrueux Anges rouges accompagnant le tueur éclatèrent de rire.

Avec son bâillon, Frankenstein s'étouffait à force d'aboiements et de gesticulations.

Tous ces bruits et cette agitation durent sans doute finir par troubler le sommeil d'Allison, car elle ouvrit les yeux. La lumière filtrait à travers la fenêtre. C'était la pleine lune et la jeune fille n'avait pas complètement fermé les volets. Avec une rapidité qui prit le tueur par surprise, elle comprit tout de suite ce qui se passait, attrapa sa lampe de chevet, sauta de son lit et se rua sur lui, en hurlant à pleins poumons.

Le tueur para le premier coup maladroitement. Il ne s'attendait sans doute pas à ce que la jeune fille, à peine sortie de son sommeil, soit aussi combative. Jeremy se souvint qu'elle avait pris des cours de kung-fu, Clark s'était même moqué d'elle à ce sujet.

Hélas, ce n'était pas suffisant. Très vite, évitant le déluge de coups, l'homme fut en position de riposter. Il balança un coup de poing sec qui toucha Allison au foie. Ébranlée, la jeune fille suffoqua et recula. Elle bascula en arrière sur le lit, lâchant la lampe qui rebondit sur les draps.

Le sabre émit un son sifflant en sortant de son fourreau. Allison poussa un cri lorsqu'elle aperçut la lame. Jeremy aussi.

Des voix inquiètes retentirent dans l'escalier et le couloir de l'immeuble. Le tueur jura.

Il abattit son katana sur Allison. Mais elle avait eu le temps d'attraper la lampe pour se protéger, l'allumant involontairement dans sa panique. Ébloui, le tueur rata de peu la tête de la jeune fille, la lame fracassa l'ampoule et se ficha dans le culot. L'homme fut aussitôt pris de convulsions. Jeremy se rendit compte qu'il était en train de s'électrocuter. Car si la poignée de son sabre était en bois, la garde était métallique, et sa main nue en contact avec elle.

Jeremy réalisa soudain qu'Allison aussi était en train de convulser. La lampe était en métal, raison pour laquelle elle avait dû la saisir pour se défendre. Et comme Allison la tenait à pleines mains, elle était prise dans le même circuit électrique que le tueur. Tous deux suffoquaient, tremblaient, attachés l'un à l'autre comme par un lien terrifiant et mortel.

Et les plombs ne sautaient pas ! Jeremy courait dans tous les sens, criant et incapable d'intervenir, fou de frustration. Soudain des gens firent irruption dans la pièce, certainement des voisins alertés par le bruit. L'un d'eux tenta d'allumer la lumière et, enfin, les plombs sautèrent.

Le tueur et Allison retombèrent chacun de leur côté, foudroyés.

— Vite ! cria quelqu'un dans le noir, faites-leur un massage cardiaque pendant que j'appelle les secours !

— Pas à celui-ci, fit l'un des hommes avec répulsion, regardez son sabre, c'est sûrement ce tueur dont on parle à la télé, il est venu assassiner cette fille !

Le premier homme ne discuta pas. Sous les yeux de Jeremy et des Anges rouges furieux qui lui hurlaient après, mais qu'il n'écoutait pas, l'homme commença le massage cardiaque puis le bouche-à-bouche sur Allison, martelant sa cage thoracique avec un rythme de quinze battements, un souffle, quinze battements, un souffle, tandis qu'un autre appelait le 911.

Soudain Jeremy recula, sous le choc. Devant lui, la forme nue et angélique d'Allison venait d'apparaître.

— Non…, murmura le jeune homme, horrifié, non, ce n'est pas le moment, tu ne peux pas mourir, je ne veux pas ! Je te l'interdis !

Interloquée, la jeune fille le dévisagea. Durant quelques secondes, Jeremy vit le corps d'Allison vaciller, devenir transparent.

— Oui, hurla Jeremy, accroche-toi ! Repars ! Retourne dans ton corps ! Ton heure n'est pas venue !

Derrière elle, la silhouette floue du tueur, dont personne ne s'occupait, se déploya lentement. Alors qu'il venait à peine de mourir, le corps de l'homme décharné était déjà entièrement rouge. Les yeux écarquillés, terrifié sans doute pour la toute première fois de sa vie, il regardait avec stupeur autour de lui. Jeremy réprima une féroce envie de lui sauter à la gorge et de le démolir car les trois autres Anges rouges entouraient déjà le nouveau venu.

Jeremy reporta son attention sur Allison, l'encourageant de toutes ses forces à s'accrocher, à revenir parmi les vivants.

Des pompiers firent irruption dans la pièce. Ils écartèrent sans ménagement les deux voisins venus porter secours et se précipitèrent vers les deux corps à terre. À son tour, le corps d'Ange du tueur vacilla lorsqu'ils commencèrent le massage cardiaque et insufflèrent de l'oxygène dans ses poumons.

Pendant vingt terribles minutes, les sauveteurs tentèrent de ramener à la vie Allison et le tueur. À plusieurs reprises, ces derniers semblèrent prêts à réintégrer leur corps. Mais l'un comme l'autre étaient déjà passés trop loin au travers du voile.

Au bout d'une demi-heure, le tueur, puis Allison, que Jeremy ne cessait d'encourager, se stabilisèrent du mauvais côté. De son côté. À son plus grand désespoir.

Le chef des pompiers, un grand gaillard, finit par baisser la tête. La Brume qu'il exhalait montrait l'ampleur de sa tristesse et son impuissance.

— Ça ne sert plus à rien, annonça-t-il à ses subordonnés qui s'activaient encore. Ils sont morts. Tous les deux.

10

Le goût d'ailleurs

Comme Jeremy lors de son passage, Allison eut beaucoup de mal à retrouver l'usage de la parole. Elle ne comprenait rien à ce qui venait de lui arriver. Son cerveau n'acceptait pas cette mort aussi brutale. Elle tremblait d'une façon incontrôlable.

La jeune fille s'était recroquevillée sur elle-même, terrifiée, incapable d'assimiler les quelques minutes qui l'avaient fait basculer dans l'au-delà, son esprit encore habité par la peur extrême qu'elle avait ressentie.

Jeremy s'accroupit devant elle et lui sourit avec douceur.

— Bonjour Allison, dit-il lentement. Bienvenue chez les Anges.

Allison leva vers lui un regard vitreux et tenta de parler, en vain.

Comme Flint l'avait fait pour lui, Jeremy lui expliqua que ses poumons angéliques, hérités de son ancien corps, devaient réapprendre à utiliser l'air de ce nouvel univers. Il décida de faire simple. Abrutir la pauvre Allison avec des dizaines de théories et d'explications n'était pas une bonne idée. Elle était assez traumatisée comme ça. Pendant plus d'une heure, il la rassura, la tranquillisa. Il n'osait pas la toucher car dès qu'il tendait la main vers elle, elle tressaillait.

Les trois Anges avaient emmené le tueur Dieu sait où, enfin... plus probablement le diable sait où, ce qui, pour le moment, satisfaisait tout à fait Jeremy. S'il avait eu le tueur devant lui, il n'aurait peut-être pas pu résister au plaisir de le massacrer. Et il n'avait pas envie que, pour leur première rencontre, Allison voie l'homme de Neandertal qui sommeillait en lui se réveiller, massue à la main...

— Qu'est-ce... qu'est-ce qui s'est passé ? Où suis-je ? parvint enfin à murmurer la jeune fille.

— Je suis tellement désolé, répondit Jeremy, avec de la tendresse dans la voix. Mais tu... pardon, vous êtes morte, Allison. Vous êtes devenue un Ange.

Elle le fixa de ses yeux bleus avec intensité et la panique la fit haleter.

— Je... je suis morte ?

— Oui, vous ne vous souvenez pas ? Le tueur, celui qui m'a assassiné. Il vous a tuée vous aussi.

Elle sursauta. Jeremy regarda autour de lui afin de découvrir ce qui avait pu provoquer cette réaction, avant de réaliser que c'était lui qu'elle regardait avec horreur.

— Jeremy Galveaux ! Vous êtes l'homme qui a été... qui a été...

— Décapité, compléta Jeremy dans un souffle. Oui, je sais. Une façon très originale de mourir, je vous le concède. Tout autant que la vôtre, d'ailleurs. Mourir électrocutée à cause d'un sabre enfoncé dans une lampe par un psychopathe, je pense que vous aussi, vous allez avoir droit à la une des journaux !

Le visage d'Allison se crispa à nouveau de terreur.

— Je suis morte ! Mais... Clark ! Il va... il va... mais c'est horrible ! Il va en mourir de chagrin !

Jeremy en resta muet de stupeur. La jeune fille venait tout juste de passer de l'autre côté de la vie et, au lieu de penser à elle, elle imaginait déjà le chagrin de son ami. Elle était vraiment incroyable.

— Oui bon, fit-il avec plus d'aigreur qu'il ne l'aurait voulu, il s'en remettra.

Soudain, Allison se leva d'un bond, chancela, refusa son aide pour se stabiliser et s'écria :

— Je dois rentrer ! Je dois y retourner !

Jeremy recula, surpris par la violence de sa réaction.

— Mais Allison...

— Vous ne comprenez pas ! J'ai des tas de choses à faire ! Clark... Clark... je ne peux pas abandonner Clark ! Et le médicament ! Il... il faut qu'on fasse quelque chose pour ce médicament, vous ne... c'est important, c'est un médicament contre...

— ... Contre le cancer, oui, je sais, l'interrompit Jeremy d'une voix posée. Raison pour laquelle nous avons été assassinés tous les deux. Mon beau-père n'a rien à voir dans cette affaire. Ni la mafia d'ailleurs. C'est juste une sordide histoire de gros sous. Mais vous ne pouvez pas retourner en arrière, Allison, j'en suis tellement désolé. Votre corps... enfin, je veux dire votre corps terrestre est mort. Regardez.

Et il la fit doucement tourner sur elle-même, afin qu'elle voie son cadavre que les pompiers étaient en train de finir de glisser dans une housse mortuaire.

Allison ne put retenir un cri lorsque la fermeture Éclair se referma sur son visage livide.

Elle hurla si fort que les vivants en frissonnèrent, inconsciemment touchés par sa détresse infinie. Jeremy sentit les larmes couler sur ses joues. Il la comprenait tellement ! Frankenstein aboya en retour et les gens l'entourèrent, surpris par la violence de ses jappements. Encore une fois, le petit animal avait pu percevoir l'au-delà et la peur de l'Ange.

À bout de forces et d'angoisse, Allison s'écroula et, cette fois-ci, ne réagit pas lorsque Jeremy l'entoura de ses bras.

Ils restèrent enlacés ainsi pendant de longues minutes. Puis une petite voix mouillée sortit de sous les beaux cheveux blonds emmêlés :

— Et pourquoi je suis toute nue ?

Jeremy rougit et s'écarta avec empressement.

— Ah, oh, pardon, je suis désolé. Je m'en occupe tout de suite !

Il attrapa la Brume qui planait autour d'eux, sans se préoccuper des couleurs puisqu'ils n'allaient pas la manger, et façonna le jaune, le vert et le rouge, afin de créer deux bandeaux. La tâche s'avéra plus ardue que pour tisser son propre pagne.

Il les lui présenta avec un pauvre sourire.

— Encore désolé, mais c'est tout ce que j'arrive à faire pour l'instant. Je ne suis pas mort depuis assez longtemps pour créer des vêtements plus élaborés.

Puis il fabriqua deux épingles à nourrice qu'il lui tendit fièrement.

— Mais je ne me débrouille pas si mal.

Allison resta recroquevillée sans bouger pendant un long moment, le dévisageant d'un air méfiant au travers de ses longs cheveux blonds, un peu comme un enfant sauvage. Comme si le moindre mouvement allait la briser en mille morceaux. Puis, comme Jeremy ne faisait pas d'autre geste que de lui tendre tissus et épingles, elle finit par les saisir. Maladroite, la jeune fille se fit un minipagne avec l'un et un bandeau de poitrine avec l'autre. Heureusement, Jeremy les avait créés assez grands pour qu'ils couvrent suffisamment son corps. Et il garda pour lui le fait qu'elle ressemblait maintenant assez à Jane, la reine de la jungle, habillée comme ça. Elle n'était certainement pas prête à apprécier son douteux sens de l'humour alors qu'elle venait tout juste de « passer ».

Il vit qu'elle tentait de faire abstraction de ce qui se jouait autour de son cadavre pour se concentrer sur lui. Comme s'il était le seul élément stable de son environnement. Il la comprenait, il avait fait de même avec Flint, s'accrochant à lui comme une moule à son rocher. Il se figura la métaphore, réalisa qu'elle était peu flatteuse pour Allison et esquissa un sourire. Il se sentait heureux. Pour la première fois depuis son arrivée dans ce monde et, alors que la fille dont il était tombé amoureux venait tout juste de se faire assassiner, il était heureux…

Il était devenu complètement dingue, oui !

— Vous… vous avez utilisé quoi au juste ? osa enfin Allison avec une petite voix, en passant sa main sur l'étrange tissu doux et chaud. On dirait de la fumée colorée ? Et pourquoi tout est si lumineux, tout est si intense ?

Jeremy ne se fit pas prier pour lui expliquer quelques-unes des particularités de ce monde. Elle l'écouta, les sourcils froncés, tellement adorable dans sa minitenue, que Jeremy devait se forcer à regarder au-dessus de l'épaule droite d'Allison afin d'arriver à se concentrer. Au point qu'elle finit par se retourner pour voir ce qui passionnait tellement Jeremy derrière elle. Elle écarquilla les yeux lorsqu'elle vit que les pompiers étaient désormais prêts à déplacer son corps. Pendant que Jeremy s'occupait d'elle, les policiers avaient débarqué, mesuré, photographié relevé de nombreux indices un peu partout sur la scène de crime. La lampe et le sabre avaient été enveloppés dans des sacs en plastique scellés. Les deux corps montés sur des brancards et les meubles poussés afin de faire de la place.

— Non ! cria Allison, je... Que font-ils ?

— Ils vont transporter votre corps à la morgue, précisa Jeremy. Je sais que vous n'étiez pas proches, mais votre père va être prévenu. Puis vous serez enterrée. Et votre nouvelle vie, ici, commencera. Tout va bien se passer.

Allison retourna son attention vers lui et explosa :

— Comment ça « bien se passer » ?! Vous plaisantez j'espère ! Qu'est-ce qui va bien se passer ? Je suis morte ! Rien ne va plus jamais bien se passer ! Nous sommes ici, à regarder ce qui...

Soudain elle le fixa.

— Comment savez-vous que je ne suis pas proche de mon père ? Quand avez-vous entendu parler du médicament contre le cancer ?

Jeremy ouvrit la bouche. Puis la referma. Comment expliquer qu'il l'avait surveillée depuis des jours sans passer pour un horrible pervers ?

En voyant son air coupable, Allison recula d'un pas et observa la scène, réalisant qu'on pouvait tout voir dans son appartement et fit le lien avec une rapidité déconcertante.

— Vous m'avez espionnée !

À ce moment, les pompiers passèrent au travers de son corps et elle sursauta.

— Ils... ils sont... ils m'ont...

— Oui, confirma Jeremy, voyant en sa réaction une bonne façon d'échapper à l'accusation qu'elle avait proférée. Nous ne pouvons pas toucher les vivants, seulement les choses inanimées, solides. Albert a une théorie à ce sujet. Impliquant plusieurs univers et le fait que nous ne touchons jamais rien en réalité, même de notre vivant sur Terre. Nous sommes composés d'atomes qui eux-mêmes sont composés d'un noyau et d'électrons gravitant autour de ce noyau, le tout constitué d'environ 99,99 % de vide. Ces atomes émettent un champ magnétique qui empêche, par exemple, les atomes d'une balle de baseball de traverser les atomes d'unc batte lorsqu'elle la frappe. Comme sur Terre, il y aurait donc ici une sorte de champ magnétique, bien plus épais et inflexible autour des choses, qui nous empêche de les toucher, de les déplacer. Mais, à l'inverse, ce champ magnétique n'existerait pas sur les êtres vivants ici, c'est pourquoi nos atomes les pénètrent et les traversent. C'est pour cela que les pompiers viennent de passer au travers de votre corps.

Jeremy allait continuer son savant exposé lorsqu'il réalisa qu'il avait perdu Allison en chemin.

— Albert ? murmura-t-elle, complètement désorientée.

— Einstein. Oui, il est ici. Ainsi que la plupart des savants les plus célèbres. Il y a d'ailleurs une convention en ce moment. Cet homme est passionnant, je dois dire.

Il essayait de noyer le poisson de son mieux. Plus il s'éloignerait du sujet « je vous ai vue sous votre douche », mieux il se porterait.

Les yeux de la jeune fille s'étrécirent dangereusement et elle cracha :

— Arrêtez de raconter n'importe quoi. Et expliquez-moi ce que vous faisiez chez moi à me... à me regarder !

Ah. Raté.

— Au cimetière, expliqua-t-il à regret, vous avez dit que j'avais été tué à cause de vous. J'enquête sur ma mort. Je vous ai donc suivie. Eh oui, espionnée en quelque sorte, même si ce n'était pas dans le but de m'immiscer dans votre vie, mais d'essayer de vous prévenir que vous étiez vous aussi en danger. Le tueur avait posé des micros un peu partout dans votre appartement. J'ai énervé votre chien, qui me perçoit plus ou moins, j'ai amené de force un Esprit Frappeur pour qu'il martèle votre canalisation, je vous ai hurlé dans les oreilles pendant des heures, mais vous n'écoutiez pas.

Il répéta, à la fois triste et heureux.

— Non, vous n'écoutiez pas. J'ai essayé. J'ai fait tout ce que j'ai pu. Ça n'a servi à rien...

Allison était soudain devenue très pâle.

— Vous étiez là tout le temps ? Vous... vous voulez dire que nous pouvons tout voir sans être vus ? Observer n'importe qui ? Mais comment ? Je...

— Venez, dit Jeremy. Venez avec moi.

Avant qu'elle ait le temps de réaliser, il l'attrapa par la main et passa avec elle au travers d'un des murs de l'appartement.

Allison hurla de frayeur, mais il ne la lâcha pas et elle n'eut d'autre choix que de le suivre. Ils se retrouvèrent dans le couloir, lui, assez fier de son effet et elle, rouge, échevelée, et la respiration encore coupée.

— En fait, fit gentiment Jeremy, ce n'est pas comme de plonger dans une piscine, vous n'avez pas besoin de retenir votre respiration.

Elle lui jeta un regard noir et il haussa les épaules. Elle retira sèchement sa main.

— Ouais, et bien la prochaine fois que vous aurez l'intention de faire des… des trucs comme ça, prévenez-moi et je n'aurai pas ce genre de réaction idiote !

Jeremy hocha la tête. Pour une petite Nouvelle, elle s'adaptait incroyablement bien. Bizarre, il n'avait pas remarqué qu'elle avait un tel caractère lorsqu'elle était vivante…

Il descendit les escaliers et se posta devant la porte ouverte sur la rue afin de laisser passer les équipes d'urgence. Allison le suivit. Après tout, ce n'était pas comme si elle avait le choix.

Une fois qu'elle l'eut rejoint, elle croisa les bras et lâcha :

— Et pour le brancard ?

— Comment ?

— Vous avez dit qu'on traversait les gens mais que les objets restaient solides, puisque nous marchons sur le sol comme… comme les autres. Mais le brancard aussi m'est passé au travers. Pas uniquement les pompiers !

— Et les voitures et tout ce qui est en mouvement. Oui. Le champ magnétique entre les deux mondes ne nous repousse pas tout le temps : il nous faut faire un véritable effort pour nous déplacer et rester à bord de ce qui bouge. Encore un mystère. Une partie est solide, l'autre ne l'est pas. Et les limites, aussi, ne sont pas les mêmes…

Avant qu'elle puisse encore lui poser des questions auxquelles il n'avait pas de réponse, il la poussa dehors. Elle s'apprêtait à lui hurler dessus mais s'arrêta net, stupéfaite par la beauté irréelle de la ville, si lumineuse. Et par la ronde des Anges qui volaient sous les glorieux rayons du soleil levant.

Il lui fallut quelques minutes pour retrouver la parole, cueillie par l'émotion. Lorsqu'elle ouvrit la bouche, ce fut avec une révérence émerveillée.

— Mais… ils volent ! C'est… c'est magnifique. Comment font-ils ?

— Ils ont découvert qu'ils pouvaient modifier la densité de leur corps. Sans doute un rapport avec cette fameuse histoire de champ de force et d'atomes…

Deux Anges bleus sublimes passèrent au-dessus d'eux, leurs immenses ailes irisées s'agitant lentement. Ils étaient entièrement nus et Allison écarquilla les yeux. Jeremy joua le mec blasé :

— Ah oui… il y a aussi ceux qui sont partisans de l'ancienne tradition. Les Anges ailés et tout ça.

Allison paraissait avoir laissé sa combativité dans l'appartement.

— Est-ce que… est-ce que nous allons voir… Dieu ?

Elle avala sa salive et baissa la voix.

— Et l'autre ? Le d… le diable ?

Jeremy grimaça.

— Aucune idée. Pour l'instant, Il ne s'est pas manifesté. Enfin pas d'une façon que je pourrais percevoir. Aucun des deux d'ailleurs. Albert pourrait sans doute vous en dire plus, il est là depuis bien plus longtemps que moi et...

Allison se retourna vers lui, le regard encore ébloui.

— Je préfère. Enfin, pas pour Dieu, mais pour l'autre. Et nous, on peut aussi ?

— Pardon ?

Elle tapa du pied, agacée.

— Voler ? On peut ?

Jeremy fit une moue désolée.

— Ça, c'est comme pour les vêtements. Ce n'est pas encore à notre portée d'après ce que j'ai compris.

Ses épaules s'affaissèrent.

— Oh, fit-elle, dommage. Au moins, ça m'aurait consolée. Parce que c'est quand même super moche ce qui m'est... (elle le regarda du coin de l'œil et rectifia) ce qui nous est arrivé. Et pardon.

— Pardon de quoi ?

— De vous avoir entraîné dans cette histoire. Je suis désolée. Je n'aurais jamais imaginé un jour que je pourrais vous présenter mes excuses, mais voilà, c'est fait. Je suis vraiment, vraiment désolée.

Jeremy haussa les épaules. Il avait fini par s'habituer à sa nouvelle vie. Il n'en voulait pas à Allison. Pas autant du moins qu'au salopard qui l'avait trucidé. Les mêmes nuages orageux s'assemblaient dans le regard volontaire de la jeune fille.

— On ne va pas le laisser tranquille, n'est-ce pas ? murmura-t-elle. Nous allons bien trouver un moyen de le lui faire payer. Je sais qu'on ne peut pas le toucher ou lui faire du mal, mais il faut absolument qu'il mette ce produit sur le marché. Chaque jour qui passe, des milliers de gens meurent de cette sale maladie et ce dingue retient le médicament juste pour se faire du fric. C'est un monstre, monsieur Galveaux, un véritable monstre, c'est lui qui devrait être ici, pas nous !

— Appelez-moi Jeremy, répondit machinalement le jeune homme. Mais je ne sais pas très bien ce que nous allons pouvoir faire. Après tout, je n'ai même pas réussi à vous sauver, alors, nous venger de notre tueur tout en obligeant son commanditaire à mettre son produit sur le marché, franchement, je ne vois pas comment !

Allison serra les dents. Elle était encore effrayée, Jeremy le sentait comme s'il avait une espèce de sixième sens. Et sa colère était autant le reflet de sa volonté que de sa peur. Les Anges ne produisaient pas de Brume. Du moins pas de Brume visible par les sens de Jeremy. Mais, s'il avait pu, Jeremy aurait parié que celle de la jeune fille était rouge et noir.

Jeremy la contempla avec tendresse. Allison était courageuse, oh oui, têtue et volontaire. Et il avait envie de l'embrasser là tout de suite, parce que c'était à la fois merveilleux et parfaitement effrayant de pouvoir désormais la toucher, après toutes ces heures passées à l'observer.

— Quoi ? fit-elle. Pourquoi me regardez-vous comme ça ? Écoutez, je sais que c'est bizarre pour vous, que tout cela est arrivé par ma faute et que vous devez m'en vouloir à mort… enfin si on peut dire. Mais j'ai besoin de vous. Encore. Que vous m'expliquiez comment fonctionne cet univers et comment faire pour aller jusqu'à la maison de Ventousi.

Elle s'approcha de lui et lui prit soudain la main, fiévreuse.

— Vous devez m'aider !

Jeremy comprit que s'il n'avait pas la réaction escomptée elle allait devenir hystérique. Albert l'avait mis en garde contre les Anges qui devenaient fous. Comme son père. Il lui étreignit la main avec une force qui la fit sursauter et lui transmit un peu de sang-froid.

— Tout d'abord, lui dit-il avec calme, vous êtes morte depuis deux heures à peine. Vouloir vous lancer dans une croisade, maintenant, est prématuré.

Elle voulut l'interrompre mais il l'en empêcha.

— Écoutez-moi ! Vous et moi avons été parachutés dans un nouveau monde régi par des lois que nous ne comprenons pas toujours, du moins en ce qui me concerne. Je sais comme vous que chaque minute qui passe, un homme ou une femme meurt de cette terrible maladie qu'est le cancer. Que ce type, Ventousi, détient un remède pour lutter contre cela. Or, d'une part, mourir n'est pas une expérience si horrible, et ici, au moins, les morts peuvent trouver la paix. Une sorte de paix... D'autre part, pour récolter les informations dont nous avons besoin, nous allons devoir trouver des Anges qui sont ici depuis bien plus longtemps que nous. Qui savent transgresser les règles de cet univers. Qui peuvent nous aider, à condition que nos préoccupations ne soient pas des obsessions. Ils n'aiment pas ça ici. Parce que ces obsessions, presque toujours, finissent par rendre les Anges malades.

Jeremy fit une pause.

— En fait, fous.

Il avait insisté sur ce dernier mot tandis qu'elle le dévisageait de ses yeux bleus brillants.

— Vous m'entendez Allison ? Ce n'est ni un jeu ni une quête. C'est de survie que je vous parle. Si je vois que vous êtes obsédée par votre vengeance je ne vous aiderai pas. Est-ce que c'est clair ?

Pour être passé par cette phase de colère vengeresse quelques jours auparavant, Jeremy savait parfaitement ce qu'il demandait à Allison qui venait, elle, tout juste de mourir. Pendant un instant, elle hésita.

— Je vous en prie, murmura-t-il tremblant, je ne veux pas vous perdre. Pas encore.

Elle ouvrait déjà la bouche, mais ce qu'il venait de lui dire, la ferveur avec laquelle il lui avait parlé la stupéfia. Presque plus encore que tout ce qui venait de lui arriver. Elle l'observa. C'était un garçon séduisant. De beaux cheveux bruns, un regard bleu-gris acier ouvert et franc, un corps bien dessiné. Il n'était pas aussi beau que Clark, mais peu de gens égalaient Clark. Pour la première fois de ses deux vies, elle réalisa qu'elle avait un homme en face d'elle. Quelqu'un de solide. À qui elle pouvait se raccrocher. Une aide. Une épaule. Sans lui lâcher la main, elle se rapprocha de lui et plongea son regard dans le sien.

— Je ne serai pas obsédée. Je vous le promets, souffla-t-elle, presque hypnotisée par les longs cils bruns de Jeremy.

Puis elle le lâcha et recula. Il laissa s'éloigner à regret la main de la jeune fille. Elle venait à peine de faire sa connaissance, même si lui la connaissait très intimement. Il allait devoir lui laisser du temps.

— Venez, lui dit-il, je vais vous faire découvrir un endroit.

— Et mon corps ?...

— Vous n'en avez plus besoin. Croyez-moi.

Elle eut un regard dubitatif et inquiet, mais décida de le suivre.

— Où allons-nous ?

Jeremy afficha un sourire joyeux, au milieu de la rue traversée par de rares passants à l'air endormi, que des Anges survolaient pour se nourrir.

— Il est temps de vous présenter Albert !

En conduisant Allison vers le *Rose's & Blues*, il réalisa rétrospectivement à quel point il avait dû paraître pataud à Albert lorsqu'ils avaient mené leur expédition dans le New Jersey. À présent, il était capable (enfin à peu près) de passer d'une voiture à l'autre avec une certaine aisance. Mais Allison avait peur. Chaque fois qu'un véhicule la frôlait ou la traversait, elle perdait sa concentration, reculait, trébuchait, tombait, ou entraînait Jeremy avec elle. Au bout d'une demi-heure de tentatives infructueuses, il renonça.

— Je crois que c'est un peu trop tôt pour pratiquer ce genre d'exercice, dit-il, vous n'êtes pas morte depuis très longtemps, vous avez besoin de vous habituer à tout cela. Prenons le métro.

Ce fut rapide pourtant là encore, Allison sursautait chaque fois qu'un bras, une main ou un corps la traversait.

— C'est… c'est très désagréable, finit-elle par déclarer d'une voix chevrotante alors qu'ils se dirigeaient enfin vers la sortie débouchant sur l'avenue du club.

— Oui, j'ai eu aussi beaucoup de mal à m'y faire.

Soudain Allison stoppa net au milieu du quai, ignorant les passagers pressés qui la traversaient.

— Mince ! Frankenstein ! J'ai oublié Frankenstein !

Jeremy ouvrit les mains en un geste de regret.

— Je suis vraiment désolé, parce que j'aimais moi aussi beaucoup ce petit chien intelligent. Hélas, vous ne pouvez plus rien pour lui. S'occuper de lui n'est pas du ressort des morts, puisqu'il est vivant. Peut-être que Clark pourra le prendre ?

Elle allait éclater en sanglots et s'arrêta d'un seul coup.

— Vous connaissez Clark !? Je suis bête, bien sûr que vous connaissez Clark. Vous… (elle déglutit) vous étiez là quand…

Ouille. Il mentit à toute vitesse.

— Quand il est venu avec les deux policiers, oui. Quelle idée stupide il a eue de les amener chez vous ! Je suis sûr que c'est à cause de cela que le tueur a paniqué et qu'il vous a assassinée.

Elle frissonna.

— En attendant, mon pauvre Frankenstein se retrouve orphelin. Alors oui, j'espère que Clark pourra le récupérer, même si, avec ses horaires de dingue, je ne pense pas qu'il veuille s'encombrer d'un chien.

Ils marchèrent en silence durant le reste du trajet. Jeremy vit les larmes qui coulaient sur les joues d'Allison mais ne fit aucun commentaire. Elle semblait pleurer autant sur ce qui lui était arrivé que sur son chien. Il respectait son chagrin. Il se contenta, à un moment, de lui prendre la main et de la serrer. Elle pressa la sienne avec reconnaissance et la lâcha aussitôt. Il préleva alors un morceau de Brume de son pagne pour lui faire un mouchoir dont elle s'empara avec reconnaissance. Au bout du troisième, elle finit par laisser échapper un petit rire nerveux.

— Si ça continue, vous allez terminer tout nu !

Jeremy lui sourit.

— Si cela peut vous aider, c'est le plus important.

Puis, avec un regard en coin, il ajouta :

— Vous avez déjà la chance unique de profiter de mes somptueux abdominaux et de mes cuisses velues, je ne suis donc pas surpris que vous vouliez en voir un peu plus !

Un instant médusée par son ton caustique, Allison éclata de rire.

— Mon Dieu, dit-elle, vous êtes encore plus prétentieux que Clark ! Je ne pensais pas que cela puisse exister.

Ah, il avait tout de même réussi à la faire rire. Bien. Et elle avait arrêté de pleurer. Encore mieux.

— À propos de nudité, précisa-t-il, j'ai oublié de vous prévenir que vos vêtements vont disparaître…

La voyant aussitôt se recroqueviller sur elle-même, Jeremy agita les mains et ajouta très vite :

— Non, non, pas maintenant ! D'ici quelques heures. Je suis un jeune Ange, je ne maîtrise pas encore toutes les règles. Alors mon pagne et le vôtre vont se dissoudre. Je nous en ferai d'autres, bien sûr.

Hum, il n'aurait peut-être pas dû lui dire cela avec autant de légèreté, parce qu'elle lui jetait maintenant un regard méfiant.

— Vous plaisantez, n'est-ce pas ?

— Pas du tout.

— Et... nos vêtements préviennent avant de disparaître ?

Il ne put résister.

— Hélas non, ils ne parlent pas, n'envoient pas de faire-part, ou ne nous alertent pas au son d'une trompe céleste.

— Très drôle, non je voulais dire qu'ils diminuent ou quelque chose dans ce genre ?

Pour s'être retrouvé nu tout à coup au beau milieu d'un groupe d'Anges bleus féminins d'un certain âge, il put confirmer qu'aucun signal n'existait. Il lui raconta l'air amusé des Anges et son extrême embarras, et réussit à la faire rire une seconde fois. Il n'allait certainement pas lui faire oublier sa mort, impossible. En revanche, lui permettre une transition en douceur, oui, cela était dans ses cordes.

Bien que jetant encore de temps en temps des regards méfiants sur ses vêtements, Allison était plus détendue lorsqu'ils arrivèrent devant le *Rose's & Blues.*

Et là se posa le problème des portes. À cette heure matinale, il était très tard ou très tôt selon les opinions, le club était déjà fermé. D'une certaine et étrange façon, Jeremy réalisa toutefois qu'il pouvait « sentir » les Anges qui se trouvaient à l'intérieur, sans doute encore en train de faire la fête, même sans les vivants. Comment allaient-ils bien pouvoir entrer dans le bâtiment portes closes ? Il avait certes déjà réussi à faire passer par surprise Allison au travers du mur de l'appartement, cependant le résultat risquait cette fois de ne pas être aussi concluant...

Il fallait essayer. Jeremy lui prit la main et avança. Mais lorsqu'elle voulut le suivre, pourtant pleine de bonne volonté, elle fut violemment rejetée en arrière.

Paniqué, Jeremy fit demi-tour à toute vitesse.

Il retrouva Allison étalée de tout son long sur le trottoir, à moitié sonnée.

— Oh ! là, là ! s'exclama-t-elle, j'ai super mal !

Elle se frottait le front et la poitrine en louchant.

— Mais qu'est-ce que c'est que ce paradis où les gens souffrent ! râla-t-elle.

— Euh, fit Jeremy, en fait je ne suis pas sûr du tout que nous soyons au paradis. Eh oui, vous pouvez vous faire mal, je suis désolé, j'ai oublié de vous le dire. Mais notre nouveau corps réagit très vite. On ne reste pas longtemps avec un bras cassé ou une mâchoire démise. Il suffit de les remettre en place et, quelques instants après, on ne sent plus… ou très peu la douleur.

Là aussi, il parlait d'expérience. Avant qu'il appréhende sa condition d'Ange, ses nombreuses chutes lui avaient appris que son corps connaissait peu de limites. En revanche, la douleur demeurait tout aussi désagréable que sur Terre, même si elle durait beaucoup moins longtemps.

Il aida Allison à se relever. La jeune femme chancela encore quelques secondes, puis retrouva enfin l'équilibre.

— Aïe ! Bon, on fait quoi maintenant ?

— On réessaie.

Elle se raidit et grimaça.

— Ça ne va pas la tête ? Je me suis déjà écrasée une fois contre cette porte, hors de question que je recommence !

— Il va bien falloir que vous appreniez à passer au travers des murs, fit patiemment Jeremy, sinon, votre séjour ici va vous sembler vraiment, vraiment très long !

— Non, grogna Allison, têtue, en croisant les bras péniblement. Je n'ai aucune vocation à… aaahhh !

Jeremy n'eut aucun scrupule et oublia la galanterie. Il la poussa violemment en avant et la jeune fille passa au travers de la porte sans avoir le temps de dire ouf. Il soupira, pas très fier de lui, puis traversa à son tour. Il s'attendait à un déluge de reproches, mais Allison était tellement soufflée devant le spectacle des tables flottant dans les airs et des Anges discutant, se chamaillant et s'amusant, qu'elle en oublia d'insulter Jeremy.

— Bienvenue au *Rose's & Blues*, lança-t-il, tout sourires.

Tirée de sa surprise, Allison lui jeta tout de même un regard mauvais et le menaça du doigt.

— Vous, vous recommencez un truc comme ça et je vous fais regretter d'être viv… mort, compris ?

— *Ach*, tu as retrouvé ta *Liebchen*, je vois, fit une voix près d'eux. *Gut, gut.*

Albert avait un peu grandi et s'était étoffé. Il semblait maintenant plus proche des quatorze ans que des dix. Avant que la jeune fille ait le temps de réagir, il lui saisit délicatement la main, claqua des talons (ce qui, avec des tennis, eut un effet légèrement ridicule), puis se pencha pour l'honorer d'un baisemain, très gentleman.

— Einstein. Albert Einstein, ravi de vous rencontrer.

Allison retira sa main et le dévisagea d'un air méfiant.

Albert avait vu l'expression de son visage et eut un sourire désarmant.

— Vous portez le même nom que le…, hasarda-t-elle.

— Non, je ne porte pas le même nom, je suis Le. Ce corps (il désigna son allure d'adolescent) a été rajeuni. Vous n'aurez jamais besoin de m'imiter, car vous êtes passée très jeune, mais, croyez-moi, la vieillesse, ce n'est joli que dans les contes de fées !

Il lui expliqua comment il avait transformé son corps (y compris avec sa fameuse démonstration de changement de vêtements), ce qui fascina Allison, tandis qu'il la guidait vers un confortable canapé. Enfin... confortable si on voulait, vu que toutes les surfaces sur lesquelles ils se posaient (excepté le mobilier qu'ils créaient) demeuraient raides et inconfortables.

Dans un coin de l'immense salle, des Anges rouges apparemment très excités faisaient beaucoup de bruit. Albert leur jeta un regard inquiet.

— Je suis content que tu sois venu, Jeremy, chuchota-t-il d'un ton de conspirateur. J'allais justement partir à ta recherche...

— Moi ? demanda Jeremy, surpris, mais pourquoi moi ?

Albert se pencha alors vers eux et ce qu'il annonça leur fit l'effet d'une bombe.

— Parce que je crois que les Anges rouges sont en train de nous déclarer la guerre !

11

Le goût de la beauté

— Nous... nous quoi ? finit par articuler Jeremy, assommé par la déclaration d'Albert.

— Pardon, dit celui-ci d'un ton malicieux, je n'ai pas pu résister. J'admets que c'était tout à fait mélodramatique. Mais, somme toute, c'est un peu ce qui est en train de se passer. Tu as vu ce que nous faisons avec les vivants, n'est-ce pas Jeremy ?

Allison jeta un regard inquiet à Jeremy.

— Qu'est-ce que vous faites avec les vivants ? Enfin... à part manger leurs sentiments, comme me l'a expliqué Jeremy ?

Albert répondit à la place du jeune homme.

— Nous les influençons, *Liebchen,* nous provoquons leurs émotions afin de nous nourrir. Nous encourageons activement les progrès de la science et de la médecine, car plus les vivants... vivent, plus ils nous nourrissent. Morts, ils ne nous servent plus à rien. Or, depuis quelques années, nous avons remarqué que les Anges rouges sont de plus en plus nombreux. Pas forcément des Rouges profonds, mais des Rouges quand même. Des Anges qui, de leur vivant, étaient très anxieux, qui avaient souffert. Et de fait, une fois passés dans notre monde, qui se nourrissent de sentiments négatifs. Nous tentons d'enrayer la tendance, mais plus il y a d'Anges rouges, plus ils attirent les vivants vers les sentiments négatifs, et lorsque ces humains meurent, ils deviennent des Rouges et… c'est le cercle vicieux. Les Anges sont heureux certes, mais les vivants sont malheureux. Jusqu'à présent, nous avions réussi à maintenir une sorte d'équilibre. Des périodes de guerre, d'angoisse et de stress pour nourrir les Rouges, puis des périodes de paix, de sérénité et de reconstruction pour nourrir les Bleus. Malheureusement, les Anges rouges se sentent en force en ce moment. Et au prochain congrès à Washington, ils veulent…

Jeremy l'interrompit, incrédule.

— Attends ! Vous voulez dire que vous décidez du sort de milliards d'êtres humains dans un congrès ? C'est… c'est complètement dingue ! Pourquoi ne les laissez-vous pas tranquilles ? Ils éprouvent bien assez d'émotions comme ça pour vous nourrir sans avoir besoin en plus d'être influencés !

Einstein secoua la tête.

— Non, hélas. Laissé à lui-même, le vivant a tendance à se contenter de peu. Mettez-le régulièrement devant une télévision et vous avez un être qui devient presque amorphe.

— Ah, fit Jeremy, vous ne pouvez pas lutter contre la télé !

— Oh, mais si, répondit Einstein. Les brigades d'Anges rouges qui travaillent sur les producteurs les influencent afin que ces derniers programment des émissions ou des films tellement nuls, tellement exécrables, que cela met les vivants de mauvaise humeur rien qu'en les regardant. Ils éteignent la télé et cela les rend hystériques. *Idem* pour les programmes de sport. Les Rouges empêchent les grands sportifs de dormir, leur susurrent de mauvaises idées, de mauvaises habitudes. Les humains n'apprécient pas de les voir perdre et cela les rend tristes et agressifs, surtout les supporters de football. Les vivants sont si faciles à contrôler, tu sais !

Il secouait à nouveau la tête de réprobation.

— Pas tant que cela, grogna Jeremy. Je n'ai pas réussi à sauver la vie d'Allison et pourtant ce n'est pas faute d'avoir essayé !

Albert lui jeta un regard ironique.

— Ah, tu es un tout jeune Ange, Jeremy. Ta puissance de persuasion est vraiment très faible ! Crois-moi. Lorsque tu auras quelques centaines d'années, tu pourras quasiment influencer n'importe quel humain, tu verras.

Allison ne put en supporter davantage.

— Mais c'est ignoble ce que vous racontez là ! Vous voulez dire que vous considérez les vivants comme, comme des sortes de… moutons à traire ?

— Euh, en fait ce sont les vaches qu'on trait, ou les brebis, parce que les mou…

— Et personne, aucun Ange ne s'est révolté contre ça ? l'interrompit Allison encore plus furieuse.

Elle n'eut pas le temps de poursuivre : Albert venait de lui fourrer dans la bouche un bout de sa manche qu'il venait d'arracher. Allison s'apprêtait à recracher le morceau de Brume lorsque celui-ci fondit sur sa langue. Pour la toute première fois de sa nouvelle vie, la jeune fille goûta à la nourriture de l'au-delà...

Les sensations furent indescriptibles. Comme si tout le bonheur, toute la joie, tout le plaisir coulait désormais dans sa gorge. Plus tard, lorsqu'elle en parla à Jeremy et qu'ils comparèrent leurs expériences, ils réalisèrent qu'ils n'aimaient pas les mêmes choses car, après les sentiments d'accomplissement, de fierté et de joie, les saveurs qui explosèrent dans la bouche de la jeune fille étaient totalement différentes. Un succulent cupcake à la framboise, de la guimauve moelleuse et fondante à la banane, une pomme rouge croquante, du caramel au beurre salé, des noix de cajou, de la crème à la pistache, des pâtes à la bolognaise de chez *Guido* avec leur sauce tomate relevée de thym et d'un soupçon de piment, si onctueuses que la fourchette pouvait tenir debout, des patates douces, des beignets d'oignons si légers qu'ils semblaient presque capables de s'envoler... Un véritable feu d'artifice de saveurs.

— Oh, lâcha-t-elle dans un souffle, les yeux écarquillés, chavirée de plaisir. Encore !

Albert soupira et lui tendit un autre bout de manche.

Le savant faillit terminer entièrement nu car Allison ne cessait d'avaler bouchée sur bouchée. Lorsqu'elle fut enfin rassasiée, il ne portait plus qu'un simple short en jean, ses chaussures, et n'avait plus rien sur ses maigres flancs.

Un peu confuse, Allison, prenant conscience de son avidité, hoqueta, encore sous le choc de l'incroyable expérience, mais, comme Jeremy, elle ne tenta pas de se perdre dans cette extase et d'oublier son humanité. Effort louable qu'Albert salua de la tête.

— Vous comprenez mieux à présent, *Liebchen* ?

— C'est comme une drogue, n'est-ce pas ? fit une voix derrière Jeremy. La plus merveilleuse des drogues. Et la plus indispensable. Parce qu'il nous la faut pour survivre...

Notant le visage soudain renfrogné d'Albert, Jeremy se retourna lentement et en découvrit un autre, bien connu de lui.

Celui de Flint.

Il prit l'ancien centurion romain par surprise et se jeta dans ses bras, l'étreignant avec affection.

— Flint, mon ami ! s'exclama-t-il. Comment vas-tu ?

Amusé, le centurion lui rendit son étreinte. Comme lors de leur première rencontre, le puissant jeune homme était très élégamment habillé. La classe de son costume bleu marine égayée par une discrète pochette violette contrastait avec le pauvre pagne de Jeremy. Et il affichait toujours cette aura impressionnante. Mais, cette fois, la couleur unie de sa tenue était d'un bleu très pâle, presque incolore. Pourtant, impossible de le prendre pour un jeune Ange.

— C'est Flint, précisa inutilement Jeremy tout excité, c'est lui qui a été le premier à m'accueillir et à m'expliquer comment les choses fonctionnent ici.

Le regard gris de Flint s'éclaira lorsqu'il fut présenté à Allison. Il s'inclina très galamment sur la main de la jeune fille, qui en rougit.

— Je vois à votre teint de pêche et de rose que vous êtes passée depuis peu, mademoiselle, déclara-t-il.

Jeremy fronça les sourcils. « Votre teint de pêche et de rose ? »

Allison, elle, acquiesça d'un signe de tête, pas tout à fait sûre de pouvoir contrôler sa voix, tant le charisme de l'Ange bleu était palpable et puissant.

Flint se rapprocha, un sourire ravageur sur les lèvres.

— Cela fait bien longtemps que je n'ai pas eu le plaisir de rencontrer un Ange aussi ravissant. Bienvenue dans votre nouveau monde !

— M... merci... finit par articuler Allison. Tout est si... si...

— Étonnant, incroyable, stupéfiant, oui, je sais. Et il y a des milliers de choses vraiment amusantes à faire ici...

Il coula un regard condescendant en direction d'Albert qui semblait soudain totalement absorbé par une scène qui se passait dans le dos de Flint et qui avait l'air de le mettre mal à l'aise.

— ... n'en déplaise à certains rabat-joie !

Interloqué, Jeremy chercha à voir la chose que fixait Albert avec autant d'intensité et, tout à coup, il eut l'impression que son cœur s'arrêtait de battre dans sa poitrine.

Ce n'était pas une chose...

C'était une fille. Pendant plusieurs secondes, il fut ébloui tant la fille en question irradiait. Elle semblait avoir à peine dix-huit ans et était une beauté à l'état pur, la perfection flamboyante. Ses longs cheveux roux tombaient plus bas que ses hanches rondes. Sa bouche était grenat, ses yeux d'un vert parfait, celui des pousses tendres qui jaillissent au printemps. Son sourire lui donna l'impression d'avoir les genoux en compote. Son nez aurait fait hurler Cléopâtre de dépit. Ses longues jambes lisses semblaient interminables. Son teint était cuivré, comme si elle était longtemps restée au soleil, et la couleur de sa peau légèrement bleutée était très proche de celle des deux jeunes Anges. Jeremy essaya de ne pas laisser ses yeux se poser sur sa poitrine haute, fière, et son ventre plat, car, comme Allison, elle n'était vêtue que d'un pagne très court et d'une minuscule brassière.

Il avala sa salive. Et il se retint très fort pour ne pas avoir les yeux exorbités et la langue pendante.

À côté de lui, Allison inspira profondément. Avec Clark, elle avait déjà eu l'occasion de rencontrer beaucoup de mannequins hommes et femmes. Mais là, il n'y avait pas de compétition possible. Cette fille boxait tout simplement dans une autre catégorie.

— Lili, ma chère, viens donc saluer mes amis, dit Flint. Je vous présente Lili, une très vieille amie, que je ne vois, hélas, que trop peu, car elle voyage beaucoup.

Lili tendit sa fine main à Jeremy dont le cerveau déconnecté mit un moment à réagir. Il finit par la saisir et la serrer. À son contact, il eut l'impression de toucher une boule de feu, qui ne le brûlait pas mais le consumait de joie et de douceur.

— Bonjour, fit Lili d'une voix de velours, comment allez-vous ?

Argh ! Même sa voix était parfaite. Jeremy sentit sa bouche s'assécher lorsqu'il réalisa qu'il allait devoir répondre.

— Bien…, coassa-t-il, très très bien… mademoiselle.

— Vous pouvez m'appeler Lili, vous savez, lui dit-elle en lui lançant un clin d'œil malicieux.

— Ah… oui oui, euh, Lili. Je vais bien. Et vous ? Vous allez bien ?

Ses rares neurones encore opérationnels lui adressèrent un signal fort : « Tu es en train de te ridiculiser devant la plus belle fille des deux univers. » Mais Lili devait avoir l'habitude de transformer le cerveau des hommes en fromage blanc, parce qu'elle répondit le plus sérieusement du monde qu'elle allait très bien elle aussi.

Elle serra la main d'Allison, amicale et à l'aise. Les deux jeunes Anges échangèrent un regard, écrasés par le charisme et la puissance des deux vieux Anges. Car Lili était, Jeremy le sentait, au moins aussi vieille que Flint...

C'était le genre de fille qui faisait tout oublier. Le devoir, la famille, l'honneur. Elle était la Carmen de Don José, la Circé d'Ulysse, la Milady de d'Artagnan. Sublime et, sans doute, horriblement dangereuse.

Mais terriblement tentante.

— Qu'est-ce que vous faites ici ? demanda Albert d'un ton sec. Je croyais que vous trouviez que le *Rose's & Blues* était devenu un repaire de « pathétiques bébés Anges psychorigides encore restés au stade anal », si je me souviens bien. Votre caste supérieure revient faire mumuse avec les gosses de la maternelle ?

Jeremy tendit l'oreille. Caste ? Quelle caste ? Il existait des castes parmi les Anges ? Et lui qui croyait que la mort nivelait tout !

Flint répondit par un sourire carnassier.

— Mon petit Albert, ce n'est pas bien d'être jaloux. Nous avons refusé ta candidature parce que tu es encore trop jeune. Mais Galilée fait partie de notre cercle. Sois patient. Encore quelques centaines d'années et tu pourras nous rejoindre.

Albert fit la grimace.

— Si c'est pour me coltiner ce singe d'Italien grossier et éructant, non merci !

Et après un léger signe de tête à Jeremy et Allison, Albert préféra s'éclipser. Lili laissa alors échapper un rire harmonieux.

— Ce n'était pas très gentil, ça, Flint. Moi, je l'aime beaucoup, Albert. Il est vraiment très intelligent, tu sais !

Flint eut un geste d'exaspération.

— Oui, je sais ! Il meurt d'envie de déchiffrer les « mystères » (il accompagna le mot d'un geste des deux mains en mimant les guillemets). Lorsqu'il sera accepté parmi nous, il va passer les cinquante prochaines années à nous assommer de questions. Je n'ai aucune hâte que cela arrive !

Puis il reporta son attention sur Allison et lui lança un regard brûlant qui lui coupa le souffle.

— Mais en attendant ce pénible moment, comme je me sens un peu responsable de Jeremy, je vous propose de vous emmener avec nous, les jeunes, et de vous montrer ce qui se passe lorsqu'on veut s'amuser dans cet univers ! La mort n'est pas une fin !

Allison ne pouvait tout simplement pas résister au charme de Flint, même si elle avait bien la ferme intention de lui reparler de cette sinistre histoire d'exploitation des sentiments humains.

Plus tard…

Lili se créa une somptueuse robe blanche qui lui collait au corps comme une seconde peau et Flint un smoking bleu nuit. Comme ils ne pensèrent pas à proposer à Jeremy et Allison de se changer, ceux-ci restèrent avec leurs pagnes.

Jeremy soupçonna que Flint préférait Allison sans trop de vêtements sur elle, vu les regards gourmands et répétés qu'il jetait sur sa jolie poitrine et ses longues jambes. Soucieux, le jeune homme resta sur ses gardes. Il avait vu trop de films dans lesquels des personnes plus âgées et perverses embarquaient des jeunes dans des galères qui finissaient la plupart du temps très mal.

Surtout pour les jeunes…

Pourtant, l'endroit où Lili et Flint les emmenèrent n'avait rien de malsain. D'ailleurs, excepté la Brume, il n'existait sans doute rien dans ce monde étrange qui pût leur causer le moindre problème… Le lieu était un loft abandonné, au moins deux fois plus grand que le *Rose's & Blues*. Le club n'en était d'ailleurs pas très éloigné. Et là, il n'y avait pas de vivants. Juste des Anges. Des centaines d'Anges. Ils avaient totalement aménagé l'espace avec de grandes tentures, des canapés confortables et des fauteuils moelleux tournés vers une immense scène de théâtre. Jeremy se sentit soudain tout petit à la simple idée d'imaginer ce qu'avait dû nécessiter comme travail le mobilier et la décoration. Il avait encore beaucoup de chemin à parcourir avant de pouvoir transformer la Brume avec autant de virtuosité. Étonnamment, ces Anges-là n'avaient pas de problème pour conserver longtemps leurs créations de vapeur, cela se voyait.

Quant à Allison, bien que morte, elle n'en restait pas moins une fille : elle fut contente et rassurée de constater que beaucoup d'Anges étaient habillés aussi légèrement qu'elle, même si certains, et surtout certaines, arboraient d'incroyables créations de grands couturiers. Morts, eux aussi.

Ils se posèrent tous les quatre sur un grand canapé violet. Lili et Flint avaient salué des tas d'Anges de toutes les couleurs, qui étaient venus ici pour une seule et même raison : les shows. Pendant toute la soirée, les meilleurs *showmen*, les plus grandes vedettes se produisirent sur scène. Les musiciens avaient réussi à recréer une grande partie des instruments de musique qui existaient sur Terre. Et le piano avait sans doute dû demander à lui tout seul le travail d'une dizaine d'Anges.

Durant le spectacle, Jeremy faillit tomber de sa chaise au moment où Marilyn Monroe apparut pour chanter, suivie d'Elvis Presley. Qui mit le feu à la salle.

— La vache ! Le King ! s'exclama Allison en applaudissant à tout rompre, je n'arrive pas à y croire !

Mais ces deux stars éternelles n'étaient pas les seules, loin de là. Ébahis, Jeremy et Allison assistèrent à un véritable festival. Et ils eurent les larmes aux yeux lorsque Sinatra fit son entrée sur scène, à nouveau jeune et beau, et chanta de sa voix d'Ange.

Chose surprenante, les artistes se voyaient récompensés et le procédé était vraiment ingénieux. Les Anges, qui n'avaient évidemment ni argent, ni monnaie, ni rien d'échangeable, avaient fini par trouver une solution. Aux stars les plus drôles, les plus brillantes, les plus talentueuses, ils lançaient des morceaux de Brume compressée, en général blanche ou dorée, afin que les artistes puissent s'en nourrir sans avoir à se tourner vers le bleu ou le rouge. Une nouvelle carrière de rêve : ces monstres sacrés n'avaient plus besoin de dépendre des humains pour vivre, juste de leur talent. Et des applaudissements dont ils se nourrissaient tout autant.

Durant le spectacle, quand le pagne et la brassière d'Allison disparurent d'un seul coup, à sa grande honte, Flint lui créa très poliment une robe magnifique dans un dégradé de bleu violet à partir d'une chaise qu'il transforma. Lili fit de même pour Jeremy, assortissant sa propre robe blanche à un élégant costume cintré bleu marine. Ils leur créèrent même des chaussures. Ça c'était de la haute couture !

L'après-midi était déjà bien entamé lorsque le dernier show se termina.

Lili et Flint emmenèrent ensuite les deux jeunes Anges dans un restaurant de Brume qu'inaugurait un Ange gourmet, juste au-dessus d'un des temples de la gastronomie humaine. Évidemment, ils durent créer un escalier de vapeur pour Allison et Jeremy qui ne savaient toujours pas voler, afin de pouvoir rejoindre les Anges qui dînaient dans les airs.

D'un blanc immaculé, l'Ange qui les accueillit était réputé pour son étonnante inventivité culinaire. Après lui avoir serré la main et trouvé une table libre, Flint expliqua à ses amis que leur hôte parcourait le monde depuis des siècles à la recherche des Brumes les plus rares, les plus goûteuses, et qu'il les compressait grâce à son pouvoir de Grand Ancien. Ce qui lui permettait de conserver les vapeurs bien plus longtemps, voire plusieurs années si nécessaire.

Éberlués, Allison et Jeremy furent initiés à un monde de saveurs insoupçonnées, servies dans des assiettes de Brume de cristal transparent au point qu'on avait du mal à distinguer la table de l'assiette. Mais quel sentiment pouvait être aussi transparent et fragile que du cristal ?

Flint le leur révéla.

C'était la loyauté.

Devant tant de splendeurs et de créativité, c'est Jeremy qui fut le plus médusé. Durant les quelques jours qu'il avait passés dans l'au-delà, il n'avait pas réalisé que les Anges pouvaient être aussi créatifs.

Lors du dîner, les deux vieux Anges, curieux, demandèrent à Allison comment il se faisait qu'elle soit « passée » aussi jeune. Avec une certaine réticence (Jeremy fit la majorité des commentaires), Allison raconta l'affaire du médicament contre le cancer et leur assassinat commun par le même tueur au katana.

Une fois que la jeune fille eut fini de parler, Lili posa sa main sur celle de Jeremy. Celui-ci dut s'empêcher de tressaillir tant son contact était sensuel.

— Pauvre, pauvre ami ! susurra-t-elle de sa voix de velours, mais quelle effroyable histoire ! Tous les deux, si jeunes, si innocents, si prometteurs ! Je suis sincèrement désolée.

— Il ne faut pas, répondit Allison qui n'aimait pas voir la main de Lili sur celle de Jeremy. Vous n'y êtes pour rien. Mais s'il y a bien une chose dont je suis sûre, c'est que Ventousi doit payer pour ce qu'il a fait. Et Jeremy et moi allons nous en occuper.

À ces mots, Lili et Flint se raidirent. Allison nota d'ailleurs avec soulagement que l'Ange avait retiré sa main et se renfonçait dans sa chaise. Jeremy envoya à Allison un avertissement et elle se souvint soudain de ce qu'il lui avait dit à propos des Anges obsédés. Mais avant qu'elle ait le temps de préciser que ce n'était qu'une question de justice, pas une obsession, Flint lui répondit.

— Tu veux te venger ? C'est un bon sentiment.

Jeremy en resta bouche bée.

— Quoi ? Je veux dire : ah bon ?

Flint eut un sourire mystérieux.

— Ici, nous avons deux ennemis. L'obsession, qui nous rend fous et l'ennui qui nous fait disparaître. Une bonne petite vengeance pour réparer une injustice, pour autant qu'il y ait des résultats concrets bien sûr (il échangea un regard complice avec Lili), et, avec nous, il y aura des résultats, c'est une très bonne chose pour un Ange. Cela l'occupe.

Puis, pour appuyer ses propos, il réalisa l'exploit de s'incliner de manière cérémonieuse à travers la table et les plats de Brume.

— Vous pouvez compter sur nous. Certes, je ne sais pas si nous vous serons d'une grande aide, jeune Allison, mais ce Bentousi...

— Ventousi.

— Ah oui, Ventousi, va regretter de s'être attaqué à vous, mes amis. Même si, pour ma part, je ne peux que me réjouir qu'il nous ait envoyé un Ange aussi ravissant.

Lili afficha un sourire carnassier tandis qu'Allison ne savait pas comment réagir aux flatteries excessives de Flint.

— On le fait tuer ?

Interloqués, Jeremy et Allison dévisagèrent la flamboyante Ange rousse.

— Co... comment ça ? balbutia Allison.

— Bah, c'est facile, sourit Lili avec nonchalance. La mauvaise personne au mauvais moment, le junkie à la recherche de sa dose, un coup de revolver ou de couteau, et le tour est joué !

— Mais… mais vous êtes des Bleus !

— Nous nous appelons nous-mêmes « Anges » ma chère, mais le fait de nous nourrir de sentiments positifs ne veut pas dire pour autant que nous sommes des saints, rectifia gentiment Flint. Nous restons imparfaits. Et puis, ce Ventousi doit probablement nourrir des tas d'Anges rouges. Supprimer cette source serait en quelque sorte une bonne action. Imaginez : priver tous ces Anges immondes de cette nourriture malsaine. Qu'en pensez-vous ?

Allison chercha le regard de Jeremy et y lut la même réticence.

— Non, tuer n'est pas la solution, finit-elle par articuler.

— Pourquoi donc ?

— Parce que si Ventousi meurt, la formule de son médicament disparaîtra avec lui. Et des millions de malades ne pourront être guéris…

Lili hocha la tête et le tutoya sans s'en rendre compte.

— Par tous les diables ! Oui, tu as raison. Je n'y avais pas pensé. Flint, mon ami, nous allons devoir trouver une autre solution.

Flint avala un peu de Brume avec grâce et sourit.

— Je ne suis pas inquiet, chère Lili, je connais l'immense profondeur de ton imagination !

Ensemble, les deux vieux Anges se mirent à rire et devisèrent gaiement des derniers tours qu'ils avaient joués aux Rouges. Apparemment les Anges trompaient aussi leur ennui en sabotant le travail de la partie adverse. Les deux Bleus semblaient très forts à ce jeu et les jeunes Anges s'estimèrent soudain heureux de les avoir comme alliés.

Alors que l'Ange blanc leur apportait une succulente Brume de première fraîcheur, Jeremy porta son attention sur les autres convives du restaurant. Cela ne l'avait pas tout de suite frappé, parce qu'il n'était pas encore habitué à flotter dans les airs et faisait des efforts pour ne pas glisser de sa chaise, mais les couleurs des Anges étaient très différentes de celles qu'il avait pu voir auparavant.

Ces couleurs, dans tous les dégradés de rouge ou de bleu des Anges qui se régalaient, étaient les plus profondes, les plus somptueuses qu'il ait jamais contemplées. Nombre d'entre eux avaient des ailes et les chaises semblaient avoir été spécialement créées pour qu'ils puissent s'y adosser sans être gênés.

Jeremy remarqua qu'Allison aussi était fascinée par les ailes des Anges. Il y en avait de toutes sortes, de toutes tailles. La majorité était en plumes, quelques-unes ressemblaient à de fragiles ailes de papillon, aux couleurs de l'arc-en-ciel, d'autres imitaient celles des libellules, transparentes et graciles. Les Anges rouges, eux, semblaient préférer les ailes de peau, semblables à celles des ptérodactyles. Mais les amateurs de plumes rouges comptaient parmi les plus flamboyants.

Cette assemblée était magnifique, bigarrée, éclatante.

Il croisa le regard argent de Flint et comprit enfin qu'ils dînaient au beau milieu du gratin new-yorkais. Ces Anges s'avéraient être les plus vieux, ceux qui avaient su résister à l'ennui, au sommeil, à la paresse, à la déchéance, à la folie. Les plus puissants, les plus coriaces.

Les centenaires, les millénaires.

— Joli, n'est-ce pas ? glissa Lili amusée par le regard d'enfant émerveillé d'Allison. D'ici quelques années, vous pourrez vous fabriquer les mêmes si vous le désirez.

Une question brûlait les lèvres de la jeune Ange.

— Et vous, osa-t-elle timidement, vous n'en avez pas ?

Lili sourit.

— Je n'en ai pas besoin pour voler. Mais je peux m'en créer à volonté. Regardez.

Elle ferma les yeux et, soudain, dans un mouvement extraordinaire, deux immenses ailes dorées surgirent dans son dos. En réponse, deux ailes argentées ornèrent à leur tour le dos de Flint, interrompant aussitôt toutes les conversations. Tous les Anges du restaurant les saluèrent avec respect, puis reprirent le fil de leurs discussions. Les yeux écarquillés, Jeremy et Allison, eux, s'efforçaient de ne pas trop baver d'admiration. C'était magnifique. Incroyable. En fait, chaque aile était partiellement dorée ou argentée, leur cœur pulsait d'un blanc parfait, souligné d'un large trait d'or ou d'argent formant d'étranges motifs.

Incapable de résister, Allison tendit la main vers les ailes d'argent. Flint en inclina une vers elle afin qu'elle puisse la toucher.

— Je… je pensais que ce serait froid et métallique, dit-elle dans un souffle, mais c'est doux ! Plus doux que celles des oiseaux !

Elle se tourna vers Jeremy qui surprit un léger agacement dans l'œil gris de Flint.

— Jeremy, touche, c'est tellement doux !

À son tour, Lili abaissa son aile dorée et effleura le visage de Jeremy qui tressaillit. Oui, c'était doux. Terriblement, voluptueusement doux. Il s'imagina un instant faire l'amour avec Lili entouré de cette incroyable douceur. Et se reprit aussitôt. Il avait bien vu comment les Anciens traitaient les Angelots. Plus ou moins gentiment. Jamais elle ne s'intéresserait à lui…

Les yeux verts de la jeune fille lui souriaient pourtant avec tendresse.

C'était troublant : elle était sans doute âgée de plusieurs milliers d'années mais paraissait plus jeune qu'Allison. Bizarrement, Jeremy en était perturbé. Il devait sans cesse lutter entre ce que lui dictait sa raison et ce que ses yeux lui disaient.

Le jeune homme devait trouver quelque chose pour sortir de son admiration béate.

— Pourquoi les Anges rouges veulent-ils déclarer la guerre aux Anges bleus ? demanda-t-il enfin, abruptement.

Les deux vieux Anges échangèrent un regard contrarié et replièrent leurs ailes au grand dépit d'Allison.

— C'est Einstein qui t'a dit ça ? demanda Flint.

— Oui. Je ne suis qu'un jeune Ange (rien à faire, il refusait d'employer le terme « Angelot »), la subtilité de la politique angélique m'échappe encore. J'ai cru comprendre que le monde des vivants penchait vers le bien ou le mal, selon des cycles, mais que cette fois les Rouges voulaient le tirer définitivement vers le mal…

Flint ne remua pas d'un cil, comme l'aurait fait un humain mal à l'aise, montrant ainsi son immuable patience d'Ange. Pourtant, grâce à sa grande sensibilité, Jeremy sentit qu'il n'aimait pas sa question.

— Tu sais, on ne peut pas vraiment parler de bien ou de mal, fit Lili de sa voix caressante, tout en faisant définitivement disparaître ses ailes dans son dos. Les Anges rouges se nourrissent de sentiments extrêmes... Ils ont plus de difficultés à en trouver dans la nourriture des Bleus. Ils veulent donc davantage de cette Brume, disons... violente, épicée.

Elle se pencha et attrapa sur la table une flûte en cristal de Brume rouge qu'elle tendit à Jeremy et Allison, après l'avoir brisée à l'aide d'un couvert.

— Tenez, goûtez, vous allez comprendre.

À la vue des morceaux de verre écarlates, Jeremy fronça les sourcils.

— Ce n'est pas dangereux ?

— Non, il faudrait vraiment en consommer une grande quantité pour devenir Rouge. Vous ne risquez rien.

Méfiants, les deux jeunes Anges portèrent les morceaux de Brume à leur bouche. Jeremy sursauta lorsque des sentiments intenses l'envahirent.

À sa grande stupeur, l'extase s'avéra identique aux précédentes. Les mêmes sentiments de bonheur, d'accomplissement, de joie, alors qu'il savait pertinemment qu'il était en train de manger de la Brume de colère. Mais, d'une certaine façon, la sensation était encore plus violente, plus puissante que celle qu'il avait éprouvée en consommant de la Brume bleue. Comme si les émotions brutales, négatives, épiçaient la vapeur. Oui, il commençait à comprendre pourquoi les Anges rouges aimaient tant leur Brume. Et pourquoi ils voulaient qu'elle soit produite en très grande quantité... L'extase était tout simplement indicible. Et dangereusement addictive.

— Les Bleus vont devoir limiter l'action des Rouges, s'ils veulent continuer à se nourrir correctement, soupira

Lili, amusée par le regard encore embué des deux petits Anges après leur étonnante expérience gustative.

— Sauf que les Rouges sont de plus en plus puissants..., fit remarquer Flint avec une petite grimace de dépit.

Lili balaya l'argument d'un revers de la main.

— Qu'importe. De toutes les façons, nous ne pourrons pas y faire grand-chose. Cela relève du Grand Conseil dont tu fais partie, pas moi ! Et il ne se réunira à Washington que dans deux semaines.

Elle plongea ses yeux de printemps dans les yeux bleus de Jeremy et murmura :

— Acceptes-tu de passer un peu de temps avec moi, Jeremy ? J'aimerais te faire découvrir d'autres merveilles de ce monde. En attendant, bien sûr, de nous renseigner sur celui qui t'a envoyé parmi nous.

Voyant Jeremy succomber aux charmes de Lili, Allison ne put s'empêcher de ressentir une pointe de jalousie. Ce qui était pour le moins curieux, vu qu'elle ne connaissait quasiment pas le jeune homme.

Puis Flint se pencha vers elle et lui effleura la joue du bout des doigts.

Son contact la brûla comme du feu, mais, en même temps, la sensation était délicieusement douce. Elle tressaillit.

— Et toi, ravissante Allison, viendras-tu avec moi ?

Toutes les antennes d'Allison se dressèrent et, dans sa tête, un signal s'alluma : « Attention, danger ! » Elle aurait certainement accepté la proposition de Flint si, de son vivant, elle avait eu l'habitude de sortir avec des garçons et si elle avait été à l'aise en leur compagnie... Mais l'Ange, aussi magnifique et séduisant qu'il fût, lui apparaissait soudain comme un dangereux prédateur. Comme tous ceux qui lui rôdaient autour sur Terre, impatients de la posséder. Elle se leva avec un petit hoquet d'inquiétude et balbutia :

— Jeremy, j'ai... j'ai oublié un truc. Que je dois vérifier. Vous pouvez venir avec moi, s'il... s'il vous plaît ?

L'air interloqué de Flint aurait presque pu la réjouir, si elle n'avait pas eu aussi peur.

— Euuh oui, répondit Jeremy, tiré de sa transe. Bien sûr ! Vous voulez que nous vous accompagnions ?

— Non non, juste vous, s'exclama très vite la jeune fille blonde, juste vous et moi, nous n'allons pas déranger Flint et Lili pour quelque chose d'aussi... trivial ! À... à très vite !

Et avant que Jeremy, encore égaré, ait le temps de réagir, elle lui empoigna la main et le tira vers la sortie du restaurant. Ils dévalèrent en trombe l'escalier de Brume que Flint leur avait créé et qui, par chance, ne s'était pas encore volatilisé. Ni Lili ni Flint ne bronchèrent, les observant s'éloigner de leurs étranges yeux de vieux Anges.

À peine sortis, Jeremy interpella Allison qui continuait de lui serrer la main avec force.

— Vous avez paniqué, fit-il calmement alors qu'il avait envie de lui hurler dessus pour l'avoir séparé de Lili. Que s'est-il passé ?

— Il... il veut... il veut coucher avec moi, balbutia Allison, horriblement gênée. Et je ne veux... je ne peux... je suis...

— Vierge, oui, je sais, compléta Jeremy d'un air distrait, le regard encore fixé sur l'entrée du restaurant, désespérément vide.

Un silence glacial finit par l'alerter. Il se retourna. La jeune fille s'était figée.

— J'allais dire que j'étais inquiète, finit-elle par lâcher d'un ton à congeler un ours polaire. Mais je vois que vous connaissez les moindres détails de ma vie privée !

Jeremy se sentir rougir. L'influence de Lili s'atténua enfin et il eut de nouveau les idées claires. Enfin, à peu près. Des visions fugaces de peau dorée et d'yeux verts passaient encore en boucle dans sa mémoire.

— Ooupps, je suis désolé, s'excusa-t-il. Je... c'est sorti tout seul. Mais c'est bien, c'est très bien ! Je suis impressionné par ta... votre opiniâtreté, c'est formidable !

Elle le dévisagea de ses yeux bleus, qui avaient pris la couleur de la glace.

— Je disais donc, poursuivit-elle d'une voix de neige fraîchement tombée, que j'étais *inquiète*. Ces deux vieux Anges n'ont pas accepté dans leurs rangs un être supérieurement intelligent comme Einstein et, tout à coup, ils s'entichent de nous. Pourquoi ? Je ne connais pas encore assez bien ce monde. J'ai besoin qu'on m'explique. Je suis perdue et j'ai peur !

— Moi non plus je ne connais pas bien ce monde, ne put s'empêcher de faire remarquer Jeremy, piteux.

— Ces Anciens auraient-ils une raison particulière, voire cachée, secrète ? Enfin... en dehors de soi-disant s'occuper pour ne pas périr d'ennui ?

Jeremy réfléchissait aussi à cet étonnant intérêt que leur portaient les deux vieux Anges.

— Possible. Je n'en sais rien du tout !

— Tout est allé si vite, continua Allison, c'est... c'est compliqué de tout assimiler, mais s'il y a bien une chose que je sais, c'est que ce genre de personnes a toujours une idée derrière la tête. Et ces deux-là me paraissent incroyablement puissants !

Excédé, Jeremy faillit lui crier que lui, il n'avait qu'une seule idée (et pas uniquement derrière la tête), c'était de foncer se vautrer aux pieds de Lili, lorsqu'il fronça soudain les sourcils. Puis écarquilla les yeux, frappé par ce que venait de dire Allison. Il se souvint de ce qu'avait évoqué Flint à propos de résultats concrets.

— Je dois y retourner, j'ai quelque chose de vraiment important à demander à Flint, lança-t-il, encore songeur.

— Vous n'avez pas écouté ce que je viens de vous raconter, répliqua Allison. Ce type me fait peur, il est trop puissant, trop charismatique. Je ne vais pas pouvoir résister très longtemps !

— Je peux y aller tout seul, répliqua Jeremy, d'un ton sec. Je comprends ce que vous voulez dire. Lili aussi m'a perturbé. Elle me... elle m'hypnotise.

— Oui, c'est ça, il m'hypnotise, murmura Allison encore tremblante. J'ai l'impression d'être une souris devant un gros chat. Pour l'instant je l'amuse, mais, à un moment ou à un autre, il sortira ses griffes. Et il y aura du sang...

— Restez ici, lui ordonna Jeremy, trop obnubilé par son idée pour écouter. Si j'arrive à faire en sorte que Flint nous suive, sans Lili, je devrais parvenir à penser normalement. Il suffit que je ne la regarde pas et tout ira bien. Je reviens tout de suite.

— Jeremy ! cria en vain Allison.

Trop tard. Le jeune homme avait déjà disparu dans le restaurant.

Pendant ce qui lui sembla une véritable éternité, elle resta seule, plantée au beau milieu de la rue, frissonnant lorsque les vivants traversaient son corps d'Ange.

Enfin Flint et Jeremy ressortirent du bâtiment. Elle posa aussitôt son regard sur le jeune homme et s'interdit de les détourner. Tant qu'elle pouvait éviter le pouvoir toxique de Flint, tout irait bien.

— J'ai un gros problème et Flint pourrait peut-être nous aider, expliqua Jeremy.

— Formidable ! chevrota Allison en s'efforçant de ne pas perdre Jeremy de vue au risque d'en loucher. Et, euh, de quoi s'agit-il ?

— Ma petite sœur est torturée par un Ange rouge. J'en ai parlé à Albert, mais il m'a dit qu'il ne pouvait rien faire. Il est loin d'être aussi puissant qu'un vieil Ange, comme tu l'as si justement fait remarquer tout à l'heure. Et tu avais raison. Flint, lui, l'est. Il pense qu'il peut régler mon problème. Nous allons donc nous rendre chez moi, enfin… mon ancien chez-moi.

À son tour, Lili sortit avec nonchalance du restaurant.

Allison frissonna, sans bien savoir pourquoi. Curieusement, alors que la jeune rousse était pourtant très amicale, elle en avait presque plus peur que de Flint.

— Lucius est très vexé que nous soyons partis comme des voleurs, dit Lili de sa belle voix grave. Mais je suis ravie de me joindre à votre petite expédition. Cela fait une éternité que je n'ai pas croisé le fer avec un gros Rouge !

Jeremy afficha un sourire navré devant l'air interrogateur d'Allison. Apparemment son plan n'avait pas fonctionné comme il l'espérait, puisque Lili les accompagnait.

Mais Allison remarqua que, comme elle-même avec Flint, Jeremy évitait lui aussi de regarder l'Ange rousse dans les yeux. Le jeune homme avait mesuré l'exceptionnel potentiel de séduction de Lili et, bien décidé à venir en aide à sa petite sœur, il tenait à rester lucide.

Jeremy s'apprêtait à ouvrir la bouche pour s'excuser d'avoir quitté aussi rapidement leur table, quand, de nouveau, les deux Anges firent surgir leurs ailes dans un bruissement fascinant.

Cela intrigua Jeremy, car les Anges, en réalité, n'en avaient pas besoin pour voler…

Avant qu'Allison et lui n'aient le temps de protester, les deux vieux Anges les avaient déjà pris dans leurs bras et s'envolaient dans le ciel si bleu. L'air était doux, mais, à cette vitesse et cette altitude, ils avaient presque froid. Lili portait Jeremy, qui n'appréciait que très peu d'être pris dans les bras comme un bébé par une fille pesant la moitié de son poids et, bien sûr, Flint volait avec Allison. Il ne pouvait pas entendre ce qu'ils se disaient, et Allison paraissait toute petite dans les bras musclés de l'Ange. Soudain le jeune homme croisa le merveilleux regard de Lili.

— Ce mode de transport te convient, j'espère, lui susurra-t-elle, absolument maîtresse de la situation. Certaines personnes ont le vertige.

Ses grandes ailes d'une incroyable beauté fendaient l'air sans effort, la sensation était indescriptible.

— Oui, oui, ça va, répondit-il d'une petite voix, de nouveau submergé par la sensualité de la jeune fille. Du moment que vous ne me lâchez pas, tout va bien.

Elle éclata de rire.

— La première fois que j'ai volé, je me suis brisé tous les os ! Depuis, je crois bien que je n'ai jamais laissé qui que ce soit ou quoi que ce soit m'échapper !

Ça tombait bien, il ne voulait pas lui échapper, mais alors pas du tout !

La durée du vol fut trop courte à son goût et, bientôt, ils se posaient sur la pelouse impeccable de la propriété Tachini. Les chiens de garde qui se promenaient dans les parages semblèrent bien plus sensibles à la présence des deux vieux Anges qu'à celle de Jeremy, car ils s'agitèrent et grognèrent avec nervosité.

La nuit était en train de tomber. La veille, Jeremy n'avait que très peu dormi ; la nourriture qu'il avait avalée semblait compenser sa fatigue, car il se sentait dans une forme olympique.

— Suivez-moi, dit-il, je ne sais pas si ce maudit Ange rouge sera déjà là, il est encore tôt pour lui, mais il ne devrait pas tarder. Il hante ma petite sœur, enfin... ma demi-sœur, tous les soirs. Ma mère doit d'ailleurs lui donner du sirop pour qu'elle puisse s'endormir.

Lili fronça les sourcils.

— Un somnifère ? Ce n'est pas très bon. Cela la coupe de toute influence, certes, mais elle risque d'être dépendante.

Jeremy prit le risque de regarder Lili dans les yeux. Rien à faire, chaque fois il avait le souffle coupé par tant de beauté.

— Oui, c'est bien pour cela que j'ai besoin de votre... de l'aide de Flint, finit-il par articuler.

— Et j'ai dit que j'allais essayer de régler ton problème, enchaîna le centurion en lui tapant amicalement sur l'épaule.

En tournant la tête vers Flint, Jeremy remarqua qu'Allison, hypnotisée, était encore accrochée à son bras musclé.

— Allison, tout va bien ? fit Jeremy, se souvenant soudain que la jeune fille avait peur de Flint (enfin bon, Jeremy n'avait pas prévu qu'ils allaient voler et que le vieil Ange la prendrait dans ses bras).

Elle avait un regard halluciné, comme si elle ne le voyait pas.

— Allison ? répéta-t-il plus fort.

Elle sursauta.

— Oui ? Pardon, quoi ?

— Je vous ai demandé si tout allait bien. Vous n'avez pas eu le vertige ?

Déconcertée, la jeune blonde se passa une main fébrile sur le visage, lâcha le bras de Flint et se rapprocha de Jeremy.

— Non. Ça va. J'ai juste eu une absence, c'est bizarre. On décollait et hop ! on s'est retrouvés ici...

Jeremy se mordit les lèvres. Il réprima l'envie de demander à Flint ce qu'il avait fait à Allison. Il avait trop besoin de lui, mais n'appréciait pas que le vieil Ange utilise ses pouvoirs pour l'ensorceler.

À sa grande surprise, Flint lui lança un clin d'œil et expliqua :

— Ton amie n'a pas trop aimé le vol, et comme nous volions très vite puisque c'est une mission urgente, j'ai un peu embrumé son esprit...

— Embrumé son esprit ?

— Oui, notre pouvoir nous permet, entre autres, de transmettre de la Brume que nous avons avalée à un Ange qui serait, par exemple, trop faible pour se nourrir tout seul. C'est ce que j'ai fait avec Allison, en lui projetant de la Brume de sommeil dans le corps. Cela l'a endormie, le temps que nous arrivions. Elle va vite se remettre !

Son explication apaisa Jeremy, même si Lili jeta un regard interrogateur à Flint.

— Tu as « partagé » la Brume avec Allison, dit-elle d'un ton songeur. Intéressant.

Flint grimaça. Quoi que cela signifiât, Lili semblait suffisamment étonnée pour avoir à le souligner. Jeremy décida qu'il demanderait plus tard quelques explications à Einstein. En espérant que le vieux savant serait capable de lui répondre.

Comme Allison avait l'air groggy, il la prit avec douceur par le bras, ignorant l'expression soudain renfrognée de Flint. Lili fit de même et décocha un sourire espiègle à son vieil ami. Apparemment, cela l'amusait de faire enrager le centurion. Jeremy ne put s'empêcher d'éprouver une certaine satisfaction, puis ils gravirent les marches menant à l'imposante demeure familiale. Allison était encore trop perturbée pour protester lorsqu'ils passèrent au travers de la porte d'entrée.

Une fois à l'intérieur, ils montèrent dans la chambre d'Angela.

— Elle est absolument ravissante ! s'exclama Lili lorsqu'elle découvrit la petite fille si menue dans son immense lit blanc.

Adossée à de gros oreillers douillets, Angela lisait et son front se plissait de temps à autre alors qu'elle suivait les péripéties de son héroïne préférée, Tara Duncan. Jeremy sourit avec affection. Sa petite sœur dévorait de gros livres pour son âge ! Il se posa à côté d'elle et lui caressa les cheveux.

Allison en eut le souffle coupé. Ce garçon qu'elle connaissait à peine montrait une tendresse infinie envers une enfant qui ne pouvait pas le percevoir... Au-delà même de la mort, il protégeait ceux qu'il aimait.

Elle n'en prit pas conscience, mais ce fut à ce moment précis qu'elle tomba amoureuse.

Jeremy avait eu raison, l'ignoble Ange rouge n'était pas encore là. Mais quelques minutes à peine après leur arrivée dans la chambre, ce dernier passa à travers le plafond et s'y suspendit le plus tranquillement du monde. Aussitôt, une onde malsaine envahit la pièce et fit bondir Jeremy sur ses pieds, le cœur au bord des lèvres, tandis qu'Angela se crispait soudain dans son lit, mal à l'aise.

Alors qu'il s'apprêtait à se délecter de la terreur de l'enfant, le Rouge découvrit la présence des deux vieux Anges. Il serra les lèvres dans un rictus ignoble, mais Jeremy lut de la frayeur dans ses yeux fous.

— Qu'est-ce que vous faites ici ? éructa-t-il, elle est à moi ! À MOI !

Puis il se mit à crier « À MOI ! À MOI ! » sans s'arrêter comme un chien enragé.

Flint pencha la tête sur le côté, sincèrement amusé.

— Il est tout à fait fou, fit remarquer Lili, avec amusement. Comment veux-tu que nous procédions, mon cher Flint ?

— On ne peut pas l'éliminer.

— Non.

— On peut faire mieux.

— Oui.

Jeremy et Allison ne comprenaient pas les messages que s'échangeaient les vieux Anges, mais Flint et Lili savaient très bien ce qu'ils faisaient. Ensemble, ils se tournèrent alors vers l'Ange rouge et tendirent les mains.

Celui-ci leur adressa une grimace haineuse.

— Vous croyez que vous me faites peur, espèces de vieux fossiles ? Vous ne pouvez rien contre moi ! Je vais la rendre folle et vous...

Quelque chose venait de jaillir des mains des deux Anges, quelque chose que Jeremy ne parvint pas à discerner, mais qui percuta le gros Rouge avec la force d'un marteau pilon. Son visage se crispa horriblement, les yeux sortant presque des orbites.

Soudain il sourit. Un sourire avide, monstrueux.

— Oh oui ! fit-il, oh oui, c'est bon, encore !

Flint et Lili se concentrèrent et, de nouveau, une force invisible vint frapper l'Ange rouge de plein fouet. Celui-ci tomba sur Angela.

Paniqué, Jeremy hurla, mais bien évidemment l'Ange traversa le corps de sa sœur sans l'écraser. Lili perçut aussitôt l'angoisse de l'enfant et se pencha près de son oreille.

— Tu n'aurais pas oublié de te laver les dents, Angela ? Va vite dans la salle de bains !

— Oh, dit la petite fille à voix haute, j'ai oublié de me laver les dents !

Elle posa son livre sur la table de chevet et sortit de sa chambre en courant, au grand soulagement de Jeremy qui ne supportait pas de voir l'Ange monstrueux vautré sur elle.

— Merci, murmura-t-il à Lili, notant une nouvelle fois au passage combien les vivants étaient sensibles aux adjurations des vieux Anges. Bien plus qu'à celles des jeunes en tout cas.

Allison se rapprocha de lui et lui prit la main. Il la serra, éprouvant un étrange réconfort au contact de cette petite main chaude contre la sienne.

— C'est terrible, lui confia-t-elle d'une petite voix, mais pourquoi ce Rouge fait-il ça ? Pourquoi a-t-il dit qu'elle était à lui ?

— Il m'a lâché l'autre fois que mon beau-père l'avait fait assassiner. Et qu'il se vengeait sur sa fille. C'est un monstre et un fou. Même si je ne doute pas un instant que le trafiquant d'armes qu'a épousé ma mère soit parfaitement capable de l'avoir fait assassiner, ce n'est pas une raison pour se venger sur une enfant innocente !

Allison approuva d'un hochement de tête. Elle avait encore du mal à se remettre de la vision de cet ignoble Ange rouge pendant telle une outre boursouflée au-dessus de la petite fille.

— Que lui font-ils ? lui demanda-t-elle alors en désignant Flint et Lili.

— Je ne suis pas sûr, murmura Jeremy, mais... Oh ! attention, il réagit !

Jusqu'à présent l'Ange s'était contenté de rugir de plaisir à chaque décharge. Désormais, il se tortillait, épouvanté.

— Non ! cria-t-il soudain. Non, arrêtez !

Mais Flint et Lili se montrèrent implacables.

— Non, non, noooooooooon ! arrêtez !

Décharge après décharge, les coups continuaient de le frapper avec la régularité d'un marteau-piqueur. Et ce n'était plus du plaisir qu'il éprouvait.

Mais de la douleur. Une immense douleur.

Tout à coup, il leva le visage vers le plafond et hurla si fort que les chiens dehors aboyèrent en retour.

Il y eut un « plop ! » assourdissant.

Et il disparut.

Exactement comme l'Ange écarlate que Jeremy avait vu disparaître le jour de son passage dans l'au-delà.

Épuisés, Lili et Flint s'affaissèrent.

Jeremy et Allison se précipitèrent pour les soutenir, effrayés, mais les deux vieux Anges se contentèrent de s'asseoir sur le lit.

— Hou..., souffla Lili en épongeant son front couvert de sueur, il était bien gratiné celui-là !

— Ouais, confirma Flint, haletant. Pas facile à déloger en tout cas.

Des rides qu'il n'avait pas quelques minutes plus tôt creusaient son noble visage et son teint bleuâtre avait singulièrement pâli.

— Je crois qu'il va falloir que vous alliez nous chercher un peu de nourriture, annonça-t-il à Jeremy et Allison. Parce que je ne vais pas bouger d'ici pendant un petit moment.

Jeremy se précipita hors de la chambre, Allison sur les talons. Elle ne pouvait pas faire grand-chose, il lui montra néanmoins comment il recueillait la Brume. Il en préleva auprès de sa mère et de son beau-père, puis de la cuisinière et du majordome. Le résultat donna une

Brume de toutes les couleurs, mais il supposait que les Anges s'en fichaient. Il avait raison. Ils se jetèrent sur la nourriture comme deux affamés alors qu'ils venaient tout juste de sortir d'un succulent dîner…

— Merci beaucoup, finit par dire Lili avec un sourire étincelant. Ouf, cela faisait longtemps que je n'avais pas autant puisé dans mes réserves !

— Et vous, monsieur, vous allez bien ? demanda timidement Allison.

Flint arrêta de manger et la regarda avec intensité.

— Tu ne veux pas m'appeler Flint, ravissante Allison ? Monsieur ? Brrr, tu me donnes un coup de vieux terrible !

— C'est… c'est du respect, bredouilla Allison. Je voulais juste vous montrer du respect. Vous… vous êtes très impressionnant, m… (l'Ange lui jeta un regard ironique et elle se reprit), je veux dire… Flint.

Confus, Jeremy sentit qu'Allison tentait de mettre une barrière psychologique entre elle et le vieil Ange. Mais il était si reconnaissant envers Flint et Lili qu'il ne voulut pas s'appesantir.

— Merci, merci, s'épancha-t-il, je ne sais pas encore comment je vais pouvoir vous remercier de ce que vous venez d'accomplir pour ma petite sœur, c'est fantastique ! Comment avez-vous fait ?

— Nous l'avons gavé, expliqua Lili avec simplicité. Flint et moi, nous lui avons envoyé une énorme dose de nourriture. Il était déjà presque mûr, tellement gonflé de tristesse, de haine et de vengeance. Cela n'a pas été si difficile que ça. À deux, bien sûr, nous avons pu faire plus vite. Et tu avais raison Jeremy !

— À quel sujet ?

— Tout seul, tu n'aurais rien pu faire. Seuls nos pouvoirs pouvaient l'obliger à disparaître.

Était-ce un avertissement qu'il sentait sous le ton badin de l'Ange rousse ?

— Il… il ne pourra pas revenir ? demanda Allison toujours traumatisée.

— Non, la rassura Flint. Il est parti. Mais une chose est sûre : si les Anges mangent trop, trop goulûment et trop souvent, ils rencontrent les mêmes problèmes qu'un vivant qui se nourrit avec excès. Il « passe » plus jeune, plus vite.

Allison écarquilla ses grands yeux bleus et insista :

— Mais que lui est-il arrivé ? Il avait l'air de terriblement souffrir !

— Aucune idée, soupira Flint, nous ne savons pas ce que deviennent les Anges qui disparaissent lorsqu'ils cessent de se nourrir, pas plus que nous ne savons ce qu'il advient de ceux qui se nourrissent trop…

Entre eux trois, l'idée possible d'un dieu quelconque existant à un autre niveau, ou dans un troisième univers, plana un instant avant de disparaître.

— Je vous comprends, c'est assez frustrant, admit Lili. Je suis ici depuis assez longtemps, et pourtant il nous reste encore des tas de mystères à éclaircir.

Jeremy haussa les épaules. Pour l'instant, il s'en fichait. Tout ce qui comptait, c'était que sa demi-sœur soit désormais débarrassée de l'horrible parasite.

Claire entra dans la chambre et Angela lui sourit. Devant le visage radieux de sa mère, Jeremy ne put s'empêcher de ressentir de la tristesse. Elle lui manquait.

Il avait décidé de la rayer de sa vie parce qu'elle était tombée amoureuse d'un homme qu'il n'aimait pas. Il réalisait à présent à quel point il avait été stupide et égoïste : sa mère cachait une immense tendresse sous ses allures de femme du monde. Il était content qu'elle tombe le masque devant sa petite fille.

— Ma chérie ! Comment te sens-tu ce soir ?

Angela fronça le nez.

— C'est bizarre, maman. Je m'étais déjà lavé les dents et puis, tout à coup, je ne sais pas pourquoi, je me suis levée pour me les relaver ! C'est seulement quand je suis revenue dans ma chambre que je me le suis rappelé ! Et puis tu sais, le soir, quand je vais me coucher, chaque fois c'est comme si j'avais du mal à respirer…

— Oui, ma chérie, poursuivit Claire avec affection, nous avons même cru que c'était une allergie. Mais tu n'es allergique à rien du tout…

— Tout à l'heure, ça a recommencé ! Et puis ça a disparu, maman. D'un seul coup ! Je me sens beaucoup mieux !

Jeremy fit le signe de la victoire à Allison. Elle lui répondit par un rayonnant sourire que ne parvint pas à égaler Lili, pour une fois. La jeune fille blonde était si contente pour Jeremy qu'elle en devenait lumineuse.

Flint se frotta les mains et se leva avec peine. Il vacilla un moment. D'instinct, Allison s'avança pour le soutenir. Il la remercia d'un faible sourire. Et la garda serrée contre lui.

Lili se leva à son tour et pâlit. Jeremy la soutint lui aussi, de nouveau troublé par les rondeurs élastiques sous ses mains. Cette femme était la tentation incarnée.

Il sentit son cœur faire un looping. Pourtant, les hanches qu'il touchait ne parvinrent pas à effacer la sensation de la petite main d'Allison dans la sienne, quelques minutes plus tôt. Enfin… pas tout à fait.

À présent, Claire s'installait à côté d'Angela pour lire avec elle. Jeremy sentit enfin son âme s'apaiser à la vue de cette scène. Tous décidèrent donc de les laisser et quittèrent la chambre. Les deux vieux Anges étaient fatigués au point d'avoir du mal à traverser les murs. Une fois dehors, ils ne purent faire jaillir leurs ailes et durent se contenter de marcher, toujours appuyés sur les jeunes Anges.

— Vous m'avez vraiment rendu un immense service, répéta Jeremy au bout d'un moment. Comment puis-je vous remercier ?

Flint balaya la question d'un revers de la main.

— Tu n'as pas besoin de nous remercier. Les Anges n'agissent pas par intérêt. Nous t'avons aidé, c'est tout. Peut-être qu'un jour, à ton tour, tu pourras rendre service à quelqu'un et ainsi payer ta dette.

Jeremy et Allison échangèrent un regard, soudain honteux d'avoir soupçonné à tort les deux Anges, surtout après l'effort colossal qu'ils venaient de fournir.

Ils trouvèrent un bus pour rejoindre Manhattan et les deux vieux Anges leur proposèrent de venir chez Flint. Il habitait dans un magnifique penthouse, sur deux étages, décoré de précieuses boiseries sombres, de marbres bleus, dorés et blancs. L'appartement devait mesurer dans les six cents mètres carrés, vide de mobilier humain, mais rempli de meubles de Brume. Toutes les portes « réelles » du penthouse étaient ouvertes, et, pour préserver l'intimité des pièces, Flint avait fait ajouter de superbes portes de Brume sculptées, que les Anges pouvaient ouvrir et fermer à volonté.

— Extraordinaire ! Comment l'as-tu trouvé ? s'exclama Jeremy en visitant ces lieux incroyables.

— Oh, cela fait partie des prérogatives des Anges séculaires… Le propriétaire est un vieil homme qui ne sait plus très bien combien il possède d'appartements. Je l'ai convaincu de refaire celui-ci, puis de l'oublier. Il ne perd pas grand-chose en termes d'argent : il est milliardaire. Cela me permet de me loger sans avoir à dépendre d'un vivant, ce qui est un vrai luxe.

Ah, Jeremy comprenait maintenant pourquoi tant de personnes fortunées gardaient des appartements vides, très souvent sans aucune raison valable. C'étaient les vieux Anges qui les y poussaient !

Se promenant de pièce en pièce, Jeremy admira le mobilier et les objets que Flint avait recréés. Le résultat était impressionnant, même si le jeune Ange avait conscience que tout cela était éphémère.

— Vous devez renouveler tout cela souvent, non ? s'interrogea-t-il.

Vu que son stupide pagne passait son temps à s'évaporer, il regarda les fauteuils avec méfiance. Il n'avait aucune envie de se retrouver les fesses par terre.

Flint éclata de rire.

— Ne t'inquiète pas jeune Ange, tout ce qui est ici a été fait soit par moi, soit par des Anges qui ont plus de cinq cents ans. La Brume que nous utilisons est compressée, en quelque sorte. Ces meubles peuvent durer des années. Et, lorsqu'ils disparaissent, eh bien, soit j'en crée d'autres, soit je contacte des Anges qui en font pour moi.

Avec un soupir de soulagement, Flint se laissa alors tomber dans un somptueux fauteuil tandis que Lili faisait de même sur l'un des cinq canapés de la vaste pièce.

— Il y a des boissons dans le bar, précisa Flint. Allison, Jeremy, servez-vous et profitez-en pour nous servir aussi, s'il vous plaît, je ne crois pas être capable de pouvoir bouger ne serait-ce que le petit doigt.

D'un geste, Jeremy indiqua à Allison qu'il s'en chargeait et rapporta bientôt des bouteilles où flottait, chose surprenante, de la brume liquide.

À son regard surpris, Flint répondit :

— Nous pouvons liquéfier la Brume, même si cela n'a pas un grand intérêt, j'avoue que j'aime bien l'idée d'avoir un verre à la main de temps en temps. Allez, trinquons !

Jeremy leva son verre en cristal de Brume bleutée, sa teinte presque transparente lui rappelait celle des assiettes du restaurant. Il pensait que Flint allait célébrer leur victoire, mais la phrase que prononça le vieil Ange le laissa sans voix.

— Ma chère Allison, mon cher Jeremy, à votre emménagement chez moi !

12

Le goût de l'expérience

À ces mots, Allison en laissa tomber son verre qui, beaucoup moins fragile que son double terrien, se contenta de rouler par terre en laissant échapper des lambeaux de Brume.

Quant à Jeremy, il reposa prudemment le sien sur la table basse, puis dévisagea Flint avec attention, tandis qu'Allison, gênée, essayait de réparer les dégâts.

— Vous nous invitez ? finit-il par répondre. À venir vivre... chez vous ?

Son cœur battait à tout rompre, il se sentait pris au piège.

— Nous, les vieux Anges, nous faisons souvent cela, lança Lili en appuyant ses propos d'un clin d'œil amusé (elle avait remarqué sa soudaine crispation). Si un jeune Ange nous donne l'occasion de passer des moments excitants, nous lui proposons de nous occuper de lui. Entre toi avec cet Ange rouge qui se repaissait de ta sœur et Allison en quête de vengeance, vous possédez de quoi nous éviter l'ennui pendant quelque temps. C'est donc nous qui vous sommes redevables, pas le contraire. Pour vous remercier, la moindre des choses est de vous fournir de quoi vous nourrir, vous habiller et dormir.

Jeremy se détendit. Présenté de cette façon, l'échange semblait équitable. Alors pourquoi avait-il l'impression d'être un jouet entre leurs mains ?

Lili bâilla et s'étira comme un félin roux, attirant l'attention de Jeremy et de Flint sur sa silhouette sensuelle. Allison réprima une petite grimace agacée.

— Hmmm, je suis morte moi ! (Lili éclata de rire.) Enfin… de fatigue du moins. Flint, ma chambre est toujours équipée ?

— Je renouvelle ton lit chaque année, ne désespérant pas de te voir revenir me tenir compagnie, répondit Flint d'une voix onctueuse.

— Vil flatteur, va. Bon, je vais me coucher. À tout à l'heure !

Et elle s'éloigna d'un pas décidé. L'instant d'après, ce fut au tour d'Allison de montrer des signes de fatigue. La jeune fille rougit en essayant de dissimuler sa gêne.

Flint sourit.

— Je vois que tout le monde est épuisé, il faut dire que nous avons eu une sacrée soirée ! Laissez-moi vous montrer vos chambres.

Il posa sa main sur l'épaule de Jeremy.

— Je ne désire pas t'imposer quoi que ce soit et je ne te veux aucun mal, Jeremy. Si tu ne souhaites pas venir habiter ici, je ne serai pas vexé, d'accord ? Ni Allison ni toi n'avez la moindre obligation envers moi. Dormez ici cette nuit, et nous en reparlerons demain matin.

Jeremy hésita un moment, puis après un regard en direction d'Allison qui, après tout, n'était « passée » que depuis peu de temps et paraissait à bout elle aussi, il préféra capituler.

— Merci Flint, c'est vraiment gentil de ta part.

Flint lui donna un coup de poing amical dans l'épaule.

— Gentil ? Tu plaisantes ? Grâce à toi je viens de passer une soirée fabuleuse et nous avons renvoyé un sale Rouge en enfer, où que soit cet enfer, d'ailleurs. C'est toi qui es gentil de nous laisser t'accompagner.

Jeremy allait remercier Flint une nouvelle fois lorsqu'il surprit le regard de prédateur qu'il posa sur Allison. Cette dernière, inconsciente de ses charmes, s'étirait avec délectation, imitant involontairement Lili deux minutes plus tôt. Alors, agacé, le jeune homme précisa :

— Mais demain, j'emmène Allison chez moi, enfin… chez ma mère. Il y a de grandes chambres, le manoir est immense, personne ne nous ennuiera là-bas…

Flint haussa les épaules. À première vue, cette nouvelle ne le dérangeait pas plus que cela, ce qui soulagea Jeremy. Si Einstein avait été à sa place, nul doute que le savant aurait été ravi d'entrer dans l'intimité de ces Anges centenaires, voire millénaires.

L'Ange bleu entraîna Jeremy et Allison vers une immense chambre où trônait un lit d'une taille impressionnante. Flint avait bien fait les choses. Des draps d'un blanc immaculé, une légère couverture bleue (sans grand intérêt, il faisait doux), de moelleux oreillers (Flint les avait-il remplis avec les plumes de ses ailes ? Jeremy s'interdit cette question irrévérencieuse) et une très jolie, bien qu'inutile, salle de bains. La chambre était contiguë à une autre chambre, tout aussi grande. Les deux pièces communiquaient entre elles par une porte réelle restée ouverte. Allison s'effondra aussitôt sur l'un des lits après avoir salué Jeremy. Puis le vieil Ange laissa ses protégés se reposer.

Parmi les choses que Jeremy regrettait de son ancien monde, le fait de ne pas pouvoir se laver (puisqu'il n'en avait plus besoin) était celle qui lui manquait le plus. De son vivant, lorsqu'il était sous la douche, fouetté par l'eau, il réfléchissait mieux. Il y avait d'ailleurs souvent trouvé certaines de ses meilleures idées.

Mais là, pas de douche. Juste des Anges, de la nourriture vaporeuse et des tas de trucs étranges qu'il ne maîtrisait pas.

Il se releva.

Il devait parler à Allison.

Jeremy pénétra dans l'autre chambre à pas de loup, puis s'assit sur le lit bleu et rouge très chic, à côté d'Allison qui semblait déjà dormir.

Malheureusement, comme le lit était fait de Brume, il se mit à bouger. Allison se redressa, affolée. Elle se calma lorsqu'elle vit que c'était lui. Face à cette réaction, Jeremy ne savait pas très bien s'il devait être vexé ou content. Elle avait déposé sa robe sur une chaise de Brume et était donc nue sous les draps vaporeux.

Jeremy en oublia ce qu'il voulait lui dire.

— Vous m'avez fait peur ! lui reprocha-t-elle, vous ne faites vraiment pas beaucoup de bruit lorsque vous vous déplacez !

— Pardon, murmura Jeremy tout en lui faisant signe de baisser la voix, mais je voulais m'excuser.

Elle écarquilla ses beaux yeux bleus et s'enveloppa plus étroitement dans les draps.

— Vous excuser ? Mais de quoi ? C'est de ma faute si vous avez été assa... (elle buta sur le mot) si vous êtes passé, pas de la vôtre !

— Je voulais m'excuser, poursuivit-il patiemment, parce que je ne me doutais pas que Flint et Lili allaient utiliser leurs ailes pour nous emmener. Et je peux comprendre que le voyage ait été désagréable pour vous, avec Flint qui ferait n'importe quoi pour vous séduire...

Il n'y aurait pas eu Lili, Jeremy aurait sans doute été fou de jalousie et comme un gorille mâle, il aurait frappé sa poitrine velue (enfin pas si velue que ça, en fait) pour défier son adversaire. Mais avec Lili, la somptueuse Lili, ça changeait tout. Il s'était cru un temps amoureux d'Allison, parce qu'il ne voyait qu'elle. Les deux Anges de Clark avaient raison : ce n'était pas d'une vivante dont il aurait dû tomber amoureux, mais bien d'une Ange !

Cependant maintenant que la somptueuse Ange rousse n'était plus là pour lui faire chavirer le cœur, Jeremy retombait sous le charme de l'innocente, de la ravissante et très têtue Allison.

Celle-ci s'adossa à ses oreillers et croisa les bras sous ses seins, ce qui tendit le tissu et révéla davantage ses formes. Jeremy avala sa salive et la regarda droit dans les yeux.

— Qu'est-ce que vous comptez faire ?

Allison haussa négligemment les épaules.

— Je n'en sais rien. D'un côté Flint me fait peur, mais d'un autre il n'a rien tenté de particulier avec moi. Il veut juste m'aider à… (Elle allait dire « à me venger de Ventousi et à mettre le médicament contre le cancer sur le marché », mais réalisa que ce n'était pas exactement la réalité. Ce que voulait Flint était simple : trouver un remède, certes, mais contre son ennui.) Il… il est bon. Et puis vous m'avez dit que les Anges bleus tendaient vers les sentiments positifs, n'est-ce pas ? Alors nous n'avons rien à craindre !

Abattu, Jeremy soupira. Et décida de ne pas dire à Allison que Flint avait « embrumé » son esprit. Inutile d'effrayer la jeune fille.

— Je ne sais vraiment pas, Allison. Je ne suis « passé » que quelques jours avant vous. Je suis incapable d'avoir un avis sur Flint, du moins, pour le moment.

— Tout cela… tout cela est incroyable ! Parfois encore, je me dis que je suis juste en train de rêver.

Elle regarda Jeremy du coin de l'œil et glissa :

— Un rêve particulièrement exotique et effrayant…

Puis elle changea de sujet.

— Parlez-moi de vous !

Jeremy n'avait jamais parlé de sa famille à qui que ce soit. Jamais. Pourtant, devant le regard innocent d'Allison, il décida de se livrer. Totalement. Il ne l'avait pas fait sur Terre et il était mort tout seul. Il n'allait pas reproduire la même erreur. D'autant que, maintenant, il avait en face de lui quelqu'un qui pouvait le comprendre. Enfin.

Elle l'écouta raconter pendant des heures, posant çà et là de judicieuses questions. Il lui décrivit son grand-père tyrannique, son père mort trop jeune, sa mère et son beau-père, sa demi-sœur, sa vie. Avoir été le petit-fils de

James Stewsant l'avait coupé du reste du monde, des réalités. Pas tellement à cause de l'effarante somme d'argent qui avait menacé de l'engloutir chaque jour davantage, mais plutôt à cause de son grand-père lui-même, qui exigeait beaucoup de lui.

La perfection. Être le meilleur. Le plus intelligent, le plus fort. Le plus implacable. Comme lui.

Allison n'en crut pas ses oreilles lorsqu'elle apprit que Jeremy n'avait quasiment pas eu d'aventures amoureuses. Lorsqu'il était jeune, son grand-père s'était arrangé pour qu'il reste tout le temps à ses côtés. À l'université il travaillait trop et n'aimait pas boire, ce qui le coupait des autres, et puis, il était trop obsédé par les maths, la réussite et l'argent pour s'intéresser aux filles. Pourtant Allison était certaine qu'il avait dû être le *nerd* le plus mignon du campus.

Quelque part, il était comme elle. Certes il n'était pas vierge, car il confessa avoir « vu » une fille pendant quelque temps, mais pas loin. Cela mit du rose aux pommettes d'Allison et elle réalisa qu'elle aimait ça, cette sorte d'innocence. Beaucoup même.

— À ton tour, ordonna-t-il au terme de cet impressionnant et épuisant périple psychique. Je me suis mis à nu, à toi maintenant.

Ils avaient commencé à se tutoyer au bout d'une heure et, au bout de quatre, ils avaient l'impression étrange de se connaître depuis des années.

Allison lui lança un sourire ironique.

— Ah, mais tu m'as vue nue à de nombreuses reprises si j'ai bien compris !

Il rougit. Ça aussi elle adorait. Le faire rougir. Le faire rire aussi.

Elle lui décrivit sa vie. Il en connaissait bien sûr les grandes lignes, mais pas tout. De nouveau, il fut ému lorsqu'elle lui décrivit le martyre de sa mère. Elle s'interrompit et frissonna.

— Tu crois que je vais la voir ? la retrouver ?

— Je n'en sais rien. J'ai cru comprendre que les Anges qui avaient beaucoup souffert de leur vivant ne pensaient plus qu'à se nourrir et à s'amuser…

Allison hocha la tête. Oui, après avoir goûté la Brume, quelle que soit sa couleur, elle comprenait parfaitement que certains Anges n'aient pas envie de lutter.

— Elle n'était pas près de toi, pendant tout le temps où je t'ai survei… euh, accompagnée, mais cela ne signifie pas qu'elle ne passe pas parfois pour venir voir si tu vas bien.

Allison avait les larmes aux yeux. Il la prit dans ses bras, elle l'enlaça et ils restèrent ainsi pendant un moment, comme deux enfants trop effrayés pour bouger.

Puis, petit à petit, Jeremy la sentit se détendre. Elle frotta involontairement sa magnifique poitrine contre la sienne et il sentit des choses se passer sous son pagne. Aïe, farouche comme elle l'était, elle allait bondir si elle s'en rendait compte. Il s'efforça de penser à des choses susceptibles de le refroidir. À des glaçons, à des lacs d'eau gelée, mais rien à faire. Elle était douce et tendre dans ses bras, bien vivante, bien réelle, si parfaite, si sensuelle qu'il en avait des frissons.

Et, lorsqu'elle releva ses beaux yeux bleus vers lui, il leur sembla tout à fait naturel qu'il incline sa haute silhouette et pose sa bouche sur la sienne, rose et charnue.

Ce qui se passa fut indescriptible pour la jeune fille. Elle était morte quelques heures plus tôt et vivait à présent dans un monde mystérieux. Elle avait peur, elle se sentait abandonnée. Et, d'un seul coup, son nouvel univers était mis sens dessus dessous, une fois encore.

Juste avec un baiser.

Car le baiser de cet Ange n'avait rien à voir avec tous ceux qu'elle avait reçus jusqu'à présent. Si elle n'avait jamais eu de rapports avec un garçon, elle avait flirté avec suffisamment de conviction pour apprendre pas mal de choses. Notamment sur la frustration. Mais là ? Elle ne pouvait même pas imaginer qu'un tel accord puisse exister. Il n'y avait aucune gêne. Leurs bouches s'ajustaient l'une à l'autre sans se heurter, en parfaite harmonie, si parfaite qu'elle ne réalisa même pas qu'elle avait arrêté de respirer, et s'en trouva tout étourdie. Elle ressentit une étrange tiédeur sur son corps. Elle comprit que les draps de Brume avaient glissé et que Jeremy, nu, l'enlaçait. Elle gémit lorsqu'il pressa son corps contre le sien comme s'il ne voulait faire qu'un avec elle et, soudain, elle sentit partir de son ventre une vague de désir si puissante qu'elle crut s'évanouir. Au même moment, Jeremy sembla perdre le contrôle, sous l'emprise du même désir. Ses mains descendirent lentement sur les fesses fermes d'Allison. Il appuya son bassin contre celui de la jeune fille, puis l'une de ses mains caressa les courbes si douces de ses hanches avant de glisser, entre ses cuisses. Il la caressa et elle gémit encore, dans une glorieuse capitulation.

Poussé par l'urgence, par ce besoin irrépressible de faire un pied de nez à la mort en célébrant la vie et l'amour, il l'allongea sur le lit et écarta son pagne, vibrant, infiniment prêt.

Ce fut le geste de trop.

L'excitation, la joie qu'Allison éprouvait furent balayées par la peur. Dans un geste angoissé, elle recula et repoussa violemment Jeremy au point de le faire tomber du lit.

Ce qui lui sauva sans doute la vie.

Car, juste à l'endroit où il se trouvait deux secondes auparavant, un sabre rouge étincelant, aiguisé comme un rasoir, venait de s'abattre. Il trancha net les draps, le matelas et le lit jusqu'à la moquette, les arrosa de plumes qui volèrent partout. Jeremy et Allison, stupéfaits, crièrent en même temps, puis reculèrent ensemble derrière le lit détruit. Allison eut le temps d'attraper un bout de drap tranché pour se couvrir.

Le tueur venait de les retrouver.

Et il était méchamment armé.

Furieux d'avoir manqué ses proies, l'homme se redressa et, curieusement, les salua de son sabre, comme s'ils étaient des ennemis dignes de lui. Ce fut du moins ce qu'il sembla à Jeremy, dont le cerveau était encore à moitié paralysé par la panique.

— Mais merde ! cria-t-il, c'est quoi ton problème ? Tu m'as assassiné, tu as assassiné Allison, qu'est-ce que tu nous veux ?

Le tueur leur jeta un regard terrifiant puis, voyant qu'ils attendaient sa réponse, cachés derrière les restes du lit, il ouvrit la bouche. Et sortit sa langue. Enfin, le bout de chair qui lui servait de langue. Parce que celle-ci avait été brûlée. Pas coupée. Non, brûlée jusqu'à ce qu'il n'en reste plus qu'un horrible et minuscule appendice. Allison en frémit de dégoût.

— Ah, fit Jeremy, évidemment, ça ne va pas faciliter la communication.

Puis, avant que le tueur n'avance et ne teste les capacités de régénération de Jeremy en le coupant en morceaux, le jeune homme le surprit en ouvrant la bouche à son tour et en hurlant de toutes ses forces.

— FLLLLLLLIIIIIIINNNNNNNT ! AU SECOUUUURS !!

Le tueur grimaça et sauta sur le lit bancal, sans se soucier de son équilibre. En un éclair, Jeremy recula et évita de justesse l'arme écarlate, coupante comme un rasoir.

— FLLLLLLLIIIIIIINNNNNNNT ! ÇA URGE !!

Encore à moitié endormi, Flint fit irruption dans la chambre d'Allison et stoppa net, éberlué par le spectacle qui s'offrait à ses yeux : un lit massacré et des plumes éparpillées. Sans compter l'Ange rouge, armé d'un sabre qui semblait déterminé à faire la peau aux deux Angelots.

La réaction de Flint fut fulgurante. Ses yeux flamboyèrent, il grandit d'un mètre en une seconde, devint d'un bleu si profond qu'il en était presque noir et cria, impérieux :

— Pas dans ma MAISON !!

Et, d'une main énorme, il balança un coup si violent et si soudain au tueur que celui-ci fut catapulté, sabre compris, par la fenêtre. Son cri inarticulé fut couvert par le « baoum ! » de sa chute une dizaine de mètres plus bas.

Terrifiés et sans voix, Jeremy et Allison regardèrent Flint, incapable de croire que le paisible, et plutôt amusant, ex-centurion se soit transformé en un géant bleu nuit pour le moins agressif.

— Ah ! grogna le colosse. Comment ce vermisseau rouge est-il arrivé jusqu'ici ? et, surtout, comment a-t-il pu pénétrer dans *mon* appartement sans que je m'en rende compte ?

Jeremy mit un petit moment à reconnecter ses neurones qui semblaient s'être mués en une gelée bloblotante de terreur et hasarda un très logique :

— Euh, en faisant comme nous ? En passant au travers des murs ?

Flint lui jeta un regard noir.

— Non, gronda-t-il avant de faire demi-tour et de sortir de la chambre, j'ai peint les murs.

Allison et Jeremy échangèrent un regard éberlué. Ils jetèrent un coup d'œil par la fenêtre, mais le tueur s'éloignait déjà en boitant.

Rassurés, ils enjambèrent le lit et coururent retrouver Flint qui était allé s'asseoir, pensif, sur l'un des canapés du salon. Il semblait exténué par sa transformation.

— En quoi le fait de peindre les murs empêche que ce malade mental n'entre ici ?

— Cela aurait dû, grommela Flint en se massant le visage, ce qui le rendait curieusement vulnérable après sa flamboyante démonstration de force. J'ai enduit les murs de Brume. Elle obéit à ma volonté, comme mon corps. Elle me sert aussi d'avertisseur, ou pour retenir dehors les gens que je n'ai pas envie de voir entrer. Il doit y avoir des endroits où elle a disparu. Je vérifierai demain.

Jeremy se raidit. Son esprit soupçonneux lui souffla que si l'on pouvait empêcher les gens d'entrer, on pouvait donc aussi les empêcher de sortir... Il enregistra l'information dans un coin de sa tête. Pendant qu'il réfléchissait, Flint se mit à rétrécir jusqu'à redevenir « normal », pour autant que l'Ange bleu le fût.

— Pourquoi ce Rouge vous en veut à ce point ? leur demanda-t-il, soudain curieux.

— Alors là, aucune idée, répondit Jeremy. Tout ce que je sais de lui c'est qu'il nous a tués.

— Apparemment, il a vraiment très envie de recommencer, commenta Allison d'une voix encore tremblante en ajustant le bout de tissu déchiré sur son corps pour former une sorte de minirobe.

— Oui. C'est bizarre. Et d'ailleurs, Flint, j'y pense, vous avez employé une méthode très particulière pour faire disparaître l'Ange rouge qui torturait ma demi-sœur. Vous n'avez utilisé ni épée, ni fusil, ni aucune arme, comme si c'était inutile. Pourtant l'Ange tueur nous a agressés avec un sabre et paraissait déterminé à nous couper en morceaux. Aurait-il pu y arriver ? Aurait-il pu nous tuer, une nouvelle fois, de cette façon ? s'enquit Jeremy.

Flint plissa les yeux. Puis lâcha une réponse sibylline.

— Oui et non.

Et ajouta d'un air dédaigneux :

— C'est un jeune Ange. Les jeunes Anges font n'importe quoi.

Allison et Jeremy attendirent patiemment que le vieil Ange se décide à éclairer leur lanterne. Au bout d'une minute, alors que Flint paraissait sur le point de s'asseoir, Allison craqua la première.

— Comment ça « oui et non » ? C'est oui ou c'est non ?

Flint sortit de sa torpeur avec un petit sursaut.

— Quoi ? Ah, oui, pardon, je suis épuisé, tant d'énergie dépensée en si peu de temps, ce n'est pas très bon. Oui, il aurait pu vous découper en morceaux, ce qui vous aurait causé une immense douleur, et non, il n'aurait pas pu vous tuer. Il suffit que de la Brume vous touche et vous vous reconstituez.

Jeremy et Allison échangèrent des regards interrogateurs.

— Donc, articula Jeremy, lorsque nous nous nourrissons, en fait, nous n'avons pas besoin de « manger » la Brume. Il nous suffit d'être en contact avec elle et c'est suffisant. C'est ça ?

— Suffisant, mais nettement moins agréable, confirma Flint avec un sourire las, et hors de portée des jeunes Anges, du moins au début. Regardez.

Il se décala sur le canapé et Jeremy et Allison eurent un petit hoquet de stupéfaction. Le canapé était clairement marqué en creux par la forme d'un corps. Pendant qu'ils parlaient, Flint avait commencé à se régénérer en absorbant la Brume de l'objet. Par toutes les parties de son corps...

Jeremy avait vu suffisamment d'émissions traitant de la division cellulaire pour poser la question suivante :

— Que se passe-t-il si ce dingue me coupe la tête ? Mon corps repoussera à partir de ma tête, c'est ça ? Et mon corps ? Il lui poussera une tête ? Je serai... double ?

— Non. Le morceau ne peut se régénérer tout seul, il lui faut la volonté consciente de la tête. Ne me demandez pas comment cela fonctionne, il faudra poser la question à nos amis les physiciens. Ils parlent de causalité, de liens dans la matière, d'attraction des cellules. Moi, je constate simplement les faits. En revanche, les Anges peuvent se réparer en recollant leurs membres ou, de même qu'un lézard ou qu'une pieuvre, les faire repousser.

Allison qui, lorsqu'elle avait une idée derrière la tête ne l'abandonnait jamais, revint vers ce qui la préoccupait, à savoir la vision horrifique de son propre corps parsemant le trottoir façon steak haché.

— Donc si je comprends bien, il suffit d'embarquer la tête pour empêcher le reste du corps de se régénérer ?

Flint eut l'air embarrassé.

— Pas tout à fait et, oui, en même temps...

Allison grimaça, elle détestait lorsque les gens n'étaient pas clairs.

— Si la tête n'a pas accès à de la Brume, elle n'aura pas assez d'énergie pour faire repousser le corps. Donc, s'il veut l'en empêcher, le tueur devra se débrouiller pour emporter très vite la tête avec lui et la déposer dans un endroit où jamais personne ne pourra la retrouver. Ces endroits sont de moins en moins nombreux dans le monde. Même au milieu des plus profonds déserts, en Arctique ou en Antarctique, il y a des foreurs pour le pétrole, des chasseurs, des voyageurs, des explorateurs... Les frontières sans aucune Brume reculent sans cesse.

Allison passa du steak haché au poisson tranché menu :

— Et le fond des océans ? Il n'y a vraiment personne au fond, non ?

— Dans les abysses, oui, ce serait possible, mais là encore, l'homme y envoie des machines de plus en plus sophistiquées et, un jour, il ira lui aussi. Dès que la tête aura de la Brume à disposition, elle commencera à se régénérer. Certains d'entre nous, les plus anciens, disent qu'il serait même possible d'utiliser l'énergie des animaux, ou même simplement de toute cellule vivante, or, jusqu'à présent, aucun Ange n'en a été capable. Bref : si la tête ne peut consommer de Brume, il se passera ce qui se passe toujours lorsqu'un Ange cesse de s'alimenter. La tête et le corps disparaîtront.

Flint grimaça et attrapa à regret un verre en Brume qui commença à se dissoudre dans sa main, lui procurant de la force.

— Merde ! grogna-t-il, ce service m'a coûté une fortune ! Et si je continue à me nourrir du canapé, ça va me coûter encore plus cher !

Une question taraudait Jeremy.

— À votre avis, Flint, comment le tueur nous a-t-il retrouvés ?

Le vieil Ange plissa le front. On voyait qu'il s'était aussi posé cette question et qu'elle semblait le gêner.

— Aucune idée, bougonna-t-il, mais c'était la partie la plus facile pour lui, des tas d'Anges rouges savent où j'habite. L'un d'eux a pu le renseigner, ce n'est pas un secret.

Soudain très inquiets, ils se regardèrent tous les trois en silence.

— Peut-être que c'est la façon qu'ont trouvée les Anges rouges de nous déclarer la guerre un peu plus tôt que prévu, finit par murmurer Flint. Et cela signifie donc une chose : vous n'êtes pas en sécurité tout seuls. Vous allez devoir rester avec moi. Sous ma protection. Ici !

Allison et Jeremy ruminaient ce que venait d'annoncer Flint. Assise dans un fauteuil moelleux, la jeune fille observait Jeremy depuis quelques minutes. Elle avait eu raison de le repousser, puisque cela leur avait sauvé la v… sauvé la peau. Et, en même temps, elle regrettait de l'avoir fait. Allison ne pouvait pas se raconter d'histoires : elle était attirée par lui.

Sauf que cela n'était pas possible. Personne ne tombait amoureux en quelques heures ! Si ?

Cela dit, elle n'était plus à une incohérence près dans ce nouvel univers…

Autre chose la préoccupait : sa fascination pour Flint. L'Ange bleu semblait tellement puissant. Elle ressentait cette attraction, comme s'il était un four brûlant et qu'elle ne pouvait s'empêcher d'avancer la main. Or, jusqu'à présent, elle n'avait jamais été subjuguée par quelqu'un. Bien sûr, comme toutes les filles de son âge, elle avait des chanteurs, des acteurs et des écrivains préférés, mais pas au point de camper sur le trottoir pour un concert ou une dédicace, ou même de rester des heures devant un hôtel dans l'espoir d'apercevoir quelques secondes une star. Enfin… elle l'avait déjà fait une fois pour un acteur, mais considérait cela comme une sorte de secret inavouable. Et pourtant, ce qu'elle avait ressenti était exactement ce qu'elle éprouvait maintenant face à Flint. Une espèce d'adoration confuse qui lui mettait le rouge aux joues. Elle se doutait bien que cela n'avait rien à voir avec la vague de désir qui l'avait envahie avec Jeremy, elle demeurait néanmoins troublée.

Passé le choc de l'agression, elle ressentait désormais une incroyable envie de dormir. Jeremy lui avait expliqué que les Anges ne se reposaient pas autant que les vivants. Pourquoi alors cet irrésistible besoin de se coucher ?

Soudain la voix de Jeremy la réveilla totalement. Plus précisément, son ton.

— Le tueur était complètement rouge. Et il s'est fabriqué un sabre de Brume.

Flint se redressa lui aussi, en alerte.

— Comment ? Qu'est-ce que tu viens de dire ?

— Tu m'as expliqué que nous, les Nouveaux, nous nous colorons en fonction de ce que nous sommes. Lors de leur passage, ceux qui penchent vers les sentiments négatifs se teintent de rouge, mais pas totalement, et ceux qui sont attirés par les sentiments positifs sont colorés de bleu. Comme moi ou comme Allison... Or le tueur, lui, était rouge des pieds à la tête !

— Et tu racontes qu'il s'est fabriqué un sabre ?

— Oui.

— Impossible !

Jeremy haussa les épaules.

— Tu sais, j'ai appris à revoir le sens de ce mot depuis que je suis arrivé ici.

Flint réfléchit un instant puis se leva avec grâce malgré son extrême fatigue.

— Écoutez, il faut que je récupère de mes efforts, sinon je ne vais être bon à rien. On se retrouve dans six heures pour le petit déjeuner et, ensuite, on réfléchit à tout ça, d'accord ? En attendant, un bon conseil : ne sortez pas. Je ne peux pas, et surtout ne veux pas, vous en empêcher, mais il me sera difficile de vous protéger si vous partez vous balader sans moi...

Depuis quelques heures, Allison avait eu suffisamment peur pour refuser d'aller où que ce soit. Avec ou sans Flint d'ailleurs. Le vieil Ange les salua et quitta le vaste salon d'un pas fatigué, les laissant enfin seuls. Tout ce remue-ménage n'avait pas réveillé Lili. L'appartement était immense et elle dormait à l'autre bout, ce n'était donc pas étonnant.

L'air absent, Jeremy marmonnait des phrases desquelles s'échappaient quelques mots comme « langue », « sabre », « rouge ». Il était inquiet de constater que le vieil Ange bleu avait l'air épuisé. Ce n'était pas normal. Lorsqu'ils étaient allés se coucher en début de soirée, Flint avait l'air certes fatigué, mais pas à ce point…

Allison agita la main devant lui.

— Tu n'as pas entendu un mot de ce que je viens de te dire, n'est-ce pas ?

Jeremy la regarda, confus.

— Désolé, j'essayais de comprendre pourquoi le tueur n'avait pas régénéré sa langue s'il est capable de se forger un sabre de Brume… Après tout, j'ai été décapité, mais je ne suis pas arrivé ici la tête sous le bras !

L'image un peu ridicule fit pourtant frissonner Allison. Elle haussa les épaules, ce qui donna un joli mouvement à sa poitrine, rallumant sur-le-champ le désir de Jeremy.

— Je n'en sais rien, je suis vraiment crevée, Jeremy. Je te demandais si je pouvais dormir avec toi, dans ta chambre, vu que le tueur a détruit la mienne.

Jeremy eut soudain l'air heureux d'un chat qui vient de mettre la patte sur une souris appétissante. Allison le menaça aussitôt du doigt :

— Non, non, hors de question ! J'ai eu assez d'émotions comme ça.

Voyant que le jeune homme ne perdait pas son sourire charmeur, elle crut bon d'insister.

— Vraiment, Jeremy. Tu me plais, c'est vrai. Je te trouve craquant et très beau (cool, elle n'avait pas dit « mignon ». Jeremy aurait eu horreur qu'elle le trouve « mignon », comme ce Marc, son rendez-vous d'un soir...). Mais je ne suis pas prête, tu comprends ? Pas encore. Tout ça, ce qui m'est arrivé, c'est... c'est vraiment... lourd à digérer. Et... et je voulais m'excuser. Je suis désolée de t'avoir repoussé comme ça. Je... je n'aurais pas dû répondre à ton baiser. Ce n'est pas bien.

Jeremy agita une main apaisante.

— Tu as bien fait, tu m'as évité de me retrouver découpé en petits morceaux. Tu les imagines courir un peu partout dans la pièce pour se recoller les uns aux autres ?

Cela fit rire Allison. Jeremy soupira intérieurement, veillant à ne pas montrer sa déception à la jeune fille. Et regretta, pour la millième fois, de ne pas pouvoir prendre de douche froide.

— Et, bien évidemment, Allison, je serai sage, même si tu me rends dingue !

Elle rougit. Mais il ne regretta pas sa déclaration. Parce que la jeune fille le rendait effectivement dingue de désir.

— Ne t'inquiète pas, tu peux me faire confiance. Viens...

Péniblement, il se leva de son fauteuil, grimaçant lorsque ses muscles protestèrent, encore engorgés par la peur et l'adrénaline. Il n'arrivait toujours pas à comprendre pourquoi son corps réagissait comme s'il était encore vivant. Mais en raison de l'élan incroyable qu'il ressentait pour Allison, il était reconnaissant envers Celui qui avait créé cet univers (qu'il existe ou non).

Il récupéra les oreillers dans la chambre d'Allison, sous les yeux étonnés de la jeune fille qui se demandait bien ce qu'il voulait en faire. Elle ne comprit que lorsqu'il les plaça au centre de son lit, traçant ainsi (à regret) une frontière entre eux pour la nuit. Elle sourit : Jeremy était vraiment un garçon surprenant.

Elle garda (hélas pour les yeux du jeune homme) la courte robe qu'elle s'était faite avec le drap déchiré et il conserva sagement le caleçon confectionné par Lili. Il aurait bien réclamé un baiser avant de s'endormir (dans l'espoir d'obtenir plus, les Anges aussi ont le droit de rêver, non ?), mais Allison sombra dans le sommeil, à peine la tête sur l'oreiller de Brume et de plumes. Ces dernières durent sûrement influencer Jeremy, car il rêva d'Anges dorés et d'Anges rouges impitoyables s'affrontant au cours d'une terrible guerre. Ces visions le troublèrent, parce qu'à aucun moment il n'avait jusqu'à présent rencontré d'Anges dorés. Même lorsque Flint et Lili avaient déployé leurs ailes d'or et d'argent, leur peau était restée bleue. Il ouvrit les yeux, angoissé. À côté de lui, Allison dormait. Elle était si jolie... Comme il l'avait fait durant tout le temps où il était mort et elle vivante, il la contempla. Elle poussa soudain un léger grognement, ce qui dissipa un peu l'image romantique qu'il avait d'elle et il dut réprimer un rire. Il aurait bien voulu qu'elle s'éveille. Qu'elle lui parle. Qu'elle le touche. Oh oui, surtout qu'elle le touche ! Il respira profondément. Non, c'étaient des pensées dangereuses… surtout pour Allison. Il préféra lui tourner le dos et, afin de maîtriser son désir grandissant, focalisa son attention sur la vision du dingue avec son sabre écarlate. En vain. Jeremy ne trouvait pas le sommeil. Il ne pouvait s'empêcher de remplacer le visage du tueur par celui d'Allison, de plonger dans ses yeux si bleus et de contempler cette bouche souriante qui lui murmurait qu'elle l'aimait et qu'elle ne voulait que lui… dans ses rêves.

Lorsqu'il se réveilla, Allison était penchée sur lui et lui souriait.

— Bonjour mon Ange, murmura-t-il en mettant dans sa voix toute l'intensité de son désir.

Elle éclata de rire.

— Toi, tu sais parler aux filles dès le réveil ! Allez, fainéant, lève-toi ! Flint nous attend.

Elle était déjà habillée et portait une brassière et un short très court qui dévoilait ses longues jambes. Elle lui tendait un short plus grand et un tee-shirt. Noirs.

— Flint m'a donné ces vêtements. Il a supposé que tu ne voudrais pas remettre ton costume.

Cela acheva de réveiller Jeremy. Il fronça les sourcils.

— Flint nous a fait des vêtements… Mais tu es debout depuis longtemps ? Pourquoi tu ne m'as pas réveillé ?

Le regard d'Allison se troubla.

— Je ne sais pas au juste. Je me suis levée parce que je voulais revoir ma chambre et comprendre un peu mieux ce qui s'était passé hier soir avec le tueur. La robe de soirée que Flint m'avait fabriquée était encore là, je l'ai enfilée, mais elle n'était pas super pratique. Puis Flint est arrivé. Il a transformé la robe *sur* moi et il a utilisé la Brume d'un coussin pour fabriquer ce short et ce tee-shirt.

Son expression se fit songeuse.

— J'ai vraiment hâte de maîtriser ce pouvoir parce que c'est un peu agaçant de devoir dépendre des autres... Ensuite, Flint et moi avons discuté pendant qu'il préparait le petit déjeuner. Ah ! et il a trouvé l'endroit où la Brume avait effectivement disparu sur un mur ! C'est par là que le tueur est entré. Flint a réparé la brèche. Ensuite Lili est arrivée, elle voulait venir te réveiller, mais j'ai dit que j'allais le faire et voilà, je suis là.

Elle ne précisa pas qu'elle s'était dépêchée de le rejoindre parce qu'elle devinait très bien comment Lili avait l'intention de réveiller Jeremy, et qu'elle avait décidé (très paradoxalement vu qu'elle l'avait repoussé) que Jeremy était à elle. Point.

La jeune fille ne voulait pas s'interroger sur ce que lui inspirait Jeremy. Entre l'inquiétude qu'elle ne pouvait s'empêcher de ressentir lorsque Flint braquait sur elle son regard brûlant et la passion tout aussi brûlante du jeune Ange, elle aurait pourtant dû être flattée... Alors pourquoi se sentait-elle si misérable ? Bon, à part le fait qu'elle s'était fait assassiner quelques heures plus tôt bien sûr. Elle chassa toutes ces pensées de son esprit. Pour l'instant, Jeremy et elle devaient survivre. Savoir qui aimer ou pas viendrait après... ou pas.

Allison posa les vêtements sur le lit, tandis que Jeremy digérait ce qu'elle venait de lui raconter. Il n'aimait pas du tout ce « j'ai perdu la notion du temps ». Flint avait-il de nouveau embrumé l'esprit d'Allison ? Il ne fit pas part de ses soupçons à la jeune fille. Il se leva, oubliant comme d'habitude qu'il était nu, et Allison, effarouchée, sortit de la chambre à toute vitesse. Il leva les yeux au ciel. Dans ce monde, elle allait devoir laisser sa pudeur de côté à un moment ou à un autre. Des millions d'Anges déambulaient la plupart du temps dans le plus simple appareil. Et puis, surtout, il aurait bien aimé qu'elle le laisse l'embrasser.

Soudain, alors qu'il allait enfiler le tee-shirt noir bien coupé, il se figea.

Un éclat doré scintillait sur son corps. L'espace d'un instant, il crut qu'il s'agissait d'une réverbération quelconque, mais non. Cela venait bien de lui. De son nombril plus précisément.

Il brillait comme une pièce d'or.

Jeremy avala péniblement sa salive, terrifié. Qu'allait-il se produire maintenant ? Allait-il se transformer en statue dorée ? Au toucher, sa peau semblait exactement la même, souple et tiède. Il prit une prudente respiration. Non, la tache ne s'étendait pas, il ne se passait rien. Bon. Enfin... pas bon du tout, mais pour l'instant, il allait garder secrète cette étrange transformation. Il ne parvenait pas à se défaire de cette impression que Flint attendait quelque chose de lui, et vu l'attirance du vieil Ange pour Allison, ce n'était clairement pas pour mettre Jeremy dans son lit. Tant qu'il ne saurait pas ce que Flint lui voulait, leur voulait, il ne lui ferait pas confiance.

Le jeune homme termina de s'habiller, le cœur serré. Lorsqu'il entra dans la luxueuse salle à manger, il prit de plein fouet l'incroyable beauté de Lili. C'était assez déstabilisant, dès le petit déjeuner... Les seins sublimes de l'Ange suffirent à chasser de son esprit l'image de son nombril. Ce n'était pas tant ce corps parfait, ce visage incandescent ou cette bouche à damner un saint, non, c'était la puissance de sa personnalité. Il émanait d'elle, comme de Flint, un charisme qui le saisissait à la gorge et l'empêchait de penser. Pourtant, après sa nuit avec Allison, il croyait être vacciné.

Rien du tout.

Un peu fébrile, il la salua et s'assit. Regarder Lili, c'était comme s'abreuver directement à la source de la beauté. Comme si, à l'instar de la Brume, sa perfection pouvait à elle seule nourrir, remplir les gens. Allison le voyant hypnotisé lui donna un petit coup de coude dans les côtes et Jeremy sortit de sa transe. Il croisa alors le regard d'Allison mais n'y lut aucun reproche. Juste une immense compréhension.

Ce matin, Flint avait créé ce qui ressemblait sacrément à des croissants au beurre, même s'il n'y avait, cette fois-ci, aucun breuvage pour les accompagner. Jeremy en goûta un et la Brume fondit dans sa bouche. Après l'extase et la joie, les saveurs explosèrent. Oui, une saveur de croissant, mais aussi du meilleur des beurres, du plus parfait des miels pour l'accompagner, avec, derrière, un goût de café si parfumé qu'il en frissonna. Il se demanda comment Flint avait fait pour arriver à un tel résultat. En vampirisant un maître boulanger ?

Passé ce moment de stupeur, il se jeta comme Allison sur la nourriture. Les deux vieux Anges avaient déjà pu discuter de l'attaque du tueur, mais ils refusèrent d'en parler avec Allison et Jeremy tant qu'ils n'eurent pas terminé leur petit déjeuner.

Une fois l'estomac plein, Lili se lança la première.

— Ce qui s'est passé cette nuit est très curieux... (devant la mine soudain ironique des deux jeunes Anges, elle émit un petit rire), enfin... encore plus curieux que ce qui l'est déjà dans cet univers. Cet Ange rouge semble mener une sorte de vendetta contre vous au point de venir vous défier dans la demeure d'un vieil Ange, ce qui ne se fait jamais. Nous allons donc le retrouver et lui faire regretter son geste...

Elle termina dans un murmure :

— ... amèrement.

Son sourire devint cruel et les deux jeunes Anges déglutirent avec un bel ensemble.

— Ce ne sera pas utile, précisa Jeremy en regardant Allison. Nous allons disparaître.

Lili et Flint se figèrent. Ce fut impressionnant, un peu comme s'ils avaient cessé de respirer, d'exister, et s'étaient transformés en statues de pierre. Leur charisme avait disparu. Était-ce ainsi que les vieux Anges exprimaient leur surprise ?

Puis Flint se reprit et Lili posa une main sur la table. Jeremy fut presque étonné qu'ils ne se craquellent pas tous les deux.

— Disparaître ?

— Oui, votre hospitalité est merveilleuse, mais le tueur connaît cette adresse et je ne veux pas vous mettre en danger. Si Allison et moi nous fondons dans la foule ou même si nous partons dans une autre ville, il ne pourra jamais nous retrouver. Il y a des milliers d'endroits où nous pourrons vivre en paix. Je n'ai pas beaucoup voyagé, trop obsédé que j'étais à devenir le roi de la finance, j'aimerais beaucoup visiter ma planète maintenant que je n'y habite plus de mon vivant…

Même s'il s'agissait d'un prétexte pour s'en aller, Jeremy aspirait réellement à recouvrer un peu de calme. Et à approfondir sa relation avec Allison. Il n'avait pas trouvé l'amour de son vivant, hors de question qu'il le perde dans l'au-delà. Jamais de sa vie il n'avait ressenti ce qu'il ressentait pour Allison. Il voulait la rendre heureuse, la protéger et lui faire l'amour pendant l'éternité, à l'abri des regards. Il avait bien conscience qu'il était en train de devenir aussi obsédé par Allison qu'il l'avait été par sa quête du pouvoir, mais tant pis. Et puis, conquérir l'amour lui semblait tout de même autrement plus noble que d'essayer de gagner une montagne d'argent. Sauf que, s'il avait expliqué son plan à la jeune fille avant de l'annoncer ainsi à Flint et Lili, cela aurait été nettement plus intelligent…

Énervée, celle-ci venait de croiser les bras. Et d'où Jeremy pensait qu'il pouvait parler en son nom ?

— Mais je ne veux pas disparaître, moi ! s'écria-t-elle, agacée. J'ai une mission à accomplir. Je dois obliger Ventousi à mettre le médicament sur le marché, sauver des milliers de vies… Et j'ai besoin de Flint pour y arriver ! (Le vieil Ange affecta un air satisfait.) Je ne sais même pas me créer des vêtements ! Je vais faire une jolie vengeresse, les fesses à l'air…

Elle crachait comme une chatte en colère et Jeremy réalisa un peu tard qu'il avait pris ses désirs pour la réalité.

— Ce que je voulais dire, tenta-t-il pour se rattraper, c'est que nous pouvons toujours revenir ici ou nous voir au *Rose's & Blues* sans mettre en danger nos amis.

Il tenait à éloigner Allison de l'influence de Flint. La jeune fille ne l'aidait pas des masses…

Flint eut un sourire moqueur, comme s'il lisait dans les pensées de Jeremy.

— Ma maison est votre maison, dit-il d'une voix posée. Si vous voulez rester, vous êtes les bienvenus. Je vais aider Allison dans sa noble quête. Et si vous préférez vivre ailleurs, je vous aiderai quand même. Rester ici n'est en aucun cas une condition pour obtenir mon soutien, que cela soit bien clair entre nous.

Il marqua une pause, tandis que Jeremy se sentait mal à l'aise devant tant de mansuétude.

C'est alors que Lili intervint. Et ce qu'elle dit fut vraiment étrange.

— Mais Flint, s'ils s'en vont, il faut leur parler des *Chimères* !

Le vieil Ange fit la grimace.

— Non, inutile, ils ont moins de 0,000005 % de malchance de tomber sur une Chimère.

Il paraissait assez ennuyé que Lili ait mentionné ces créatures. Jeremy savait pourtant bien ce qu'était la Chimère, bête mythologique à corps de chèvre, tête de lion et queue de serpent, mais ne voyait pas du tout ce qu'elle venait faire dans l'au-delà. D'autant qu'ici, il n'y avait pas d'animaux…

— Des quoi ? s'exclama-t-il peu subtilement.

Flint soupira.

— C'est un aspect de notre monde qui demeure… secret. Les humains ont assez vécu dans la peur, de la mort, de la maladie, de la perte de l'être aimé, etc., pour avoir à s'inquiéter à nouveau une fois « passés ».

Lili l'interrompit, son ton était ferme.

— Hors de question de les laisser sortir sans leur en parler, Flint. Si tu ne le fais pas, moi je le ferai !

Flint grimaça puis rendit les armes devant l'obstination de Lili.

— Très bien, très bien. Lili a raison, hum... Si vous avez le malheur de croiser un jour une Chimère, il faudra bien que vous puissiez vous protéger... Nous allons vous en parler. Non, mieux, vous allez en voir... Un défi est d'ailleurs prévu pour ce soir !

Jeremy et Allison se regardèrent, perdus. Jeremy avait d'un seul coup l'impression de se retrouver dans *Fight Club*... Mais, en dépit des questions pressantes des deux jeunes Anges, Flint refusa d'en dire plus. Il ne pouvait pas les accompagner dans leur traque de Ventousi, car il avait des affaires à régler. Ils convinrent donc de se retrouver « là-bas ».

Cela étant, Flint n'avait pas pris l'agression de Jeremy et Allison à la légère. Les deux jeunes Anges reçurent donc l'autorisation de sortir, mais escortés par Lili que cela semblait amuser de jouer les gardes du corps. La somptueuse Ange rousse se confectionna deux sabres, plusieurs couteaux, un minishort à la Lara Croft, qui eut pour effet de couper le souffle de Jeremy pendant une bonne minute, de courtes bottes noires aux bouts d'acier, tressa ses cheveux en une lourde natte et se déclara prête. Un vrai fantasme de motard.

Lili avait l'air insouciante, ce qui agaça particulièrement Allison qui se sentait investie d'une véritable mission. Sous l'impulsion énergique de la jeune fille blonde qui avait l'impression de reprendre le contrôle de sa vie (enfin... façon de parler), ils commencèrent leurs recherches sur Arthur Ventousi. Grâce à sa précédente recherche sur Internet, Allison connaissait bien sûr son adresse personnelle mais elle voulait l'espionner dans son cadre professionnel. Elle espérait qu'il évoquerait une nouvelle fois l'existence de sa formule contre le cancer.

Lili proposa qu'ils s'y rendent en volant mais Allison refusa avec fermeté. Elle n'aimait ni être portée ni voler. Du tout. Cela dit, se déplacer à l'aide des véhicules des vivants ne fut pas une partie de plaisir : Allison avait énormément de mal à se dématérialiser. Après avoir vu Jeremy plonger avec aisance dans une voiture, la jeune fille, qui avait heurté la portière avec violence et avait très mal, s'en plaignit auprès de Lili. Cette dernière en profita pour louer les capacités d'adaptation de Jeremy qui étaient, selon elle, à tous points de vue, exceptionnelles. Ces propos mirent Jeremy assez mal à l'aise. Il ne voulait pas être exceptionnel. Il voulait juste qu'Allison tombe amoureuse de lui ! Ah oui, et aussi qu'ils vivent heureux tous les deux pour l'éternité...

Pour la première étape de leur plan « anti-Ventousi », ils passèrent dans une pharmacie pour trouver les coordonnées des fameux laboratoires du même nom. Puis ils se rendirent jusqu'au centre de recherche, au sixième étage, là où le chercheur travaillait.

Allison se figea lorsqu'ils se retrouvèrent face à l'homme qui avait commandité leur assassinat. Arthur Ventousi ne portait pas sur son visage qu'il était un vrai salopard. Il était même plutôt élégant sous sa blouse blanche, à l'opposé de l'image qu'on pouvait se faire du chercheur fou. Mais la lueur qui luisait dans ses yeux marron ne trompait pas. Assurément cet homme avait fait une grande découverte. Et il brûlait de l'annoncer au monde entier. En échange d'une énorme rétribution.

— Alors c'est cette ordure qui nous a fait assassiner ? grogna Jeremy.

Il se rappela la scène où Allison avait raconté à Clark la manière dont elle avait appris les projets de Ventousi, et était curieux d'en apprendre plus. Il poursuivit :

— Au fait, je ne t'ai pas demandé, Allison. Comment as-tu découvert ses intentions ?

— Je donnais des cours particuliers à son fils Peter. Ce jour-là, j'attendais l'enfant dans la bibliothèque voisine du bureau de son père. La porte n'était pas fermée mais un meuble masquait ma présence. Arthur Ventousi ne pouvait donc pas me voir et je n'ai pas fait de bruit en m'installant, parce que j'avais peur de le déranger. Au bout de quelques minutes, il a parlé au téléphone de son médicament contre le cancer et du fait qu'il n'allait pas révéler la formule parce que ce n'était pas le bon moment. J'étais pétrifiée et horrifiée, je me persuadais d'avoir mal compris ses paroles. Lorsque Peter est enfin entré dans la pièce, il était content de me voir et s'est mis à me parler, je lui ai fait signe de se taire, mais c'était trop tard. Ventousi a dû se rendre compte à ce moment-là que j'avais entendu toute sa conversation. Il a réagi vraiment vite. Quelques jours plus tard, il faisait assassiner sa collaboratrice qui, je le suppose, savait qu'il avait découvert une nouvelle molécule. Puis toi. (Allison inspira profondément.) Puis moi...

Jeremy voulut la consoler :

— La police fera le lien avec lui, j'en suis sûr. Ventousi a été malin de nous supprimer d'une façon aussi spectaculaire, il met ainsi les enquêteurs sur la piste d'un tueur en série. Mais je suis persuadé que les inspecteurs vont vite faire le lien entre son fils Peter, qui est dans la même classe que ma petite sœur, toi, moi et sa collaboratrice !

— Non, répliqua vivement Allison. Entre toi et la chercheuse, c'est évident, puisque vous avez été tués de la même façon. Mais lorsque la police enquêtera sur ma mort, il n'y aura aucune trace de transaction entre Ventousi et moi : il me payait en liquide. Et ce n'était que le second cours que je donnais à Peter. Je n'en ai parlé à personne. Même Mme March, l'institutrice de l'école, ne le savait pas. Et puis, de toutes les façons, les enfants ne seront pas interrogés. Les flics vont juste poser les questions habituelles : « Avez-vous vu quelque chose de bizarre ? Des gens qui rôdaient ? » Et je te parie un million de dollars que Ventousi a dû dire à son fils de ne pas mentionner ma présence chez lui. Personne ne trouvera rien.

Alors qu'ils discutaient, Arthur Ventousi prit un portable dans la poche intérieure de sa veste sous sa blouse et composa un numéro tout en râlant :

— Putain, Khan, réponds ! Qu'est-ce que tu fous, imbécile ! Tu devais gentiment m'organiser ces crimes et voilà que tu disparais !

À ces mots, Jeremy, Allison et Lili accusèrent le coup quelques secondes. Puis, l'incandescente Ange rousse ricana et frôla la main d'Allison.

— Mes Angelots, le meurtrier est tout à vous ! Grâce à mon aide, vous allez pouvoir le lui faire payer !

13

Le goût du sang

Bouillonnant de rage, Jeremy réprima pourtant l'envie féroce de resserrer ses mains autour du cou de Ventousi. Quant à Allison, elle tourna patiemment autour de l'homme comme un requin prêt à dévorer sa proie. Puis, de manière tout à fait inattendue, elle se jeta sur l'assassin qu'elle bourra de coups en hurlant des injures. Jeremy eut l'horrible impression de revoir son père à son enterrement. Cette fureur incontrôlable. Il se précipita et attrapa la jeune fille.

— Là là, fit-il doucement alors qu'elle résistait avec une force surprenante, calme-toi, respire, cela ne sert à rien !

L'espace d'un instant, il eut l'impression que les yeux de la jeune fille viraient au rouge. Cessant enfin de se débattre, Allison éclata en sanglots dans ses bras. Ému, il la serra fort contre lui. Lili se rapprocha et les entoura de son étreinte, quasi maternelle. Pour la première fois, Jeremy ne fut pas emporté par son désir pour l'Ange rousse, trop préoccupé par la détresse d'Allison.

Après quelques minutes, celle-ci finit par se dégager, accepta le mouchoir que lui tendait Lili et essuya ses larmes. Elle tourna le dos à leur assassin afin de résister à la tentation de lui sauter dessus à nouveau.

— Lili, dit-elle d'une voix encore brisée par l'émotion, si vous parliez à Ventousi, vous pensez qu'il vous écouterait ? Qu'il vous obéirait ?

— Ma chère, nous allons voir cela tout de suite !

L'Ange rousse se pencha alors à l'oreille du chercheur et susurra :

— Tu as une énorme envie de dormir. Tu te sens très fatigué et tant pis si les autres te voient dormir, tu t'en fiches, la fatigue est trop grande avec tout ce que tu as à gérer.

Tendus, ils dévisagèrent Ventousi, mais celui-ci ne broncha pas, trop occupé à essayer de joindre son tueur.

— Ça ne marche pas très bien votre truc, lâcha Allison, dédaigneuse.

Lili lui jeta un regard froid puis, sans crier gare, franchit le mur à demi vitré qui les séparait d'une autre partie du laboratoire. Elle murmura à l'oreille d'un homme qui regardait dans un microscope et, au bout de quelques secondes, il se mit à bâiller, puis décala sa chaise, posa ses bras sur la table et piqua un petit somme. Jeremy songea soudain que si les Anges rouges s'amusaient à faire le coup à des automobilistes, il comprenait à présent pourquoi il était aussi difficile de lutter contre les accidents de la route.

Lili revint dans le bureau, ses yeux verts brillaient de satisfaction.

— Alors ?

Allison l'admit de mauvaise grâce.

— Ça fonctionne sur lui, mais pas sur Ventousi...

Impuissante, Lili esquissa une petite grimace.

— Je suis désolée. Nous pensions sincèrement pouvoir vous aider, Jeremy et Allison, car notre pouvoir peut réellement influencer un vivant, mais, face à un tel monceau de cupidité, de peur et d'avidité... Je reconnais que cela ne marche pas. Il ne m'entend pas. Il ne m'écoute pas, il est bien trop préoccupé par ses soucis et sa fortune. Il faudrait être un Rouge très puissant pour pouvoir le manipuler et encore !

Allison releva brutalement la tête.

— Pourquoi un Rouge plutôt qu'un Bleu ? Je croyais que c'était la même chose ?!

Oui, Jeremy aussi d'ailleurs. Surtout après avoir vu les deux vieux Anges bleus souffler comme une bougie l'Ange rouge qui torturait sa sœur.

La grimace de Lili s'accentua.

— Malheureusement, ce n'est pas tout à fait exact. Plus il y a de sentiments négatifs et plus ils sont puissants, plus les Anges rouges peuvent s'en nourrir et donc devenir puissants eux aussi. Certains vieux Anges rouges sont absolument terrifiants. Vous allez pouvoir le constater ce soir lors du duel.

Jeremy frémit en pensant à ce qui les attendait, d'autant que le mot « Chimère » renfermait une connotation un peu trop mythologique à son goût. Les Anges avaient-ils réussi à recréer et organiser des sortes de... jeux du cirque ? Avec des gladiateurs ? Et des créatures terrifiantes ?

Mais, pour l'instant, seule l'inquiétait Allison. Son obsession était en train de se développer. Hors de question de la laisser devenir un Esprit Frappeur.

Il la prit par la main. Elle tressaillit. Cela lui fit de la peine. Qu'il tenta de masquer soigneusement. Mais le regard vert de Lili se posa sur lui, interrogateur. Elle aussi se faisait du souci pour Allison, il le voyait.

Pendant le reste de la journée, portés par l'obsession vengeresse d'Allison, ils espionnèrent Ventousi et le suivirent à son domicile en fin de journée. Allison gémit lorsqu'elle vit Peter, le fils de l'assassin, se précipiter dans les bras de son père, les yeux encore rouges d'avoir pleuré la mort de la jeune fille qui venait de lui être annoncée, avec ménagement, à l'école. Lili la tenait par la main, mais Allison faillit basculer dans la folie lorsque Ventousi s'occupa de son fils avec tendresse, essayant d'adoucir sa tristesse.

— Elle est au paradis mon cœur, dit gentiment l'homme en resserrant son étreinte, elle n'a pas souffert et maintenant elle veille sur toi, comme un Ange. Je sais qu'elle t'aimait beaucoup, je l'ai remarqué tout de suite. Je suis sûr que tu vas lui manquer autant qu'elle te manque.

Ainsi les monstres aussi pouvaient aimer. Cela surprit Jeremy qui avait l'impression que Ventousi n'avait pas le droit d'être ce père affectueux et attentif. Mais Allison, elle, n'y vit qu'hypocrisie et mensonge en dépit de la Brume bleue qui émanait de l'homme.

Peter n'avait que dix ans, mais il regardait déjà beaucoup la télévision en l'absence de son père. Involontairement, il lui livra une information capitale :

— C'est le même assassin, papa, celui qui a tué une femme et un homme avec un sabre, mais Allison s'est battue ! Elle a réussi à le tuer avant de mourir !

Arthur fut parcouru d'un frisson.

— Quoi ? Qu'est-ce que tu viens de dire ?

— Les policiers qui sont venus nous parler à l'école, ils n'ont pas voulu nous dire ce qui s'était passé. Il y a eu des reportages à la télé. Je les ai vus en rentrant à midi. Ils disent qu'en se défendant, elle l'a électrocuté. Bien fait pour lui !

La Brume marron foncé qui s'élevait désormais du chercheur révélait sa peur. Il consola son fils de son mieux, pourtant son esprit était visiblement ailleurs, imaginant tous les scénarios au fur et à mesure que la vapeur montait vers le plafond du salon.

Soudain, prétextant une vague urgence, il laissa son fils seul à la maison et sauta dans sa voiture. Lili, plus rapide, le suivit à tire d'aile tandis que Jeremy et Allison restaient auprès de Peter. Ventousi revint une demi-heure plus tard.

— Il vient de jeter son portable prépayé dans le fleuve, leur dit Lili, un peu essouflée. Il se débarrasse de tous les liens qu'il avait avec Khan !

À cette nouvelle, le son qu'émit Allison ressembla presque à un grognement. Silencieux, Jeremy songea que si la jeune fille avait exhalé de la Brume, comme les vivants, à ce moment, celle-ci n'aurait pas été d'une très jolie couleur... Elle n'avait jamais tenté de rentrer chez elle, de prendre des nouvelles de Clark, ou de son petit chien. Cela ne ressemblait pas du tout à l'Allison qu'il croyait connaître. Celle-ci lui paraissait maintenant froide et dure. En dépit de ses bonnes résolutions, elle n'avait pu s'empêcher de rôder autour de Ventousi tout l'après-midi, comme un fauve, crachant des insultes, cherchant dans son cerveau fébrile comment parvenir à lui nuire.

À le tuer ?

Jeremy devina qu'Allison éprouvait exactement la même chose que lui. Ce sentiment d'impuissance. Cette certitude de ne rien pouvoir faire. Il avait déjà vécu ça, par amour pour elle. Elle le vivait maintenant, mais son moteur à elle, c'était la haine. Dans les deux cas, le résultat était le même. Une obsession. Ce n'était pas bon, les Anges avaient raison. Parviendrait-il à rendre Allison suffisamment amoureuse pour lui faire abandonner ses projets de vengeance ?

Lili et Jeremy eurent beaucoup de mal, ils finirent néanmoins par arracher Allison à Ventousi. Une fois sortie de la propriété qui se trouvait un peu en dehors de New York, elle parut reprendre un temps ses esprits.

Mais ce fut pour agresser Lili.

— Vous ne voulez pas m'aider, j'ai bien compris ! Je jure que je vais trouver un moyen de rendre à ce monstre ce qu'il m'a… ce qu'il nous a fait. D'une façon ou d'une autre.

Lili haussa un sourcil et ses yeux verts fulgurèrent.

— Je n'ai pas dit que je ne voulais pas. J'ai dit que cela ne servirait à rien, je l'ai même prouvé, tu l'as constaté comme Jeremy. J'espère que tu comprends la nuance, petite Ange.

Allison lui jeta un regard noir et garda un silence maussade jusqu'à leur arrivée devant un grand amphithéâtre de Brume situé à l'intérieur d'un immense entrepôt. Ce qui étonna Jeremy puisque, jusqu'alors, les Anges créaient leurs lieux de rencontre dans des endroits où ils pouvaient prélever de la Brume. Or l'entrepôt se situait loin de toute habitation.

Le jeune homme soupira en entendant à l'intérieur les clameurs des Anges qui invectivaient des combattants. Oui, *Fight Club,* indéniablement. Ou l'arène, Rome et César, de la Brume et des jeux...

Grâce à Lili, ils purent y pénétrer, même si le vieil Ange mi-bleu, mi-rouge qui contrôlait l'entrée eut l'air très surpris de voir les deux Angelots.

— Tu sais ce que tu fais Lili ? grogna-t-il, menaçant. Ils sont bien excités là-dedans, ça fait des années que nous n'avions pas eu de duel et ces deux-là ressemblent sacrément à des casse-croûte...

— Je les protégerai Brent, pas de souci, répondit Lili avec légèreté. Flint est déjà arrivé ?

— Ouais, ce vieil enfoiré est déjà dans sa loge. Il t'attend.

Il posa son regard sur Allison et Jeremy et ajouta à leur intention :

— Faites gaffes à vos miches, les mômes ! Ne regardez pas les Anciens dans les yeux, ils considèrent cela comme un défi ici, et, croyez-moi, mieux vaut qu'ils ne vous remarquent pas !

La gorge serrée, Jeremy et Allison acquiescèrent. Oh, ils n'avaient pas, mais alors pas du tout, envie qu'on fasse attention à eux. Ils allaient s'employer à se faire tout petits et sans se faire prier !

Probablement influencé par le cinéma, Jeremy s'attendait à arriver dans un endroit glauque et crasseux, avec des gens surexcités et violents, et deux types en sang en train de se taper dessus, ou alors dans une arène, toujours avec les deux types, mais genre gladiateurs, essayant de se transpercer avec des épées et un trident. Sauf que, contrairement aux vivants, les vieux Anges n'avaient aucune raison d'organiser clandestinement des combats. Au vu et au su de tous, ils avaient donc investi cet entrepôt et les plus créatifs avaient sculpté la Brume jusqu'à la transformer en un somptueux amphithéâtre exclusivement composé de loges. De toutes les couleurs. Ce qui donnait une tonalité follement joyeuse à ce qui allait se révéler l'expérience la plus effrayante (en dehors de sa mort) qu'allait vivre Jeremy. Ce soir, beaucoup d'ailes bruissaient dans le public. Donc, logiquement, de très vieux Anges. Qui arboraient de profondes couleurs, bleues, violettes, rouges, bordeaux, preuve manifeste de leur puissance et de leur âge canonique. Au moins autant que de leur effrayant charisme. Certains cependant étaient totalement blancs, comme le grand chef du restaurant, annonçant ainsi la couleur de leur nourriture exclusive : la Brume du plaisir.

Soudain Lili passa un bras autour de la taille des Angelots et s'envola jusqu'à la loge de Flint. Allison n'avait même pas eu le temps de crier (bon, ce n'était pas comme s'ils avaient eu le choix, il n'y avait pas d'escalier et ils ne savaient pas voler...). La loge était luxueuse. Une alcôve tendue de velours bleu nuit, meublée de confortables fauteuils, et même de deux lits de repos qui firent rougir Allison. Un assortiment de Brume avait été disposé sur de petites tables basses afin de permettre à tous de se restaurer tout en assistant au spectacle. Lili et

Jeremy n'avaient pas mangé depuis le matin, trop occupés à surveiller Ventousi, et purent en profiter avec joie. Allison, elle, avait l'estomac encore tout retourné par ce vol pourtant très court. Un Ange qui souffrait de vertige, elle se trouvait vraiment ridicule !

Jetant enfin un coup d'œil dans l'arène, Jeremy découvrit qu'il s'était trompé sur la raison des cris. Ce n'étaient pas deux Anges qui s'affrontaient, mais un Ange blanc, absolument magnifique, qui se métamorphosait pour illustrer une amusante histoire mêlant un homme, une femme et un cheval. Ce qu'ils avaient entendu n'étaient que les rires, les cris d'approbation ou les moqueries accompagnant ses transformations. Jeremy et Allison, bouche bée, assistèrent à la fin de la représentation, l'Ange comédien parvenant même à reproduire un chêne somptueux au feuillage vert. Pendant qu'ils regardaient le spectacle comme deux enfants, Lili raconta leur après-midi à Flint.

Et son échec avec Ventousi.

Flint fronça les sourcils et se mordilla la lèvre, ennuyé.

— Il ne t'entend pas, hein ? Mauvais ça. De nous tous, tu es celle qui influence le mieux les vivants. Mmmm.

Il soupira puis resta silencieux pendant plusieurs minutes. Dans l'arènc, le conteur venait de terminer son spectacle et des Anges montaient à présent sur une estrade dorée entourée d'un haut grillage, ce qui fit frissonner Allison.

— Jeremy, Allison, écoutez-moi. De mon côté, je ne suis pas resté sans rien faire, finit-il par préciser. Après m'être reposé quelques heures, j'ai pris des renseignements sur ce fou au sabre. Il se nomme Naranbaatar Khan. C'est effectivement un tueur à gages. Il a pu nourrir une vingtaine d'Anges depuis trente ans, tant son énergie était toxique. Du coup, les trois derniers Rouges, que j'ai facilement retrouvés, sont furieux qu'Allison ait réussi à le tuer. Il représentait à l'évidence une importante source de nourriture. Bref. Ils ont bien confirmé que cet Arthur Ventousi l'avait engagé il y a quelques mois pour faire disparaître une certaine Annabella Dafing, l'une des chercheuses de son laboratoire qui en savait trop. Ils ont aussi confirmé que, lorsqu'il s'était rendu compte qu'Allison avait surpris une de ses conversations, il avait aussitôt donné l'ordre à Khan de la supprimer, ainsi que tous ceux à qui elle aurait pu parler…

— Mais c'est terrible ! s'exclama Allison en se levant d'un bond, soudain blême. Clark !

— Oui, lui aussi. C'était la raison pour laquelle votre tueur avait mis des micros dans votre appartement. Il voulait savoir qui il devait éliminer. Son arme favorite était le katana. Il se faisait passer pour un tueur en série qui assassine des gens un peu partout dans le monde ; en fait, il était très bien payé pour cela. Il ne pouvait plus parler car une bande rivale lui a fait avaler du plomb en fusion lorsqu'il était jeune, détruisant sa langue, son palais et sa gorge.

Jeremy retint un hoquet d'horreur. Il avait un peu trop d'imagination. Une simple brûlure était déjà très douloureuse, il ne voulait même pas savoir ce que c'était que d'avaler du métal en fusion.

— Cela en faisait le tueur parfait, puisque personne ne pouvait le faire parler…

— Allison, intervint gentiment Lili. Ne restez pas debout comme ça, vous allez finir par vous faire remarquer et, croyez-moi, ce n'est pas prudent... L'homme de main de Ventousi est mort, je ne sais pas qui est Clark, mais je pense qu'il ne risque rien pour l'instant.

Bien qu'elle fût bouleversée, Allison obéit et se rassit. Mais ses mains serrées et son regard fébrile montraient qu'elle n'allait pas en rester là. Jeremy devina qu'elle filerait dès que possible pour tenter d'avertir Clark. Sauf que, bien sûr, cela ne servirait à rien. Il le savait, il avait bien essayé lui.

Une éclatante sonnerie de trompes retentit, faisant sursauter les jeunes Anges. Toute l'attention du public se braqua alors sur la scène dorée que venaient de gravir les organisateurs. Puis deux Anges d'une effroyable maigreur se présentèrent devant eux.

Jeremy ne savait pas pourquoi, mais il avait imaginé un combat entre un Rouge et un Bleu. Ce n'était pas le cas : les deux étaient d'un rouge profond et violent.

— Mince alors ! souffla Allison. Pourquoi sont-ils aussi maigres ?

Flint lui tapota la main d'un air vaguement agacé et répondit :

— Vous allez voir. C'est un spectacle rare et intéressant. Pour vous, ce sera même très instructif...

Sur la scène, l'un des Anges leva lentement la tête et balaya l'assistance de ses yeux brûlant de haine. À la grande horreur d'Allison, il arborait de longues canines rouges effilées. Et ses mains venaient de se munir de griffes acérées. Quoique un peu en retrait, son adversaire fit de même, montrant lui aussi ses crocs afin d'obtenir l'agrément du public. Qui le lui accorda de bonne grâce.

— Tuez !

En entendant cet ordre, Jeremy faillit s'étrangler. Bon, cela dit, le message était clair.

Les deux Anges se ruèrent aussitôt l'un sur l'autre. Et, très vite, le sang coula. Ils ne s'épargnaient pas, utilisant aussi bien les griffes de leurs pieds que celles de leurs mains. Cependant, au bout de quelques minutes, Jeremy remarqua que le second Rouge semblait moins agressif que le premier. Peut-être avait-il attisé les pires instincts du premier, parce que celui-ci semblait dans un état de rage absolu. À plusieurs reprises, les deux Anges essayèrent de se mordre, en vain. Soudain, alors que le second ne s'y attendait pas, le premier ôta son pagne et le transforma en lance. En un éclair, il lui transperça le ventre avec une telle force qu'il le cloua au plancher de Brume.

Avec un rugissement de triomphe, il se jeta alors sur lui. En dépit de ses gesticulations frénétiques et des coups qu'il assenait à son assaillant, l'autre fut incapable de décrocher la lance qui l'immobilisait. Le premier s'accrocha à sa gorge comme une tique géante et commença à se repaître de lui. L'estomac retourné, Jeremy se figea. Au fur et à mesure que le vainqueur buvait goulûment, le corps du second Rouge diminuait, rétrécissait. Désespéré et affaibli, le perdant poussait des cris atroces, glaçant d'effroi le public.

— Le mythe du vampire ! souffla Jeremy, médusé. Ce sont des vivants qui ont vu des Anges se mordre, c'est ça ?

— Oui, confirma Flint en souriant. Tout le reste n'est que folklore, mais la base est réelle. C'est, à ce jour, le seul moyen pour un Ange d'en tuer un autre au corps à corps, à part en le faisant disparaître. C'est aussi la raison pour laquelle cela reste exceptionnel, car celui qui mord l'autre doit le consommer en entier...

— Vous voulez dire... c'est pour ça qu'ils étaient aussi maigres ? Chacun a jeûné afin de pouvoir manger l'autre ? murmura Allison, estomaquée.

— Tout juste, répondit Lili le plus naturellement du monde. Pas très esthétique, ni très glamour, mais très efficace.

— Il faut faire quelque chose, s'émut Allison, on ne peut pas le laisser continuer, c'est monstrueux ! Inhumain !

Le ton de Flint fut soudain très froid et posé.

— Imagine, ma chère, que l'Ange rouge qui est en train de se faire dévorer soit M. Arthur Ventousi. Qui est un monstre. Qui a fait assassiner sa collaboratrice, Jeremy et vous-même, juste pour gagner plus d'argent. Que ferais-tu ?

Confuse, Allison hésita :

— Je... je ne sais pas.

Mais ils savaient tous les quatre qu'elle mentait.

Flint resta neutre.

— Je ne connais pas le différend entre ces deux Anges, je sais juste que le perdant s'en est pris à l'autre Rouge ou à sa famille, et que ce dernier le cherchait depuis longtemps pour le lui faire payer. S'il y a de la pitié à montrer, c'est à lui d'en prendre la responsabilité, c'est lui qui tient cette vie au creux de sa main, pas vous, jeune Allison.

L'argument était imparable. Flint posa amicalement sa main sur l'épaule d'Allison. Ce que venait de dire le vieil Ange changea totalement la perception qu'Allison avait de la scène. Au lieu de se mettre les mains sur les oreilles afin d'étouffer les cris et les lamentations épouvantables, elle prit sur elle et se pencha. Au lieu de détourner le regard, dégoûtée comme Jeremy, elle observa avec une attention révulsée. Et, à la place de l'Ange qui agonisait, elle voyait maintenant Ventousi. Mais aussi les cohortes de malades rongés par le cancer comme sa mère et que ce salopard condamnait à mort.

Devant eux, le corps du vaincu avait désormais rétréci au point que le vainqueur dut retirer la lance. Qu'il n'absorba pas, trop occupé à essayer d'engloutir son adversaire. C'était répugnant cette longue succion avide, mais aucun des organisateurs n'intervint, même pas les Anges bleus. Cela ne fut plus très long. Le premier Rouge grossissait au fur et à mesure que le second se racornissait. Ses cris de plus en plus faibles finirent par s'éteindre complètement, inaudibles. Il fut réduit à la taille d'une poupée, puis d'un dé à coudre, avant de disparaître dans la bouche du Rouge.

Avant le combat, si l'on se référait à l'échelle des vivants, le vainqueur devait peser à peine une quarantaine de kilos pour un mètre quatre-vingts. À présent qu'il avait absorbé l'équivalent de son poids, il devait peser quatre-vingts solides kilos. L'être qu'il avait ingéré ne s'était pas encore réparti dans son corps, si bien qu'il avait l'air de porter un enfant monstrueux dans son ventre.

— Il a gagné…, murmura Jeremy, la gorge encore serrée par la violence insupportable du spectacle. Est-ce que tout cela va le rendre plus puissant ?

— Plus puissant, pas forcément. Mieux nourri, oui, avança Flint. Il ne va pas plus manger pendant un bon bout de temps. Cet excès de nourriture risque même de l'expédier directement « ailleurs ».

Cette éventualité n'avait pas l'air d'inquiéter le Rouge outre mesure. Assis au milieu de la scène, incapable de bouger après ce qu'il avait avalé, il souriait à la foule d'un air béat.

Devant ce spectacle répugnant, Jeremy ne put s'empêcher de poser la question qui lui brûlait les lèvres.

— Flint, lorsque nous nous sommes rencontrés pour la première fois, vous m'aviez dit qu'il ne fallait pas que je laisse les Rouges s'approcher de moi. Que cela pouvait être dangereux... Est-ce que cela signifie qu'en général les Rouges s'attaquent à d'autres Anges, en dehors de cet endroit ? Que notre tueur n'est pas un cas isolé ?

Flint fronça les sourcils. Il ne se souvenait pas d'avoir évoqué cela, mais si le garçon l'affirmait...

— J'ai dit les Rouges... Certes si un Bleu t'en voulait autant que ce Rouge en voulait à l'autre, bien évidemment, tu serais également en danger. La réponse à ta question est donc « oui », sans aucun doute. Or cela n'arrive presque jamais.

Allison continuait de regarder la scène avec intensité, ses grands yeux bleus écarquillés. Soudain elle se mit à respirer profondément. Jeremy ne parvenait pas à distinguer si c'était d'effroi ou de satisfaction.

— Vous les appelez des Chimères, reprit le jeune homme. C'est bien d'elles dont vous parliez aujourd'hui, n'est-ce pas ? Pourquoi pas des vampires ?

Flint secoua la tête.

— Sais-tu ce qu'est une chimère humaine ?

— Oui, quelqu'un dont le corps a fusionné avec son jumeau, dans l'utérus de sa mère. C'est extrêmement rare. Car l'ADN d'une partie du corps peut être différent de l'ADN de l'autre partie.

Jeremy le savait parce qu'il avait vu un épisode des *Experts* dans lequel le coupable profitait de cette étrange particularité physique pour se faire innocenter. Il se garda bien de le préciser en croisant le regard admiratif d'Allison.

— Il y a des milliers d'années, expliqua Flint, le mythe du vampire n'existait pas. Mais des femmes avaient mis au monde des enfants dont le jumeau semblait sortir du corps de son frère, ou de sa sœur, comme s'il l'avait « avalé ». Aussi, lorsque le premier Ange comprit comment se débarrasser de son ennemi en le « mangeant », il y a des millénaires, on l'a appelé comme ça…

Il désigna l'Ange rouge vautré sur la scène dorée.

— … une Chimère.

Jeremy et Allison frissonnèrent à l'unisson. C'était monstrueux.

— Mais la raison pour laquelle je préférerais que vous restiez sous ma protection, en dehors de cette étrange attaque de Khan contre vous, c'est que certaines Chimères sont tout à fait folles. Elles s'en prennent aux Angelots, qui sont les plus faibles des Anges. Bien sûr, elles ne le font jamais en public. Elles restent discrètes et se nourrissent en cachette. Ce qui leur complique la tâche. De plus, le fait de devoir longtemps jeûner et de se transformer les oblige à ne plus consommer que d'autres Anges, la Brume normale ne leur suffit plus. Cela n'encourage pas les vocations…

— Que se passe-t-il si vous surprenez une Chimère en train de dévorer un Ange ? Je veux dire, sans un défi officiel ?

La réponse fut claire.

— Nous l'enfermons. Dans une prison de Brume que nous contrôlons, comme je contrôle les murs de mon appartement. Privilège des vieux Anges, nous pouvons la rendre immangeable. Comme la Chimère ne peut plus se nourrir, elle dépérit, puis finit par aller… là où vont les Anges qui mangent trop ou ne mangent plus…

Décidément Jeremy trouvait que le paradis ressemblait de plus en plus à l'enfer. Dans son esprit, les Chimères c'était vraiment gothique. Et le gothique bien sombre dans un paradis censé être couleur pastel, il avait vraiment du mal.

— Cela prend combien de temps pour qu'il disparaisse ?

— Tout dépend de la puissance de l'Ange capturé. Mais cela peut durer plusieurs années.

Ah. D'accord. Donc, et en dépit de ce que lui avait raconté Einstein, les Anges avaient plusieurs manières de se débarrasser d'autres Anges. En les nourrissant trop, comme Flint et Lili l'avaient fait pour l'Ange rouge de sa sœur. En ne les nourrissant plus du tout. Ou en les mangeant. Formidable. Il adorait ce monde.

— Lili et moi, nous avons voulu vous montrer ce spectacle à cause de ce tueur à vos trousses…, reprit gravement Flint. Je ne peux pas empêcher les Anges rouges de renseigner Khan. À un moment ou à un autre, il saura ce qu'il faut faire pour vous tuer tous les deux, ce qui semble être toujours sa mission, même si je ne comprends pas pourquoi. Cela dit, ce n'est pas si simple pour un jeune Ange rouge, du moins pas avant de nombreuses années.

— Nombreuses comment les années ? demanda Allison méfiante. Cinq ? Dix ?

— Oh non, cinq cents, mille ans ou plus ! Il faut beaucoup de temps pour arriver à modifier son corps ainsi. Ce n'est pas quelque chose qu'on peut apprendre juste en quelques années.

Jeremy hocha la tête, rassuré. Oui, évidemment, ici on comptait en millénaires.

Allison reporta son attention sur l'Ange repu. Au début, elle avait eu de la compassion pour l'Ange qui avait été « avalé ». Puis Flint lui avait posé LA question. Celle à laquelle l'ancienne Allison, celle qui n'avait pas été assassinée, aurait répondu par la négative. Elle aurait épargné l'Ange et Ventousi. Parce que l'ancienne Allison était gentille.

Mais désormais elle ne se sentait plus d'humeur à être bienveillante.

La rage monstrueuse, anormale, qu'elle ressentait depuis qu'elle était passée dans cet univers montait en puissance dans son corps. Elle savait très bien qu'elle était à un tournant.

Accepter l'amour de Jeremy et vivre une mort plutôt paisible, comme le faisaient les autres Anges ?

Ou sauter à pieds joints dans l'enfer de la vengeance ? Et sauver des millions de personnes ?

Elle respira à nouveau profondément et observa la foule bigarrée un long moment. Soudain, elle se tourna vers Flint et plongea un regard farouche dans les yeux argentés du vieil Ange. Et ce qu'elle dit secoua Jeremy de la tête jusqu'à la plante des pieds, tellement ses propos semblaient contraires à sa nature profonde.

— Je comprends très bien le concept de revanche, Flint. Et je veux faire subir à Ventousi exactement ce que ce Rouge a fait subir à son adversaire. Je veux qu'il meure et qu'il passe dans notre monde pour le faire disparaître. Mais, avant cela, je veux aussi qu'il avoue publiquement qu'il a découvert un remède contre le cancer. Lili dit qu'elle ne pourra pas obliger ce monstre à mettre son médicament sur le marché, pas avec un tel paquet de fric en jeu et autant de cupidité. Sa motivation n'est pas la mienne ! Alors, Flint, dites-moi : comment puis-je faire souffrir Ventousi ? Encore mieux, comment puis-je contraindre un vivant à m'obéir ? Et comment obtenir très vite la puissance d'un vieil Ange ?

Flint se redressa, l'air inquiet.

— Tu ne peux pas. C'est impossible, cela demande des centaines d'années !

— Pourtant il y a un moyen, j'en suis sûre, je le sens !

Flint haussa les épaules.

— Oui, il y a toujours un moyen. Les vivants et les Anges trouveront toujours la faille dans le système…

— Alors ? Que dois-je faire ?

Le vieil Ange la dévisagea, hésitant, puis il parut capituler.

— J'aime bien l'aventure et l'action, jolie Angelot, mais ce que tu demandes est un peu plus compliqué et risque de te coûter cher, *très* cher.

— Cher comment ? riposta Allison.

— Cher au point de te faire basculer…, expliqua lentement Lili, en secouant son incandescente chevelure.

La jeune fille ne comprenait pas. Jeremy non plus, mais il commençait à avoir mal à l'estomac.

— Ravissante Allison, fit lentement Flint d'un air solennel, pour cela, il faudrait que tu deviennes… une Rouge !

14

Le goût du danger

Jeremy sentit sa gorge se serrer. Allison n'avait aucune conscience du danger.

Rongé par l'angoisse, il se leva vivement de sa chaise. Voyant son agitation soudaine, plusieurs vieux Anges tournèrent leur regard vers eux. Lili afficha un sourire crispé et abattit une main de fer sur le poignet de Jeremy.

— Assieds-toi ! siffla-t-elle. Avant que les Anciens ne viennent nous reprocher d'avoir amené des Angelots ici !

Sa force était phénoménale, Jeremy avait oublié que Lili n'était pas une frêle jeune fille. La main prise dans un étau, il fut contraint de s'asseoir. Furieux, il frotta son poignet endolori. Et fut surpris de se sentir tout à coup très faible, comme si Lili avait prélevé un peu de sa force vitale pour l'obliger à lui obéir.

Constatant qu'il ne se passait rien de spécial dans cette loge, les Anciens reprirent bientôt leurs discussions et se désintéressèrent des quatre amis. Lili poussa un soupir de soulagement.

« Tiens, pensa Allison, Lili avait peur. Intéressant… »

Tentant de contenir sa colère, Jeremy se pencha vers elle.

— Devenir Rouge, Allison ? Vraiment ?! C'est ce que tu veux ? Obliger les vivants à éprouver des sentiments négatifs pour les « traire », comme tu l'as si bien dit tout à l'heure ?

Aïe. Il appuyait où cela faisait mal. Allison laissa la rage qui l'inondait balayer ses scrupules. D'autant qu'en obligeant Ventousi à révéler au monde entier sa découverte, elle allait sauver des millions de vies. Ce qui soulageait sa conscience. Pour une fois, la fin justifiait les moyens.

Lorsqu'elle répondit, elle laissa s'exprimer sa colère.

— Oui ! Nous sommes morts, Jeremy, morts ! Ceci n'est pas le paradis, Dieu n'existe pas !

Flint et Lili sursautèrent et lui firent signe de parler plus bas.

— Et puisque Dieu n'existe pas, je vais prendre sa place et faire justice moi-même !

À ces mots, Jeremy blêmit. Pour une mystérieuse et inexplicable raison, il avait la conviction qu'Allison était en train de blasphémer et que cela pouvait être dangereux. Les visages inquiets de Flint et Lili confirmèrent ses craintes.

Flint s'éclaircit la gorge.

— Hummm. Cela est un autre débat… Je n'encouragerai jamais un Angelot à devenir Rouge, tout simplement parce que je suis un vieux Bleu. Mais je comprends ta quête passionnante, Allison. Et, si tu sauves des vies, tu vas apporter sur Terre un immense bonheur à des millions de personnes. Ce qui va nourrir notre camp… Je vais donc t'aider, même si te transformer ainsi me semble être une mauvaise idée.

Perdu, Jeremy se tourna vers lui.

— Seuls les vieux Anges peuvent influencer les vivants. Une jeune Rouge n'y parviendra pas plus qu'un jeune Bleu !

— C'est exact. Allison ne peut pas influencer les vivants comme nous le pouvons.

Jeremy n'eut pas le temps de réagir que déjà Flint précisait :

— Dans le cas de Ventousi, comme Lili l'a malheureusement démontré, cet homme est trop corrompu et dépravé pour réagir à notre influence de Bleus. Cependant, un vieux Rouge aura ce pouvoir. Pas de le forcer à révéler sa formule sans raison, bien sûr, ça c'est impossible. Mais il peut lui embrumer l'esprit et le pousser à commettre des erreurs. Qu'un autre chercheur tombe sur ses notes qu'il aura « oubliées » sur son bureau, que le laboratoire découvre par hasard ce qu'il est en train de manigancer, en influençant les dirigeants du groupe, ou en créant de la suspicion… Il y a des tas de solutions !

— Et Allison doit devenir Rouge parce que…

— Seul un Rouge peut demander ce genre de service à un vieux Rouge. Ni Lili, ni moi, ni toi. Et encore moins Allison, en tout cas pas sous cette couleur. Et attention, aucun Rouge n'accepterait, même par amitié, si cela apportait du bonheur aux vivants puisque des Bleus en profiteraient. Au contraire, les Anges rouges se repaissent de la peine et de la souffrance causées par la maladie. Pour eux, il n'y a rien de plus efficace. Sans compter que le cancer d'un malade détruit d'abord le moral de sa famille, puis les cercles de chagrin et de tristesse s'élargissent rapidement jusqu'à toucher d'autres personnes... Un peu à l'image d'une pierre ricochant à la surface d'un étang.

Flint marqua une pause. Jeremy remarqua que sa jambe touchait celle d'Allison, qui buvait ses paroles.

— Il va donc non seulement falloir qu'Allison devienne Rouge, mais en plus, lorsqu'elle demandera son aide au vieux Rouge, qu'elle lui mente. Et ça, c'est le plus dangereux. Les vieux Rouges n'ont *vraiment* aucun sens de l'humour. D'autant qu'il y a une chance non négligeable que les trois Anges qui se sont nourris de Khan aient rapporté ce qu'il faisait aux Anciens ! Les Anges rouges millénaires ne sont pas si nombreux, l'information peut avoir circulé... Il va donc falloir qu'Allison trouve un vieux Rouge très puissant qui évolue en dehors des cercles de la « politique » angélique. Celle qui oppose les Rouges et les Bleus depuis la naissance de l'humanité. Et là, ce n'est pas seulement dangereux, c'est quasiment impossible !

Plus Flint développait le projet et exposait ses difficultés, plus Allison insistait sur son désir de le mener à bien. Au point que leur discussion finit par dégénérer, attirant de nouveau l'attention des vieux Anges voisins de leur loge.

Excédée et inquiète, Lili se leva.

— Rentrons à la maison. Vous vous faites vraiment trop remarquer ici !

Allison lui jeta un regard mauvais mais l'Ange rousse n'y prêta pas attention, se contentant de voleter jusque dans l'arène et rejoignant la sortie. À son tour, Flint se leva et créa en quelques secondes un escalier de Brume, puis prit galamment la main de la jeune fille. Allison n'eut pas d'autre choix que de les suivre, et Jeremy nota qu'elle dévisageait tous les vieux Anges rouges dans leurs loges, comme si elle voulait graver leurs traits dans sa mémoire.

Chaque minute qui passait augmentait d'un cran la frustration de Jeremy. Il était en train de perdre la jeune fille qu'il aimait et n'avait aucune idée de comment la sauver.

De son côté, Allison se sentait… lourde. Comme si un poids énorme pesait désormais sur ses épaules. À nouveau. Lorsqu'elle avait écouté Elvis Presley et Sinatra chanter sur scène avec Jeremy à ses côtés, elle avait songé que sa nouvelle existence allait être géniale. Qu'elle allait pouvoir enfin vivre sans souci, sans se préoccuper de respecter la promesse faite à sa mère, sans risquer de gâcher quoi que ce soit, sans peur, ni angoisses, ni frustrations. Elle allait profiter de sa mort, voyager, rencontrer des gens passionnants, lire derrière l'épaule des vivants, continuer d'aller au cinéma, se cultiver, s'amuser. Ses peurs s'étaient envolées… Mais la vieille malédiction, ce terrible sens des responsabilités que sa mère lui avait inculqué avec force et détermination, était vite revenue. De nouveau, la jeune fille avait une mission et, de nouveau, elle avait l'impression de ne pas être à la hauteur.

Allison jeta un regard en biais à Jeremy. Tout dans ce garçon lui plaisait. Il était séduisant, courageux, protecteur, et il avait des abdos d'enfer devant lesquels elle s'efforçait de ne pas trop saliver. Et si ce qu'elle avait éprouvé lorsqu'il l'avait embrassée n'était qu'un avant-goût de ce qui l'attendait lorsqu'elle ferait l'amour avec lui ? Ce serait un véritable feu d'artifice... Jeremy n'en avait pas conscience, mais il était sans doute le seul être capable de la faire renoncer à sa mission. Il ne fallait surtout pas qu'elle l'approche ou tout courage l'abandonnerait. Elle se perdrait dans ses bras et tout serait fichu. Le monde continuerait sa course, le médicament serait découvert un jour ou l'autre, Ventousi deviendrait riche et sauverait des vies, il serait un héros...

À cette pensée, Allison lâcha aussitôt la main de Flint et serra les poings. Non. Impossible. Leur assassin devait payer !

Dans un silence tendu, ils quittèrent tous les quatre l'entrepôt. L'amphithéâtre s'était rapidement vidé. La Chimère avait été emmenée alors que des Anges démontaient déjà la scène dorée et rangeaient le grillage du ring.

Le chemin du retour à l'appartement fut empreint de morosité. Le conflit entre les deux jeunes Anges semblait peiner Lili, alors que Flint paraissait n'y prêter aucune attention. Il avait simplement proposé son aide, à Allison de décider si elle allait l'utiliser ou pas. En attendant, ces deux Angelots semblaient le divertir et lui promettaient des aventures exaltantes. Il ne risquait pas de s'ennuyer.

Pendant leur absence, quelqu'un avait réparé le lit de la jeune fille. Elle n'avait donc plus besoin de dormir dans celui de Jeremy. Au moment de se coucher, Allison, sans un mot, vint chercher ses oreillers dans la chambre de Jeremy. Ce dernier, qui avait espéré profiter de leur intimité pour la faire changer d'avis, lui barra le passage alors qu'elle s'apprêtait à sortir de la pièce.

— Attends ! dit-il, impérieux. Je voudrais te dire quelque chose.

Allison le dévisagea avec un air de défi, les bras croisés sur ses deux oreillers de Brume serrés contre son corps, comme s'ils pouvaient la défendre. Qu'il s'oppose à elle au lieu de l'aider l'irritait au plus haut point. Mais bien moins que son désir de poser ses lèvres sur les siennes et le fait que la proximité de son corps à moitié nu la rendait dingue. Pourvu que son foutu pagne ne glisse pas plus bas où elle ne répondrait de rien. Elle faillit l'interroger à propos de la tache dorée sur son nombril mais préféra garder le silence, craignant que la discussion ne dérape.

— Écoute…, commença-t-il, gêné par l'attitude glaciale d'Allison, j'ai… j'ai vraiment besoin de toi.

Allison se détendit un peu. Mais n'ouvrit pas la bouche.

— Tu sais que tu comptes énormément pour moi, Allison ?

La jeune fille évita de lever les yeux au ciel. Comme ils s'étaient embrassés avec passion, oui, elle savait très bien qu'elle ne lui était pas indifférente. Et, pour être franche, elle avait adoré ça. Bon, que voulait-il lui annoncer au juste ?

Jeremy se lança :

— Je suis tombé amoureux de toi.

Allison faillit en lâcher ses oreillers. OK, elle s'attendait à tout, sauf à ça. Prudente, elle étreignait les coussins.

— Je t'ai regardée vivre, Allison. Et j'ai aimé ce que j'ai vu. Tu es belle, tu es franche, tu es honnête. Tu tiens tes promesses envers et contre tout (il fit un petit sourire), même si j'ai dû hurler après Frankenstein pour qu'il fasse diversion lorsque Clark et toi vous avez…

Son pagne venait de glisser.

Allison devint pivoine.

Certes, ce n'était peut-être pas une très bonne idée d'avoir évoqué cet épisode, il avait juste voulu faire de l'humour, détendre l'atmosphère. La voyant rouge et crispée, il crut qu'il avait raté son coup. Mais Allison luttait surtout pour éviter de poser ses yeux sur ses hanches et son ventre musclé.

— Bref, poursuivit-il très vite, je suis tombé amoureux pour ces raisons. Et maintenant je voudrais vraiment que toi et moi nous réfléchissions à tout ce qui est arrivé depuis notre passage. Écoute-moi Allison, tout ce que j'ai vu des Rouges jusqu'à présent est mauvais. Ils utilisent les vivants en favorisant leurs penchants les plus négatifs. Crois-tu vraiment que tu pourras résister une fois que tu te seras habituée à leur nourriture ? Que tu pourras redevenir Bleue après avoir accompli ta vengeance ? Si tant est que cette vengeance soit réalisable ?

Il lui prit la main (elle dut lâcher l'un de ses oreillers) et la posa sur son torse. Allison se mordit la lèvre en sentant les fermes pectoraux sous sa paume.

— Je te donne mon cœur, Allison.

Il plongea ses yeux bleu acier dans ceux, brillants, d'Allison, et tous deux se contemplèrent un moment, émus. Allison voyait l'amour dans les yeux de Jeremy. De l'amour, mais aussi du désir, de la passion, l'envie de partager, ce qui pour elle était bien plus important que tout le reste, elle qui s'était sentie si seule pendant toute sa vie.

Mais, bientôt, la jeune fille se raidit. Elle avait vécu cette tentation déjà des dizaines de fois. Beaucoup de garçons lui avaient demandé de coucher avec elle (même si elle devait bien avouer qu'aucun ne lui avait dit qu'il l'aimait avec tant de ferveur), elle savait comment résister, comment blinder et son cœur et son désir. Elle ne devait surtout pas parler, sa voix la trahirait.

Elle recula et la main de Jeremy retomba mollement. Puis, toujours sans un mot, elle passa devant lui et rentra dans sa chambre. À sa demande, Flint avait fait mettre une porte de Brume afin de lui ménager une intimité. Celle-ci se referma en claquant comme le couperet d'une guillotine.

Sous le choc, Jeremy baissa la tête, puis avança jusqu'à la porte, tout en hésitant.

Il n'osa pas frapper et, dans sa lancée, sa main se contenta d'effleurer l'obstacle de Brume. Son dos se voûta. La peur terrible qu'il avait éprouvée lors de sa mort, puis durant ses premiers jours dans l'au-delà, s'était un peu dissipée. Il sentait qu'elle revenait au galop. Cette fois-ci ce n'était pas pour lui qu'il avait peur, mais pour Allison.

Il renonça à passer au travers des murs pour la rejoindre. Il préférait lui laisser le temps. Peut-être qu'après une bonne nuit de sommeil, après tous ces événements, Allison comprendrait qu'elle avait tort de s'engager sur cette voie. Dans la tête de Jeremy trottait une petite phrase insidieuse : « L'enfer est pavé de bonnes intentions. »

Il recula et entra d'un pas pesant dans sa chambre. De leur côté, les deux vieux Anges étaient partis se coucher sans un commentaire, il ne pouvait donc même pas discuter avec Flint et il était absolument hors de question qu'il entre dans la chambre de Lili. Il sentait d'ailleurs ses genoux flageoler rien que d'y penser…

Jeremy se jeta sur son lit. Les bras croisés sous sa tête, ses yeux bleu acier fixant le plafond, il finit par s'endormir en rêvant d'Allison, après s'être répété qu'il avait eu raison de ne pas la brusquer.

Il avait tort.

Car, lorsqu'il se réveilla quelques heures plus tard, Allison avait disparu.

Et Flint aussi.

15

Le goût de l'absence

Jeremy courut droit dans la chambre de Lili dès qu'il réalisa qu'Allison et Flint n'étaient plus là.

— Lili ! Lili ! ils sont partis ! hurla-t-il en franchissant les murs.

Il fut stoppé net par l'image affolante qui frappa ses rétines : l'Ange rousse dormait encore dans une glorieuse nudité. Il avait fait irruption sans songer un instant à cette dangereuse éventualité. Il se retourna aussitôt, rouge d'embarras.

— Pardon, pardon, je… je suis désolé, mais…

Il entendit un bâillement derrière lui et une petite voix ensommeillée.

— Qu… quoi ? Que se passe-t-il ?

— Allison et Flint ont disparu.

Il y eut un silence, comme si Lili retenait son souffle. Puis Jeremy entendit le froissement des draps de Brume et tressaillit lorsqu'une voix chaude et suave souffla à son oreille.

— Comment ça… *disparu* ?

Il se retourna lentement, priant pour que Lili se soit habillée sinon il n'était pas sûr de pouvoir aligner deux mots.

Quand il rouvrit les yeux, des seins hauts, fermes, parfaits, qui appelaient ses mains et sa bouche apparurent devant lui. Eh bien non, elle ne s'était pas habillée.

Le jeune homme avala sa salive avec peine et fixa courageusement les yeux vert printemps de l'Ange rousse. S'il parvenait à ne pas regarder sa poitrine, il devrait arriver à s'en sortir.

— Je veux dire... ils ne sont pas là, murmura-t-il, furieux contre sa libido incapable de résister à la beauté de Lili.

L'arc de Cupidon de ses lèvres s'ourla en un sourire fascinant, révélant de petites dents blanches.

— Ils ont dû aller faire un tour. Ton amie était très bouleversée après la soirée d'hier. Peut-être que Flint l'a emmenée quelque part afin de la faire changer d'avis, qui sait ?

Elle haussa gracieusement les épaules et ce qui se produisit en dessous obligea Jeremy à fermer les yeux.

Lorsqu'il les rouvrit, la jeune fille était contre lui et il pouvait sentir la chaleur de son corps comme s'il était près d'un four brûlant.

— Que veux-tu faire en les... attendant ? lui demanda-t-elle d'un ton faussement essoufflé.

Dans sa voix de velours dansaient les fantasmes de plaisirs inouïs.

— Je... je vais les attendre dans le salon, fit Jeremy en battant en retraite, je vous laisse... je vous laisse vous habiller.

Et il s'enfuit.

Le rire frais de l'Ange l'accompagna hors de la chambre et il se maudit. La plus belle fille de l'univers lui tendait les bras et il était amoureux d'une gamine qui ne pensait qu'à se venger et à sauver l'humanité. Alors que c'était lui qu'il fallait sauver, et vite, avant qu'il ne commette une énorme bêtise.

Ils les attendirent toute la journée.

Allison et Flint ne revinrent pas.

Ils attendirent donc toute la nuit. Enfin… Jeremy attendit toute la nuit, car Lili s'absenta, refusant de rester dans un endroit où il n'y avait aucune distraction. Mais, au petit matin, Allison et Flint n'étaient toujours pas rentrés. À l'inquiétude se mêlait désormais une jalousie féroce qui rongeait Jeremy. Il s'imposa quelques heures d'un sommeil agité, se servit sans remords dans les provisions de Flint et continua à les attendre. Lorsque Lili revint, elle l'informa qu'elle avait interrogé des amis de Flint, sans résultat. Le vieil Ange et Allison semblaient avoir disparu de la surface de la… de l'au-delà.

Le jour suivant, Jeremy décida que c'en était trop. Il se rendit alors chez Ventousi, mais le chercheur, bien qu'on soit un dimanche, travaillait dans son laboratoire. Il épia l'homme pendant toute la journée, dans l'espoir qu'Allison surgisse pour le hanter. En vain. Curieusement, aucun Ange rouge ne se nourrissait des sentiments du chercheur, pourtant l'inquiétude et la peur produisaient d'étouffantes volutes de Brume au-dessus de sa tête.

Son fils Peter était resté à la maison, mais lorsque Jeremy y passa, ni Flint ni Allison n'y étaient. Il retourna à l'appartement de Flint, puis à celui (l'ancien) d'Allison, toujours personne. Quelqu'un avait dû se charger de Frankenstein parce que l'intelligent petit chien ne s'y trouvait plus. Il avait appris où habitait Clark et s'y rendit également. Avec soulagement, il y surprit l'animal qui, sentant sa présence, se mit à aboyer et tira Clark de sa torpeur. La beauté du mannequin semblait avoir fané, son visage portait de larges cernes et il avait les yeux rouges. Clark était en deuil. Un peu comme Jeremy, d'une certaine manière, qui n'arrivait pas à se défaire de l'impression aiguë d'avoir perdu Allison à tout jamais.

En regardant distraitement Clark se laver les dents, les souvenirs de l'enquête revinrent à l'esprit de Jeremy. Le mannequin avait répété à la police que sa meilleure amie avait été tuée par la mafia. En accusant Tachini d'être responsable de la mort d'Allison, les inspecteurs avaient donc été aiguillés sur une fausse piste… Mais, d'un autre côté, cela les avait incités à mieux fouiller l'appartement de la jeune fille. Ils avaient fini par trouver les micros. Malheureusement, ce mode opératoire les avait davantage embrouillés, même si, du coup, la thèse du tueur en série paraissait de moins en moins plausible à leurs yeux. Pas avec un tel niveau de sophistication.

Désespéré, Jeremy renonça à poursuivre ses recherches. Il ne savait plus où aller. Et Allison n'était même pas revenue voir son ami Clark… Pour se changer les idées, le jeune homme décida alors de faire un saut au *Rose's & Blues*, espérant y trouver Einstein. Manque de chance, le vieux savant n'y était pas. Jeremy, sur les nerfs, ne put s'empêcher de jurer. Mais où étaient-ils donc tous passés ? Pensif, il avisa un petit Ange qui se délectait d'une liqueur de Brume multicolore en matant les seins d'une grosse vivante.

— *Signor Galileo,* n'est-ce pas ? s'enquit Jeremy, hésitant.

Le gamin lui jeta le regard dédaigneux que les vieux Anges réservent aux Angelots. Quoique n'étant pas, et de loin, aussi âgé que Flint, le célèbre Italien avait quand même plus de trois cent cinquante ans. Comme Flint lui avait dit que Galilée était sur le point d'être accepté dans le club des Anciens, peut-être qu'il savait où Allison et le centurion se trouvaient…

— *Cosa ?* jeta-t-il d'un ton brusque.

Jeremy, qui ne connaissait pas un mot d'italien (à part *pasta, pizza* et *chianti*) poursuivit sans se démonter.

— Je suis un ami de Flint, ou plutôt de Decarus Pompée, précisa-t-il.

Galilée le regarda d'un air méfiant. Jeremy ajouta :

— Et de Lili.

En entendant ce prénom, l'Italien se redressa immédiatement, un sourire libidineux sur son visage juvénile, ce qui était à la fois curieux et dégoûtant.

— *Ma si,* il fallait le dire plous tôt ! Ahhh, *la bella ragazza !* Un régal pour les yeux notre Lili. La plus belle des Anges yé crois bien. Mais qu'est-ce qu'elle fait avec un Angelot comme toi, elle les prend au berceau maintenant ?

— Mon amie Allison et moi avons une vengeance à accomplir. Je crois plutôt que Lili nous trouve… divertissants.

Cela fit rire l'Italien.

— Ah oui, fit-il en agitant un doigt, un remède contre l'ennoui, je comprends, *molto bene.* Yé n'ai pas vou le grand Flint depouis un certain temps. Il ne vient pas si souvent à New York, en général il est ploutôt là où se trouvent les grands caïds, au centre dou pouvoir, là où se prennent les décisions. C'est là-bas qu'il faudrait le chercher, Angelot.

Jeremy allait lui demander plus de précisions, mais Galilée venait de repérer un jeune éphèbe gracile à la longue chevelure bouclée qu'il appela : « *Leonardo, caro mio !* » et il courut vers ce dernier. Jeremy en savait assez. Il aurait dû y penser plus tôt. Quel était le meilleur endroit au monde où rencontrer des tas de vieux Anges avides de pouvoir et d'émotions fortes ?

Washington, bien sûr !

Lorsqu'il revint à l'appartement de Flint, Lili était rentrée. Jeremy lui raconta sa conversation avec Galilée et, à sa grande surprise, la jeune fille battit des mains, ravie.

— Oh oui ! oh oui ! je suis absente depuis bien trop longtemps, mes petits chéris me manquent terriblement. Rentrons à Washington, c'est une merveilleuse idée !

Jeremy n'avait aucune envie de demander qui étaient les « petits chéris » en question.

— Vous habitez Washington ?

— En fait, j'habite un peu partout. Mais le pouvoir se concentre là-bas. Alors bien sûr, j'y ai un appartement, proche de la Maison-Blanche.

— Donc ce qu'a dit Galilée est plausible ? Flint pourrait y avoir emmené Allison pour rencontrer un vieil Ange rouge ? Enfin… après l'avoir transformée en Rouge ?

—Je ne sais pas. Mais nous pouvons toujours y aller, non ?

Jeremy n'hésita pas une seconde. D'une certaine façon, il était comme connecté avec Allison et la sentait très lointaine. Impossible de savoir comment et pourquoi il savait cela. Il en était certain. C'était le principal.

Lili et Jeremy partirent pour Washington le lendemain matin. Contrairement à ce que croyait Jeremy, le voyage ne fut pas compliqué : ils prirent l'avion et le jeune homme, malgré son inquiétude pour Allison, trouva même l'expérience grisante. Surtout lorsque Lili le fit marcher sur les ailes du Boeing. En plein vol.

Une fois qu'ils furent arrivés à destination, Lili le conduisit directement chez elle. Comme Flint, l'Ange rousse avait aménagé avec goût un grand appartement avec des meubles et des objets décoratifs. Elle avait aussi peint les murs de Brume rouge doré, si bien que cela donnait à son teint une couleur de pêche rosée absolument ravissante.

Mais ce ne fut pas cela qui surprit le plus Jeremy.

Ce furent les « petits chéris ».

Des hommes. Une bonne demi-douzaine. Magnifiques, sculpturaux, à faire mourir de jalousie le pourtant si superbe Clark. Des « chéris » qui n'avaient vraiment rien de « petits » puisqu'ils devaient tous mesurer entre un mètre quatre-vingt-dix et deux mètres. Lili avait à peine mis un pied dans l'appartement qu'ils s'étaient aussitôt pressés autour d'elle comme s'ils mouraient de froid et qu'elle les réchauffait, tel un feu. Tous la touchaient avec la révérence réservée à une déesse. Et elle semblait se repaître de leur adoration, flamboyante de vitalité. Certains osaient l'embrasser, la caressaient, au point que tous ces attouchements commençaient à devenir gênants.

Véritables fantasmes vivants, ces hommes ne portaient, comme Jeremy, que de simples pagnes, et affichaient avec fierté leurs somptueuses musculatures. Ils avaient tous les cheveux très longs et multicolores, tombant presque jusqu'à leurs mollets et attachés par de savants nœuds dorés ou argentés. Un seul portait un pantalon extrêmement moulant, dans une matière de Brume rouge, tressé sur le devant et plongeant dans des cuissardes noires luisantes. Il avait les cheveux d'un blanc parfait, bien que son visage n'accuse pas plus d'une vingtaine d'années. Devant une beauté aussi stupéfiante, Jeremy, pourtant peu porté sur les hommes, ne put que s'incliner, vaincu par cette incarnation idéale du mâle dominant. L'homme se pencha soudain sur Lili, la plaqua contre son ventre d'une façon qui ne laissait aucun doute sur ses intentions et s'empara de ses lèvres avec un gémissement rauque.

Très mal à l'aise, Jeremy ne put retenir une exclamation.

Le bruit, incongru, fit se redresser celui qui s'apprêtait à faire l'amour à Lili debout.

Un silence pesant s'abattit lorsque les Anges se rendirent compte que Lili n'était pas venue seule. L'homme aux cheveux blancs tressés recula, sa main possessive s'attarda au creux des reins de la jeune fille et gronda, hostile :

— Un petit nouveau, belle et enchanteresse Lili ? Nous ne te suffisons donc plus ?

« Belle et enchanteresse » ? Ce type parlait comme un chevalier du Moyen Âge. Jeremy réprima un fou rire.

— Non, il n'est pas l'un de mes adorateurs, soupira Lili d'un ton chargé de regrets. (Comment Jeremy pouvait-il résister à son charme ?) Il est ici pour retrouver une fille, un Angelot qui a perdu la tête et veut devenir Rouge. Pas comme nous, les Bleus !

Les « adorateurs » éclatèrent de rire. S'il y avait eu un trait d'esprit dans les propos de Lili, Jeremy ne le saisit pas. L'un d'eux, un homme dont la peau était si noire qu'elle en semblait bleue et dont les oreilles se dégageaient de ses cheveux attachés par des liens d'argent sculptés, sembla familier à Jeremy au point qu'il se mit à le fixer. L'homme lui rendit son regard, puis lui lança un sourire étincelant. Jeremy comprit soudain où il avait déjà vu l'homme : c'était un acteur connu ! Qui n'était absolument pas mort.

À présent qu'il dévisageait tous ces Anges, Jeremy comprenait pourquoi il avait l'impression de les avoir déjà rencontrés. Ils étaient tous les sosies améliorés des hommes les plus beaux du monde, passés ou présents. Et qu'ils soient asservis par Lili au point de se transformer physiquement pour lui plaire lui apprit deux choses : un, qu'ils étaient sans doute très vieux. Deux, que Lili était bien plus dangereuse qu'il ne le pensait, car tous se comportaient comme s'ils étaient en manque. L'Ange rousse dut se rendre compte qu'il venait de percuter, car elle fit la moue.

— Les garçons ! ordonna-t-elle avec fermeté. Laissez-nous. Jeremy et moi avons une mission.

La déception et l'incompréhension se reflétèrent aussitôt sur tous les visages virils.

L'homme aux longs cheveux blancs serra ses poings de rage.

— Tu nous *chasses* de chez toi, glorieuse Lili ?

— Temporairement, nuança-t-elle. Vous seriez pour moi une trop grande distraction. Je viendrai vous chercher lorsque cette mission sera terminée…

Avant de quitter lentement et à regret l'appartement, les Anges s'agenouillèrent un par un devant elle et lui baisèrent la main avec dévotion. En croisant leur regard noir, Jeremy reçut sept fois le même message très clair : « Toi, dès qu'on peut, on te fait la peau. » Il frissonna. Formidable, il venait de battre son record ! Sept ennemis d'un coup, dis donc. Enfoncé, le vaillant petit tailleur… Sauf que là, il n'avait pas affaire à des mouches !

Dès que le dernier chevelu eut franchi la porte, Lili se détendit. Fière de son appartement, elle fit faire à Jeremy un tour du propriétaire. Ce dernier s'en fichait comme de son premier bavoir, mais Lili avait accumulé de véritables œuvres d'art en Brume. Ses collections étaient tout simplement incroyables. Jeremy reconnut plusieurs signatures immortelles. Donatello, le sculpteur italien mort en 1466, avait recréé spécialement pour Lili son célèbre *David*, l'une des premières statues de nu en bronze de la Renaissance. L'œuvre en Brume noire paraissait si vivante qu'on avait l'impression que le jeune garçon allait s'étirer et descendre de son piédestal. Lui faisant face, un autre triomphant *David*, mais en Brume blanche cette fois, de Michel-Ange, qui n'avait jamais (de son vivant, du moins !) rencontré Donatello, mort neuf ans avant sa naissance, mais en égalait, voire dépassait le génie. Les glorieuses nudités de leurs statues semblaient se défier en silence. Les meubles avaient été travaillés par André-Charles Boulle, mort en 1732, le plus grand ébéniste du XVIIe siècle. Jeremy ne comprenait pas comment l'artiste avait réussi à rendre le poli du bois, la chaleur de l'écaille rouge de tortue et le doré du bronze, mais en compressant la Brume il y était à l'évidence parvenu avec une maîtrise totale. Tout ce que Jeremy voyait était absolument magnifique. Après leur mort, ces génies avaient apparemment continué à travailler avec ce matériau si étrange qu'était la Brume... Devant chaque nouvelle œuvre, Jeremy tombait des nues. Encore plus lorsqu'il réalisa que l'immense chambre de Lili avait été peinte, non seulement par Michel-Ange, qui avait en partie reproduit pour elle sa fresque monumentale de la chapelle Sixtine au Vatican, mais également par Léonard de Vinci ! Il dut empêcher sa mâchoire de se décrocher. Cette fois-ci, son indifférence calculée envers la somptueuse Lili céda sous les coups de boutoir de l'admiration. L'Ange rousse avait tout bonnement recréé un véritable musée éphémère.

— Que se passe-t-il lorsque la Brume disparaît ? lui demanda-t-il, curieux.

— Tu l'as déjà vu avec Flint, tous les vieux Anges parviennent à conserver la Brume pendant des années. Mais effectivement, au bout d'un moment, elle finit par s'effilocher, puis par disparaître. Dès que je sens que cela va se produire, je vais voir mes amis, je leur fais mes yeux de biche jusqu'à ce qu'ils acceptent de recréer leurs œuvres... J'adore l'art, pas toi ?

Vaincu, Jeremy hocha la tête. Oui, lui aussi. Et il savait qu'il allait adorer rencontrer ces immortels génies. Sauf que, là, il voulait surtout retrouver Allison... Depuis qu'il était arrivé à Washington, il sentait que la jeune fille s'était rapprochée de lui, ou plutôt lui d'elle. Il en était soulagé, mais était-ce l'effet de son imagination ou était-il vraiment connecté à elle ? Il n'en avait pas parlé à Lili, car il avait l'impression que l'Ange rousse n'apprécierait pas ce détail un peu trop intime entre Allison et lui.

— Je suis fatiguée, lâcha soudain Lili. Nous irons tout à l'heure à la Maison-Blanche, puis au Capitole et au Pentagone. En espérant que nos amis y soient... Pour l'instant, nous allons manger et nous reposer. Nous en avons besoin, Jeremy, surtout toi.

Le jeune homme n'avait pas réussi à se reposer depuis trois jours et se sentait effectivement épuisé. Il ne protesta donc pas. Lili lui montra sa chambre puis, avant de sortir, hésita. Quelques secondes. Jeremy la fixa du coin de l'œil, priant pour qu'elle ne s'approche pas trop près de lui. L'image incandescente de cet homme la violant à moitié lui passa devant les yeux comme un flash. Parce qu'il devait bien l'avouer, il aurait donné beaucoup pour être à la place de cet Ange aux cheveux blancs. Et que lutter chaque jour contre l'impressionnante Lili était un travail de tous les instants.

Mais la jeune fille ne voulait pas le charmer. Du moins, pas encore. Il n'était pas prêt, elle le sentait.

— Et si nous ne les trouvons pas ? finit-elle par articuler, lentement.

— Nous les trouverons, affirma Jeremy.

— Mais...

— Nous les trouverons ! Merci de ton aide, Lili. À tout à l'heure.

Stupéfaite, l'Ange rousse le dévisagea de ses étincelants yeux verts mais ne résista pas. Elle quitta la chambre avec dignité et Jeremy poussa enfin un soupir de soulagement. Il ne savait pas combien de temps il allait pouvoir résister à Lili. Il devait retrouver Allison coûte que coûte, et vite !

Sinon, il ne jurait de rien.

Après quelques heures d'un repos réparateur, ils avalèrent une rapide collation de Brume et partirent sur-le-champ en direction de la Maison-Blanche. Lili savait que quelques-uns des Anges les plus anciens, rouges et bleus, y avaient établi leurs quartiers, mais Jeremy n'avait pas imaginé à quel point l'imposant bâtiment grouillerait d'Anges de toutes les couleurs. Dans le Bureau ovale, les conseils, les ordres, les arguments, les hurlements fusaient telles des balles au-dessus des têtes des vivants. L'énervement semblait être la constante autour du Président. Il régnait dans cette célèbre pièce une atmosphère fébrile.

— Les Anges ont déclaré la Troisième Guerre mondiale ou quoi ? finit par s'exclamer Jeremy, abasourdi.

Lili laissa éclater un rire charmant.

— C'est tout le temps comme ça ! Les Rouges donnent des conseils au Président et à ses conseillers afin de créer plus de souffrance et de peur, sans que les vivants ne soient tués, ce qui est un équilibre compliqué à préserver. Les Bleus, quant à eux, tentent de rétablir la paix et la prospérité, mission tout aussi difficile. Les politiques, les hommes de pouvoir, les artistes, les visionnaires, les survivants sont davantage réceptifs à nos suggestions, parce qu'ils ont souvent beaucoup d'imagination. C'est ce qui nous permet d'obtenir de bons résultats. Mais comme tu peux le constater ici, il faut crier fort pour que les vivants nous entendent...

— Je ne vois Allison nulle part, répliqua Jeremy un tantinet monomaniaque, alors qu'il aurait dû être fasciné par l'exercice du pouvoir et par ce qu'en faisaient les Anges.

Lili laissa échapper un grognement peu digne d'une jeune fille… ou même d'un vieil Ange.

— Je te montre les rouages les plus délicats de ton ancien monde et toi, tu ne penses qu'à une chose, c'est retrouver ta copine !

Elle avait l'air tellement dégoûtée que Jeremy réagit :

— Nous sommes venus ici pour cela. Pour la retrouver. Les retrouver. C'est ce qu'a dit Galilée. Que Flint était à Washington…

Lili soupira.

— Attends-moi ici, je vais aller interroger quelques Bleus.

Elle se dirigea vers un Ange d'un bleu intense qui planait au-dessus du Président en lui parlant fort l'oreille. Curieusement, il n'y avait aucun Rouge à ses côtés. Elle l'interrompit une minute, le temps de lui poser sa question, à laquelle il répondit rapidement avant de se concentrer à nouveau sur le Président. Soudain Jeremy le reconnut : Franklin Delano Roosevelt ! Le trente-deuxième président démocrate des États-Unis, le seul à avoir été réélu plus de deux fois dans l'histoire américaine, le créateur du New Deal et d'un système de protection sociale donnait un flot de conseils au Président vivant… Derrière l'Ange, Jeremy reconnut d'autres Bleus. Les battements de son cœur commencèrent à s'affoler. L'Ange maigre à la barbe noire était Abraham Lincoln et celui à sa gauche, George Washington, qui discutait avec Benjamin Franklin, le physicien. Carrément les plus célèbres présidents et deux des pères fondateurs ! C'était inouï. Jeremy en oublia sa quête pendant quelques instants, totalement fasciné. Il aurait voulu s'approcher d'eux, leur parler, mais les conseillers, les ministres et les secrétaires étaient, eux, cernés d'Anges bleus et rouges qui se poussaient, se bousculaient pour avoir la meilleure place. Impossible d'avancer.

Sous les yeux écarquillés de Jeremy, un vieux Rouge poussa Roosevelt sans ménagement, prit sa place et à son tour se mit à crier dans l'oreille du Président. Jeremy réalisait maintenant pourquoi les hommes politiques se plaignaient souvent d'avoir d'affreux maux de tête. Pas étonnant avec tous ces Anges qui leur hurlaient dans les oreilles !

Contrairement aux précédentes grandes figures politiques, il ne reconnaissait pas le Rouge qui tentait d'influencer le Président. L'Ange était rond, très bien habillé d'un costume de Brume, il avait le visage balaf…

Jeremy déglutit.

Al Capone. Le type qui hurlait à l'oreille du président des États-Unis était le tristement célèbre gangster de Chicago ! Soudain, l'Ange rouge leva les yeux et croisa ceux de Jeremy. L'espace d'un instant, le jeune Ange fut la cible d'un regard d'une telle malveillance, d'une telle hostilité qu'il crut être changé en statue de glace.

Un pas après l'autre, il recula, laissant la cohue des Anges l'engloutir et se posta un peu plus loin dans le Bureau ovale. Il ne voulait pas être parano, mais il avait eu la terrible impression que le Rouge le connaissait, et lui en voulait. Lui, personnellement. Ce qui était pourtant tout à fait impossible...

— Il n'est pas là, lui lança Lili en se matérialisant près de lui et le faisant sursauter. J'ai interrogé deux autres Bleus et un Rouge pour recouper les informations. Allons à la CIA, puis au Pentagone, on essaiera ensuite le Capitole.

— Qui n'est pas là ? demanda Jeremy encore sous le choc.

— Comment ça qui ?! s'insurgea Lili. Mais Flint, bien sûr ! Qu'est-ce qu'il t'arrive, Jeremy ?

Le jeune homme se passa la main sur le visage essayant d'évacuer la persistante et déplaisante sensation.

— Non, non. Rien. Allons-y.

Mais ils eurent beau écumer tous les lieux de pouvoir à Washington, rien n'y fit. Personne n'avait vu Flint. Découragé, Jeremy accepta de rentrer avec Lili après avoir passé plusieurs heures à imaginer comment retrouver Allison. Dès qu'ils eurent franchi les murs du confortable appartement de l'Ange rousse, Jeremy se tourna vers elle.

— On ne va jamais y arriver comme ça ! s'énerva-t-il. As-tu une liste ?

Il lut de l'étonnement dans les yeux vert printemps.

— Une liste ? Une liste de quoi ?

— Une liste des plus grands, des plus vieux, des plus dangereux Anges rouges auprès desquels Flint aurait pu emmener Allison ?

Lili pinça ses lèvres charnues.

— Mais qu'est-ce qui te fait penser qu'Allison est avec Flint ?

La réponse ironique de Jeremy fusa :

— Le fait qu'ils aient disparu en même temps ?

— Allison a pu partir de son côté et Flint l'aura suivie...

Interloqué, Jeremy la fixa. Était-ce une pointe de jalousie dans la voix de la somptueuse jeune fille ? Mais Lili avait eu des milliers d'années pour perfectionner le masque lisse qu'elle lui opposait à présent. Il fut incapable de le dire.

À son tour il haussa les épaules.

— Peu importe la raison, ils sont partis. Que ce soit ensemble ou pas n'a aucune importance, ce qu'il faut, c'est la retrouver... (il jeta un coup d'œil à Lili et rectifia :) les retrouver.

— Non, il n'existe pas de liste, reprit Lili. Je connais les Grands Anciens. Dans trois mois, il y aura une réunion majeure entre les Bleus et les Rouges. La décennie des Rouges se termine, avec la crise économique, les guerres, la famine ; à présent, la décennie des Bleus devrait prendre la relève, durant laquelle nous allons essayer de réparer les dégâts... Initialement, cette réunion devait avoir lieu dans deux semaines, mais les Rouges ont demandé un délai.

— Trois mois ! Mais c'est...

— ... Très long. Mais pour nous, les vieux Anges, ce n'est rien. N'oublie pas que nous sommes presque immortels, Jeremy. Le temps ne passe pas de la même manière pour nous. Nous avons appris la patience...

Fatiguée, elle marqua une pause puis ajouta :

— Bref, à cette occasion, tout ce que notre monde compte d'Anges puissants, auxquels Allison pourrait demander de l'aide, sera là. Ils vont commencer à affluer. Nous les aurons sous la main, nous pourrons les interroger. Ne t'inquiète pas, nous allons y arriver.

Jeremy lui fut reconnaissant de vouloir le rassurer. Même si cela n'eut aucun effet sur lui.

Les jours qui suivirent furent un véritable enfer. Jeremy ne comprenait pas pourquoi il était désespéré à ce point, le cœur en lambeaux. Au bout d'une semaine, il était à moitié fou d'impatience. Au bout d'un mois, il fatiguait tellement Lili qu'elle faisait tout pour l'éviter. Heureusement qu'il n'était pas resté à New York : il aurait sans doute passé tout son temps à se vautrer dans les affaires d'Allison avant que son appartement soit reloué. La jeune fille lui manquait horriblement. Ses quelques heures de repos qu'il s'accordait ici et là étaient peuplées de cauchemars. Il y voyait la jeune fille, nue (et pourquoi nue ? ça, son inconscient ne voulait pas le lui dire...), accroupie devant un immonde Rouge obèse, gonflé par les mensonges et les trahisons, qui la nourrissait des sentiments les plus noirs et les plus vils, tandis que Flint, derrière elle, caressait ses cheveux et lui embrumait l'esprit. Lorsqu'il se réveillait, Jeremy avait chaque fois envie de vomir. Cependant, il avait bien compris que pour être puissant, il fallait se nourrir. Aussi s'obligeait-il à avaler de grandes quantités de Brume. Il faisait aussi beaucoup d'exercice, bien plus que dans toute sa vie.

Un jour, Connor, l'un des adorateurs de Lili qui ressemblait trait pour trait à un célèbre acteur noir, passa à l'appartement. Concentré, Jeremy s'entraînait en travaillant ses katas. Le jeune Ange avait longtemps pratiqué le judo et avait décidé de s'y remettre. Si, pour une raison ou pour une autre, il devait affronter le tueur, autant qu'il soit capable de se défendre…

L'homme aux longs cheveux noirs et aux oreilles légèrement en pointe (la chose le plus ridicule que Jeremy ait vue de ses deux vies ; il supposa même que l'Ange voulait imiter Blade) resta un instant à le regarder, ses bras musculeux croisés sur son imposante poitrine nue. Puis, du coin de l'œil, Jeremy le surprit à hocher la tête, à s'approcher et à s'incliner. Et à se mettre en position. Mais qu'est-ce qu… ?

L'instant d'après, Jeremy avait le nez écrasé sur le tapis de Brume et les oreilles qui tintaient. Connor le releva amicalement, puis corrigea sa position, à l'aide de petites tapes sèches, toujours en silence. Jeremy ouvrit la bouche pour lui demander ce qu'il voulait mais l'Ange noir se remit en position et attaqua. Rapide, Jeremy esquiva. Connor eut un sourire appréciateur, puis le sécha d'une torsion du buste qui l'expédia au tapis. Encore. Furieux, il se releva. Et, soudain, toute la frustration qu'il endurait depuis des semaines explosa et il se rua sur l'Ange comme un dingue. Un instant pris de court, Connor évita sa charge en esquivant, tel un grand chat habile. À la fin, épuisé et en nage, Jeremy était encore debout, quoique sérieusement endolori et Connor grimaçait en se tenant les côtes.

À partir de ce jour, Connor devint son instructeur particulier. Jeremy ne savait pas pourquoi l'homme faisait cela, vu que lui arracher deux mots relevait de l'exploit, mais il lui en était reconnaissant. Curieusement, Connor n'apparaissait que lorsque Lili n'était pas à l'appartement, ce qui arrivait d'ailleurs souvent. Grâce à lui, Jeremy parvint à ne pas sombrer dans la folie. Car, contrairement à Connor, Jeremy parlait. Il lui parlait de lui, de sa vie d'avant, de sa vie de maintenant, qu'il n'aimait pas beaucoup, d'Allison…

Et d'Allison.

Et encore d'Allison.

Et toujours d'All…

Pour être tout à fait franc, Jeremy se disait que si Connor lui avait parlé autant que lui, il aurait sans doute fini par lui arracher la tête. Mais son patient et musculeux instructeur écoutait sans l'interrompre, enfin… à part pour lui mettre le nez sur le tapis. Et il encaissait sans mot dire tant ses moments d'exaltation, « je vais la retrouver ! », que ses accès de désespoir, « je ne la retrouverai jamais ! »…

Lorsqu'il ne s'entraînait pas, Jeremy écumait tous les lieux où Flint et Allison auraient pu se trouver. Durant deux mois, Lili l'accompagna patiemment. Puis elle décida de le laisser tomber parce qu'il refusait de l'accompagner au cinéma ou au théâtre.

— Il n'est pas question de nous couper de ce monde, gronda-t-elle, excédée. Rappelle-toi bien que nous avons de la chance : nous pouvons continuer à profiter de ces plaisirs, même si c'est par vivants interposés. Et, crois-moi, quand on a le moral à zéro, aller voir Jay Leno ou Jon Stewart se moquer des vivants, cela fait un bien fou !

Elle avait raison, bien sûr. Parfois, elle s'absentait pendant plusieurs jours. Jeremy soupçonnait qu'elle en profitait pour aller ses voir ses « petits chéris », dont Connor faisait partie, mais l'homme ne lui en parla jamais.

Toujours, elle laissait à Jeremy de quoi se vêtir élégamment. Il s'en fichait un peu, content d'arriver à se créer ses propres pagnes et épingles à nourrice, mais l'étrange tache dorée autour de son nombril s'étendait… Il ne savait pas se confectionner une chemise, il n'eut pas vraiment le choix sinon de s'habiller avec ce qu'elle lui donnait.

Au fil des semaines, les Grands Anciens arrivaient par vagues à Washington. Leur nombre était impressionnant. Le poids de leur puissance et de leur charisme semblait courber l'espace, peser sur la ville comme une chape de plomb. Les vivants de Washington se sentaient nerveux sans savoir pourquoi. Les chiens aboyaient plus fort, les disputes éclataient plus fréquemment, le nombre de délits augmenta, la police commença à être débordée et, inévitablement, des erreurs furent commises. Et tout cela juste parce que les Anges se réunissaient… Jeremy trouvait ça un peu effrayant. Bien que se nourrissant lui-même de leur Brume, il aimait de moins en moins les rapports qu'entretenaient les Anges avec les vivants.

À force de hanter des heures les couloirs de la Maison-Blanche et du Capitole, Jeremy finit par se familiariser avec leur fonctionnement. Il put vivre, jour après jour, l'immense frustration du Président et de ses conseillers, mais aussi des Anges bleus. Le monde allait mal et les vivants n'avaient pas le remède. Alors, comme sur un pneu crevé à plusieurs endroits, ils collaient des rustines en priant pour qu'elles tiennent le plus longtemps possible. Les Anges rouges avaient décidément bien travaillé. Entre la crise des subprimes et les Madoff en série, ils avaient réussi à ruiner et à rendre malheureux des millions de gens.

Quel talent !

La crise économique et financière mondiale allait mettre au moins dix ans à se résorber, quoi qu'en disent les sources les plus optimistes. Comment les Bleus allaient-ils rétablir l'équilibre en si peu de temps ? Cela lui donna à réfléchir. Toute sa vie, enfin... celle sur Terre, il avait planifié, calculé, réfléchit. Depuis qu'il se trouvait dans l'au-delà, cela avait changé. Au lieu de provoquer les événements, il en était la victime. Au lieu d'agir, il se contentait de réagir.

Il rentrait seul en flânant de l'une de ces énièmes réunions de crise de la Maison-Blanche lorsqu'il eut de nouveau la désagréable impression d'être suivi. Immédiatement l'image de Khan avec son bout de langue atrophiée et son sabre rouge le remplit d'une angoisse sourde. Soudain, sans prévenir, il tourna dans une sombre ruelle. Quelques secondes plus tard, un pas léger, presque un frôlement, l'avertit. Jeremy se prépara. Il n'avait pas d'arme sur lui, mais Connor lui avait appris suffisamment de coups en traître (il en portait encore des bleus) pour que Jeremy soit à peu près sûr d'assommer celui ou celle qui le suivait.

Il bondit au moment où la silhouette passa devant lui. Il l'agrippa et son poing serré s'arrêta juste à un petit millimètre du long nez aristocratique.

Tétishéri.

Les yeux écarquillés de stupeur, la femme le dévisageait, bouche bée.

— Alors maintenant, s'écria Jeremy pour masquer son égale surprise, vous allez me dire pourquoi vous me suivez !

Sa force de petit Bleu était dérisoire face à celle d'un Ange qui avait plus de trois mille six cents ans, aussi Jeremy lui lâcha le bras, comme s'il lui faisait une faveur. La grosse femme bleue soupira :

— Je leur avais bien dit que j'étais nulle en filature. Et merde !

— « Leur » ? De qui parlez-vous ? Qu'est-ce que vous me voulez ?

— Nous vous surveillons pour essayer de comprendre ce que vous faites. Et pourquoi vous le faites.

Telle fut l'incroyable réponse.

Jeremy n'en revenait pas.

— Comment ça, ce que je fais ?

— C'est ainsi, soupira l'Ange bleu. Écoutez, si vous avez besoin d'aide, mais *vous* uniquement, voici l'endroit où vous devez aller. Ne gardez pas la carte sur vous. Cela pourrait être dangereux...

Jeremy prit le petit carton bleu que lui tendait Tétishéri. Avant de venir à Washington, certes lors d'une légère crise de paranoïa mais surtout par ennui, il s'était renseigné sur son nom en visitant le département égyptien du Metropolitan Museum of Art de New York. Tétishéri était la femme du pharaon Tao Ier. Elle avait été l'une des premières reines de la XVIIe dynastie à avoir conduit des actions militaires pour défendre l'Égypte, montrant ainsi la voie à de célèbres souveraines comme Néfertiti ou Hatchepsout. Ainsi, la petite femme potelée qu'il avait devant lui avait été un grand stratège et une grande reine... Et elle venait de lui avouer qu'elle le suivait et le surveillait ! Mais, par tous les diables, pour quelle raison ? Avant qu'il ait le temps de la questionner, elle eut un sourire délicat et amer, puis s'envola.

Il mémorisa l'adresse sur la carte et l'avala. Il soupçonnait que, s'il se rendait maintenant à cette adresse, personne ne lui ouvrirait. « Si vous avez besoin d'aide, mais vous uniquement », avait-elle dit. Ces gens, peu importe qui ils étaient, ne seraient d'aucun secours pour retrouver Allison… Jeremy se rendit soudain compte qu'il dépendait trop des autres, que ce soit de Lili ou de ces soi-disant bons samaritains. À partir de maintenant, il allait prendre les choses en main.

Et il avait enfin un plan.

Une nuit qu'il contemplait sur le balcon les lueurs de la ville, il se mit à évaluer chaque meuble de l'appartement de Lili. Les Anges qui avaient décoré les lieux avaient également pourvu sa cuisine de plusieurs chaises, dont elle n'avait bien évidemment pas besoin, vu qu'elle n'y allait jamais. Pensif, il en souleva une et la soupesa. Puis, dans l'une des chambres d'amis, il prit des draps de Brume, les déchira et en fit des tresses solides. Flint lui avait dit qu'il pouvait empêcher quelqu'un de se dématérialiser et de s'échapper en contrôlant la Brume. Évidemment, Flint était un vieil Ange. Jeremy serait-il capable d'en faire autant ?

Cela lui prit un mois complet, mais tout comme il avait été capable d'utiliser la Brume bien plus vite que n'importe quel Angelot, il parvint, après des centaines de tentatives infructueuses, à produire quatre petits (très petits) liens de Brume indestructibles. Enfin… il en eut l'impression. Mais impossible de le savoir sans faire un essai. Il décida alors de les tester sur Connor. Le colosse noir fut très étonné lorsque, durant une prise de judo, il se retrouva les mains liées dans le dos par un cordon de Brume. Agacé, il tenta vainement de le déchirer. Il y mit toute sa puissance de vieil Ange, sans résultat.

— Par mes ancêtres, mais qu'est-ce que c'est que ça ? gronda-t-il, furieux.

Jeremy mentit alors.

— Flint m'avait laissé ces liens au cas où le tueur au sabre reviendrait. Il a dit qu'avec ça je pourrais l'immobiliser, le temps qu'il vole à mon secours...

Connor hocha la tête.

— C'est une bonne idée. Avec un jeune Ange comme ce Rouge qui t'a agressé, cela fonctionnera bien. Mais n'essaie pas avec un vieil Ange comme moi, car il lui suffirait d'absorber le lien par les pores de son corps pour s'en débarrasser. Ce que vous ne savez pas faire, vous les Angelots.

Jeremy sourit, le cœur battant :

— Non, Flint m'a dit que même un vieil Ange ne pourrait pas s'en délivrer.

Connor eut une moue dubitative et tenta de dissoudre le lien de Jeremy. Cela ne fonctionna pas, à la grande joie du jeune homme. Avant que Jeremy le libère, Connor dut bien finir par admettre que le lien qu'il croyait tressé par Flint était plus solide qu'il n'y paraissait.

Pour la seconde partie de son plan, Jeremy étudia attentivement l'environnement et la disposition de l'appartement dans l'immeuble.

Un soir, Lili rentra très excitée. Jeremy qui avait broyé du noir toute la journée en dépit de son entraînement quotidien avec Connor se redressa, en alerte.

— Il va y avoir une grande soirée, lança-t-elle en accourant vers lui. Une grande soirée où tout ce qui compte de vieux, méchant et rouge va se retrouver. Nous sommes invités !

Devant le regard ironique de Jeremy elle rectifia :

— Oui, enfin bon, *je* suis invitée et *tu* viens avec moi.

Pour la millième fois, Jeremy se demanda pourquoi Lili était invitée partout à Washington, alors que les Bleus et les Rouges étaient des ennemis jurés. Puis il se souvint du Rouge et du Bleu qui accompagnaient Clark et qui semblaient bien s'entendre. Cela faisait trois mois qu'Allison avait disparu. Ce soir, il allait enfin pouvoir réagir.

Lili lui fit revêtir un somptueux smoking d'un bleu nuit si profond qu'il en paraissait presque noir. Elle enfila une robe verte resplendissante assortie à des sandales dorées, colora ses lèvres d'un seul coup d'œil et obscurcit ses merveilleux yeux verts de Brume noire. Comme chaque fois, Jeremy eut le souffle coupé en la voyant sortir de sa chambre, apprêtée et resplendissante. La promiscuité liée à leur colocation n'avait pas atténué l'incroyable et irrésistible effet qu'elle lui faisait.

Jeremy lui tendit le bras avec galanterie et elle y accrocha sa main avec un petit rire. Lili était heureuse de vivre, elle éclatait littéralement de joie. Son corps près du sien, Jeremy ne put s'empêcher de se trouver particulièrement stupide d'être ainsi obsédé par Allison, une fille qui n'avait pas voulu de lui et l'avait fui à la première occasion. Ce n'était pas la première fois que cette pensée lui traversait l'esprit, mais, ce soir-là, elle prit une place de plus en plus envahissante dans sa tête.

La soirée en question ne se déroulait pas très loin de l'endroit où ils habitaient. Ils décidèrent donc de s'y rendre à pied. Jeremy, le cœur battant, eut la désagréable impression qu'il tenait là sa dernière chance. Et que, s'il ne retrouvait pas Allison ce soir, tout serait terminé...

Ils s'apprêtaient à entrer dans le hall illuminé de l'hôtel où se déroulait la soirée, en marge d'un gala de charité organisé au même moment par Sharon Stone, lorsqu'un « pssiitt ! » retentissant attira l'attention de Jeremy. Quelqu'un leur faisait signe dans l'ombre. Intrigué, Jeremy fit pivoter Lili et d'un signe de la tête lui proposa de le suivre. Lili haussa un sourcil surpris mais obéit. Ils retrouvèrent alors une figure familière, noyée dans un minismoking et chaussée de baskets flashy.

Einstein.

Jeremy se sentit absurdement heureux de retrouver le jeune-vieux savant. Il était l'ami le plus cher de sa nouvelle vie. Il le salua avec effusion avant de lui demander la raison de sa présence à Washington.

— Ils ne veulent pas me laisser entrer, grogna Albert en désignant l'Ange rouge baraqué et l'Ange bleue obèse qui servaient de vigiles et refoulaient les pique-assiette. Est-ce que je peux venir avec vous ? S'il vous plaît ?

Il roula des yeux de chiot affectueux en direction de Lili qui éclata de rire.

— Oui, bien sûr, mais tu dois promettre de te comporter correctement. Pas de milliards de questions à nos Grands Anciens et tu tiens ta langue, c'est compris ?

Le savant afficha un large sourire et fit un signe sur sa poitrine.

— Croix de bois, croix de fer, si je mens je vais en enfer... où que cela puisse être !

— Tu es à Washington depuis longtemps ? redemanda Jeremy alors que le savant les suivait, les collant de si près qu'il marchait presque sur les talons de Lili.

— Je ne suis arrivé qu'hier. Tous les six mois, nous avons notre congrès de physiciens, comme celui qui nous a réunis à New York, il y a trois mois, précisa Einstein en jetant des coups d'œil nerveux autour de lui. Tous, que nous soyons Rouges ou Bleus, nous nous réunissons et nous discutons. Nous parlons de nos recherches, mais surtout de nos protégés « vivants » et de ce que nous leur suggérons, de leurs progrès, etc. Mais comme le congrès des Grands Anciens a été décalé, nous avons dû avancer le nôtre de trois mois puisque, tu t'en doutes, les très vieux Anges peuvent être aussi de grands mathématiciens. Et puis, c'est le renversement du cycle, après dix ans du règne des Rouges, c'est au tour des Bleus.

Il baissa soudain la voix comme si des oreilles indiscrètes risquaient de l'entendre.

— Et il se passe des tas de choses curieuses...

— Curieuses ? Curieuses comment ? demanda Jeremy.

— Je n'en sais rien, mais les Anges bleus, je veux dire les Anciens, sont nerveux comme des chats à longue queue dans une fabrique de fauteuils à bascule. Et ça, ça n'augure rien de bon. La dernière fois qu'une guerre entre les Rouges et les Bleus s'est produite, cela a conduit l'humanité à la Seconde Guerre mondiale. Et à Hiroshima.

Jeremy s'arrêta net, arrachant une protestation à Lili qui ne s'y attendait pas.

— Quoi ?

Einstein opina de la tête, la mine désolée.

— Je n'y étais pas, puisque je suis mort bien après, mais c'est ce qu'on m'a dit.

Jeremy était incrédule.

— Et comment des Anges qui ne peuvent pas se détruire en masse ont fait la guerre ? Encore mieux, comment ces Anges ont réussi à influencer les vivants au point de faire d'Hitler un monstre ?

— Je ne sais pas, Jeremy ! On ne nous dit rien à nous les jeunes Anges, répondit Einstein avec un regard malheureux.

Puis il désigna Lili qui les écoutait avec une impatience grandissante.

— En revanche, elle, elle sait.

Lili lui jeta un regard méprisant.

— Ce que je sais, c'est que je n'aurais pas dû me laisser attendrir. Tu ne causes que des problèmes, petit Bleu…

La façon dont elle prononça ces mots fit tressaillir Jeremy.

— Les Bleus ont joué. Et ont perdu. C'est tout ce qu'il y a à dire. Bon, nous y allons maintenant ? J'ai envie d'assister à cette soirée et nous avons un Flint et une Allison à attraper, je crois.

À l'entendre, on avait l'impression qu'elle parlait de deux gros poissons difficiles à pêcher.

Soudain, alors qu'ils venaient à peine de franchir le barrage des deux gorilles à l'entrée, Jeremy entendit un nom familier. Il fit signe à Lili et à Einstein de continuer et les rejoignit. L'un des vivants participant au gala de charité consultait les informations sur son iPad et les commentait avec un ami. C'était le nom de Ventousi que venait d'entendre Jeremy ! Les nouvelles étaient fraîches : la police avait découvert une nouvelle piste, liant les meurtres de la collaboratrice du laboratoire, de Jeremy et d'Allison. Et cela grâce à un téléphone trouvé dans l'Hudson, miraculeusement repêché par une brigade fluviale qui recherchait tout autre chose, en l'occurrence une arme. Le dernier numéro appelé était celui du portable trouvé sur le corps du tueur au sabre. À l'intérieur, sur la carte sim, la police avait relevé les empreintes de Ventousi. Dans sa panique et n'imaginant pas un instant que son portable serait retrouvé, ce dernier avait oublié de les effacer. Aussi incroyable que puisse paraître ce rebondissement dans l'enquête en cours, le chercheur venait enfin d'être arrêté pour être interrogé.

Pétrifié, Jeremy comprit aussitôt qu'Allison était en train d'agir. Ce qui signifiait sans doute qu'elle avait obtenu l'aide dont elle avait besoin et qu'elle était devenue rouge…

Hors de sa portée dorénavant.

Il releva la tête. Lili l'attendait en haut de l'escalier. Elle était si belle que son cœur rata un battement. Jeremy soupira. Il savait à présent ce qu'il devait faire. C'était clair comme de l'eau de roche.

Il monta les marches, lui prit la main et lui murmura :

— Partons d'ici.

— Mais et...

— Je m'ennuie déjà, trancha-t-il.

Puis il la plaqua avec passion contre lui, ne lui laissant aucun doute quant à ses intentions. La bouche de la jeune fille s'entrouvrit de stupeur, néanmoins elle se reprit très vite.

— Je préviens Einstein, souffla-t-elle.

Elle entra dans la grande salle où se tenaient les Anges. Jeremy la suivit mais resta sur le seuil. Il la vit parler au jeune savant qui eut l'air dépité et à Connor qui apparemment était aussi invité. Puis, légère, essoufflée et ravie, elle revint vers Jeremy. Main dans la main, ils rentrèrent chez eux.

Dès que Jeremy franchit la porte, il laissa libre cours à sa passion. Il plaqua Lili contre la porte de la chambre et lui arracha ses vêtements de Brume, puis déchira les siens. Nu, il ne put s'empêcher de la contempler. Qu'elle était belle ! Lili avait les charmes d'une jeune fille de dix-huit ans conjugués à une séduction millénaire. Il en avait la gorge serrée. La peau cuivrée, ses longs cheveux de flamme ruisselant sur ses seins ronds, elle était à la fois la tentation et l'innocence incarnées. Il se jeta sur elle comme un fauve affamé.

Faire l'amour avec Lili fut un moment incroyable, comme un incendie, un désir si violent qu'il enflammait les sens et le sang, rendant Jeremy insatiable et sauvage.

Il ne fut pas doux. Il la caressa avec férocité, attentif à son plaisir, et elle répondit comme un magnifique instrument au diapason. Chaque caresse, chaque soupir, chaque plaisir montait crescendo. Mais il ne la pénétra pas. Pas tout de suite, pas encore. D'abord, il excita ses sens en jouant avec son corps de rêve. Lorsqu'elle fut brûlante de désir, l'implorant, gémissant sous lui, il se refusa encore. Fébrile, elle activa son charisme d'Ange pour l'obliger à la satisfaire, Jeremy résista. La lueur étonnée dans les yeux si verts le récompensa. Elle dut se soumettre. Jeremy n'était pas comme ses « petits chéris », jamais il ne lui obéirait. Pas de cette façon.

Lili était bien plus forte que lui physiquement, pourtant elle ne chercha pas à le dominer. Et lorsqu'il lui fit perdre la tête, avec sa langue et ses doigts, elle hurla son nom. Après des heures, lorsqu'elle eut reconnu sa force et sa maîtrise, il la pénétra d'un vigoureux coup de reins qui la fit gémir de nouveau. Il avait joué avec elle, il avait son secret pour amener le plaisir de l'Ange à son zénith. Il se déplaça de quelques millimètres, la faisant grogner de plaisir puis commença un lent va-et-vient. Elle enroula ses longues jambes autour de son dos puissant et ondula sous lui comme une liane. Il s'empara de sa bouche si charnue, comme un fruit rouge. C'était si bon qu'il faillit perdre le contrôle, mais il se reprit, jusqu'à la faire jouir, encore et encore. Il ne s'abandonna qu'à la fin en un vigoureux épanchement qui la laissa vidée et pantelante, incapable d'articuler un mot, ruisselante de sueur.

Plusieurs minutes passèrent où seuls leurs souffles haletants retentirent dans la chambre. Puis Lili remua et coula un regard ébahi vers son amant.

— Par tous les diables, ronronna-t-elle, j'ai mal partout. Où as-tu appris à faire l'amour comme ça ?

Jeremy ne répondit pas. Il n'avait que très peu d'expérience avec les filles, comme il l'avait dit à Allison, mais il lui avait soigneusement caché que son cher et tyrannique grand-père avait engagé une jeune escort-girl expérimentée alors qu'il avait à peine vingt ans. Elle lui avait fait croire qu'elle était tombée amoureuse de lui. Elle lui avait appris tous les jeux de l'amour au fil de longs, délicieux et très agréables travaux pratiques. Le jour où il lui avait demandé de l'épouser, elle lui avait tout avoué. De cette manière, James voulait s'assurer que son petit-fils ne se ferait jamais manipuler et entraîner dans un scandale par une femme grâce au sexe. Le monde des affaires était impitoyable et ce danger en faisait partie. Il avait atteint son but : la fille s'était révélée une actrice hors pair.

Après cette expérience traumatisante, Jeremy n'avait plus jamais fait confiance à une fille. Jusqu'à ce qu'il rencontre Allison.

Il bâillonna Lili de la main. Les yeux émeraude s'agrandirent, incrédules, lorsqu'il recommença à la caresser. Lili s'abandonna à la volupté et décida de ne plus poser de questions. Elle les avait tout simplement oubliées.

Avant de faire l'amour avec Lili, Jeremy avait hésité à cause de la tache dorée qui s'étendait chaque jour davantage autour de son nombril. Sans savoir pourquoi, il s'inquiétait de la réaction de Lili. Pour rien. Car lorsqu'il avait retiré ses vêtements, il avait constaté que le cercle qui dorait son ventre avait tout simplement disparu.

Au petit matin, Lili dormait du sommeil de l'Ange comblée lorsqu'il se produisit enfin ce qu'avait prévu Jeremy.

Flint entra dans la chambre où ils étaient allongés, nus.

Et, derrière lui, Allison. Ange bleue devenue rouge, des pieds à la tête.

Qui les foudroya d'un regard méprisant.

16

Le goût de la trahison

La nuit de sa disparition, trois mois plus tôt, Allison ne dormait pas. Elle était encore bouleversée par ce qui s'était passé dans l'arène entre les deux Rouges et par sa propre réaction.

Débile. Stupide. Idiote. Digne d'une gamine de quatre ans. Totalement étrangère à ce qu'elle était au fond d'elle-même.

Songeuse, elle lissa le drap bleu et soudain le souvenir de son corps et de celui de Jeremy enlacés la frappa comme un coup de poing. Pour la première fois de son existence, Allison éprouvait un désir brûlant pour un garçon. Si brûlant qu'elle devait se fustiger pour ne pas bondir et rejoindre Jeremy dans la chambre d'à côté. Elle inspira profondément pour tenter de se calmer. De nouveau, effaçant la rage obsédante et l'envie de vengeance qui l'habitaient, la passion la fit frissonner.

« Oh là, ma petite Allison, il va vraiment falloir que tu te calmes. OK, ce garçon est super beau, OK, il est mort à cause de toi, OK, il est complètement raide dingue de toi, OK, toi aussi tu as envie de lui ! Alors qu'est-ce qui t'empêche d'aller le voir ? Hein ? Rien. Rien du tout... À part cette saloperie de promesse qu'on t'a fait rentrer dans la tête à coups de marteau ! »

Elle se concentra sur sa mission. Sauver des millions de malades, rendre le bonheur à des centaines de familles. Mais, à la place de Ventousi, c'était Jeremy qu'elle voyait. Elle sentait encore sous sa main les fermes pectoraux se contracter alors qu'il lui faisait écouter les battements de son cœur.

Qui ne battait que pour elle, avait-il dit.

Et si elle parvenait à avoir les deux ? Et l'amour et la vengeance ? Après tout, rien ne l'empêchait d'influencer les policiers, plutôt que de forcer Ventousi à révéler la formule de son médicament. Un vieux Bleu pourrait les manipuler, guider leurs recherches. Lier les meurtres de la collaboratrice de Ventousi, d'Allison et de Jeremy n'avait rien de si compliqué, non ? Ensuite, Ventousi n'aurait plus aucune raison de cacher sa découverte miracle : il serait en prison et aurait besoin d'argent... Il ne deviendrait sans doute pas milliardaire, comme il en avait eu l'intention en rachetant le laboratoire de son père, mais il serait riche dans une cellule confortable...

Soudain, en paix avec elle-même, Allison afficha un large sourire. Oui. Inutile de devenir rouge ! Lorsque Flint lui avait lancé cette idée, ils étaient entourés d'Anges rouges et bleus dont la puissance et le charisme hérissaient les poils des bras. Elle avait bondi sur l'occasion, mais Jeremy avait raison : c'était une mauvaise idée. On ne cherchait pas le bien en faisant le mal. C'était le plus court chemin vers de gros problèmes. Sauf que, bien sûr, elle ne l'avait pas dit à Jeremy juste par esprit de contradiction. D'où les épithètes malsonnantes dont elle était en train maintenant de s'affubler.

Elle allait se lever pour rejoindre Jeremy lorsqu'un frôlement la pétrifia. Avait-il eu la même idée qu'elle ? Mais, dans l'obscurité, ce n'était pas Jeremy qui se dressait à côté d'elle, la regardant de ses brillants yeux gris. C'était Flint.

Allison sentit aussitôt sa gorge se serrer. À ce moment précis, Flint était probablement la dernière personne qu'elle avait envie de voir dans sa chambre. Et de voir s'asseoir sur son lit...

— Nous devons parler, murmura-t-il afin de ne pas alerter Jeremy dans la chambre voisine.

— Parler de quoi ? balbutia Allison, frappée par le charisme de l'Ange bleu et horriblement consciente de sa nudité sous le drap de Brume.

— De ce que tu veux vraiment, jeune Ange. Tu n'es morte que depuis très peu de temps. Sache que je comprends ton désir de vengeance. Lorsque j'ai été tué, je suis devenu fou pendant de nombreuses années. J'aurais tout fait pour me venger, d'autant que les miens avaient été vendus comme esclaves et qu'il a fallu longtemps avant qu'ils meurent... Mais ensuite j'ai réalisé que tout cela n'avait pas une grande importance. Notre nouvelle vie ici peut être la plus délicieuse, jeune Ange !

Il se pencha, frôlant les cuisses d'Allison.

— Et très prometteuse, chuchota-t-il tout contre les lèvres de la jeune fille.

Effrayée, celle-ci recula et Flint fit de même sans laisser paraître son agacement.

— Je... je ne veux pas me venger, balbutia-t-elle d'une petite voix. J'étais juste... très en colère et ce spectacle... était si... si violent ! Toute cette rage, cette haine des deux Rouges, je crois que cela m'a embrouillé l'esprit. A pollué mes sentiments.

Flint fronça les sourcils.

— Ah bon ? Que veux-tu faire alors ?

Allison lui expliqua. Flint écouta attentivement. Puis secoua la tête.

— Il ne le fera pas. Ventousi a fait tuer trois personnes afin de prendre le contrôle des laboratoires de son père. Il préférera en prendre pour trente ans, sortir de prison au bout de vingt pour bonne conduite et ne révéler la formule du médicament que lorsqu'il aura gagné. Je connais bien ce genre de personnage. Cela ne servira à rien. Pendant tout ce temps, des millions de gens continueront de périr comme ta mère, rongés par le cancer.

Allison se mordit la lèvre. Il savait trouver les mots justes, hélas. Flint posa une main compréhensive sur son épaule et lui sourit avec malice.

— Tu sais pourquoi je veux t'aider, n'est-ce pas ?

Soudain, Allison sentit son esprit flotter quelques secondes, comme s'il était porté par des nuages.

— Parce que vous vous ennuyez, répondit-elle docilement.

— ... Et parce que j'ai terriblement envie de ton corps délicieux. C'est extrêmement rare une jeune vierge qui meurt à ton âge de nos jours. T'apprendre l'amour sera ma plus belle récompense !

Allison se raidit instantanément, la peur chassant les nuages dans sa tête. Flint accentua sa pression sur l'épaule de la jeune fille et elle sentit la rage l'envahir de nouveau. Contre Flint qui voulait la soumettre à son désir, contre Jeremy qui voulait l'encager dans son amour, contre Ventousi qui l'avait tuée. Elle se mit à genou dans son lit, ignorant le drap qui glissait et planta des yeux bleus farouches dans ceux de Flint.

— Très bien ! lança-t-elle sèchement. Voici mes conditions : nous obligeons Ventousi à révéler sa formule, peu importe comment, et il va en prison. Que pour cela je devienne rouge, verte ou violette, je m'en fous ! Si nous parvenons à ce résultat, je couche avec vous.

Flint eut un petit rictus, les yeux fixés sur les seins délicieux qui le narguaient.

— Tu deviens mon esclave, rectifia-t-il. Tu m'appartiens exclusivement pendant les cent prochaines années. Tu obéis au moindre de mes désirs. Sans discuter. Sans rechigner. Tu me donnes et ton cœur et ton corps.

Allison pâlit. Tout cela ressemblait à un pacte avec le diable… Pourtant, à plusieurs reprises, Flint avait clairement montré qu'il ne leur voulait aucun mal, ni à elle ni à Jeremy. Et puis sa magnifique couleur bleue parlait pour lui. Il n'était pas un « méchant ». Bizarrement, ces pensées ne la rassurèrent pas plus que cela. Probablement à cause du mot qu'il avait employé. « Esclave ».

Il finit par lâcher son épaule et prit sa main.

— Alors ? Avons-nous un deal ?

Le désir de vengeance envahit Allison tout entière, occultant tout le reste. Parcourue de frissons, elle eut un sourire froid.

— Dix ans.

— Bien trop court. Quatre-vingts.

— Trop long. Quinze.

Flint agita un doigt.

— Non, non, je ne suis pas un marchand de tapis, tentante Allison…

Pourtant il marchandait, c'était indéniable.

— Cinquante ans et pas de discussion, ajouta-t-il après avoir croisé le regard inflexible de la jeune fille.

Allison sentit qu'il ne changerait plus. Il la voulait à sa merci. Pendant d'interminables années. Elle réprima un frisson.

— Nous avons un deal, dit-elle d'un ton morne avec la déplaisante sensation de vendre son âme. Mais avant, pas de séduction, pas d'hypnose, et vous n'essayez pas de me mettre dans votre lit, c'est clair ?

Avant qu'elle ait le temps de réagir, Flint s'emparait de ses lèvres avec une arrogante brutalité et l'embrassait jusqu'à la faire gémir. Son baiser n'avait rien à voir avec celui de Jeremy, pourtant la sensualité qu'il dégageait la laissa pantelante. Révulsée, mais brûlante.

— Juste un petit acompte, sourit Flint alors qu'elle essayait de retrouver sa respiration. Eh oui, délicieuse, irrésistible Allison. Nous avons maintenant un deal. Même si je préfère le bleu, je pense que le rouge t'ira à ravir !

Flint se méfiait de l'influence que pouvait exercer Jeremy sur Allison. En fait, pour l'instant son seul et unique but était de mettre enfin Allison dans son lit. Cela faisait des siècles que personne ne lui avait résisté et il trouvait la situation délicieusement incongrue.

Tout cela le troublait au plus haut point. Sa vie…, sa mort, était simple : il contrait les plans de l'ennemi, avec une grande délectation. Il jouait à ce petit jeu depuis des centaines d'années et cela le divertissait beaucoup, écartant l'ennui et la peur de la disparition. Lorsqu'il avait rencontré Jeremy, Flint avait été frappé par quelque chose qui émanait du petit Bleu. Quelque chose de différent des autres Anges. Et cette différence, il la retrouvait aussi chez Allison. Chez la pure, la très têtue et très jolie Allison. Et, alors qu'il était devenu cynique avec les siècles, il avait découvert, en tenant la jeune fille dans ses bras, qu'il adorait cela. À partir de ce moment, il avait décidé qu'elle serait à lui. Qu'elle soit bleue, rouge ou blanche, il s'en fichait éperdument. Il ne lui avait pas menti : Flint voulait son corps, oh oui, mais il voulait encore plus son âme. Elle lui faisait le même effet qu'un ruisseau d'eau pure venu désaltérer le guerrier fatigué qu'il était devenu. Lui rendant sa jeunesse et sa fougue. Hors de question de laisser Jeremy s'approprier ce trésor inestimable. Le petit Bleu était bien gentil, mais jamais il ne saurait s'occuper comme il faut d'Allison. La jeune fille avait un énorme potentiel, il pouvait le sentir. Il allait la débarrasser de son obsession en obtenant ce qu'elle voulait et, ensuite, elle serait à lui...

Pas pour cinquante petites années, non.

Pour l'éternité.

Il emmena donc Allison avec lui sur-le-champ. Certes, elle protesta, désolée de ne pas pouvoir informer Jeremy de sa décision, mais Flint demeura inflexible. Pas question de la laisser parler au jeune Ange bleu. Il lui fit passer les murs de Brume et de pierre qu'Allison ne parvenait pas encore à franchir toute seule et l'emmena, à sa grande surprise, à Washington.

Dans ce monde, les Anges « actifs » n'étaient pas si nombreux. L'immense majorité se contentait de profiter des sentiments humains, se fichant de tout du moment qu'ils avaient de la Brume quelle que soit sa couleur. Ainsi, après des centaines d'années, Flint connaissait tous les Anges bleus, mais également tous les Anges rouges. Et un en particulier, qui allait pouvoir résoudre les problèmes de la jeune fille. Même si, pour être franc, il évitait cet Ange-là comme la peste. En fait, tout le monde l'évitait comme la peste tant il était dangereux et incontrôlable.

Allison avait été révulsée lorsqu'elle avait rencontré l'Ange rouge qui torturait la demi-sœur de Jeremy. Mais le boursouflé qui se gavait de la détresse de l'enfant n'était qu'un Angelot, même si sa malfaisance l'avait déformé.

À présent, le monstrueux Ange rouge et obèse qui les surplombait d'un bon mètre était bien plus inquiétant...

— Je te salue, Caligula, s'inclina Flint.

D'après les textes, l'empereur Caligula avait été sanguinaire, affreux (il était interdit de prononcer le mot « chèvre » devant lui, tant il était velu) et totalement dingue (il fut assassiné la veille de la nomination de son cheval favori au poste de consul romain). Dans la mort, il était toujours aussi laid et toujours aussi dingue. Une folie féroce, maligne, malsaine, dangereuse. Allison la ressentit alors qu'elle était agenouillée devant lui.

Nue.

Ce qu'avait exigé le monstre avant de les recevoir. Vraisemblablement, il devait avoir peur de se faire transpercer, depuis qu'il avait été assassiné par sa garde prétorienne. D'une vingtaine de coups de glaive, pas moins. Oui, Allison pouvait comprendre qu'il n'aime ni les traîtres ni les poignards.

Caligula était nu lui aussi et ses proportions étaient tellement monstrueuses, son ventre si énorme, que les plis en masquaient ses attributs masculins, au grand soulagement d'Allison. Il était avachi sur un immense trône de Brume rouge délicatement sculpté, au cœur d'une grande demeure vide, située près du cimetière d'Arlington, un peu en dehors de Washington. Il aimait à répéter que la compagnie des morts lui plaisait. La puissance de son charisme était telle que dès qu'un vivant essayait de s'installer dans la maison, il s'y sentait tellement mal qu'il s'empressait de décamper. Au fil des années, Caligula avait réussi à transformer ces lieux en une sorte de temple romain dédié à sa divinité. Car il se prenait pour un dieu, exactement comme lorsqu'il était encore sur Terre.

— Qu'est-ce que tu veux, Decarus ? grogna le monstre. Tu m'offres un Angelot bleu en guise de déjeuner ?

Il se passa une épaisse langue rouge, bien plus longue que la normale et curieusement pointue, sur ses lèvres retroussées en une moue boudeuse.

— En fait non, mon empereur, cette jeune fille a une vengeance à accomplir. Elle souhaite devenir rouge, puis bénéficier de votre appui.

L'obèse écarlate se redressa avec difficulté.

— Une vengeance ? tonitrua-t-il. Quelle sorte de vengeance ? Contre un Ange ou un vivant ?

— Un vivant, mon empereur.

— Hum, moins drôle. Ils meurent si facilement. Torturer un Ange est bien plus amusant !

— Certes, approuva Flint sans se démonter.

— Et moi ? grogna Caligula. J'obtiens quoi en échange ?

Flint et Allison échangèrent un regard furtif. D'un seul coup, Allison avait nettement moins envie de se venger. Elle sentit soudain une onde de chaleur émaner de Flint, un peu comme lorsqu'il la touchait, et se sentit plus décidée que jamais à aller au bout de l'expérience.

— Dites votre prix, énonça-t-elle d'une voix claire.

Le monstre la dévisagea. Puis éclata de rire.

— Dis-moi, petite, es-tu honnête, fidèle, loyale ? As-tu toutes ces qualités ? Détestes-tu l'hypocrisie, le mensonge, la douleur, la peine et la haine ? Aimes-tu l'amour, la joie et les petits chiots attendrissants ?

Cette dernière question, stupide, et la façon dont il l'avait prononcée montraient clairement qu'il se moquait d'elle. Allison ne répondit pas.

Caligula n'en fut pas offusqué. Au contraire, voyant son regard noir, il éclata de rire de plus belle.

— Hou, cela fait des années que je n'ai pas ri autant !

Puis il reprit son sérieux avec la brutalité du psychopathe qu'il était.

— Alors voilà mon prix : te faire oublier tous ces bons sentiments et te corrompre au-delà de toute rédemption.

Flint se redressa et protesta :

— Ce n'est pas ce que j'ai...

Caligula l'interrompit avec un geste agacé et s'adressa à Allison.

— Je vais te donner bien plus que ce que Decarus a demandé. Tu vas devenir l'une des nôtres, petite Bleue. Et tu vas adorer ça...

Avant qu'Allison, horrifiée, n'ait le temps de protester, l'empereur la frappa.

Pas avec ses poings.

Avec son esprit.

Les Anges, surtout les plus vieux d'entre eux, étaient passés maîtres dans la manipulation mentale. Comme Flint, Caligula pouvait transférer son pouvoir afin de nourrir Allison.

C'est exactement ce qu'il fit.

Une vague de puissance inimaginable submergea soudain la jeune fille qui se tordit aussitôt par terre, à la fois de douleur et de plaisir. Le plaisir de la folie. Le plaisir d'éventrer un homme, son sang chaud coulant sur ses mains et de s'en repaître comme un animal sauvage. Le plaisir de n'avoir ni contrainte, ni loi, ni règle. Le plaisir du plus fort. Le plaisir de torturer sans que personne ne puisse rien contre vous. La toute-puissance.

Allison s'évanouit.

La suite fut confuse. Tremblante de fièvre et submergée par la souffrance, la jeune fille avait vaguement conscience du temps qui passait. Imperturbable, Flint demeurait à ses côtés. Il épongeait sa sueur et la bile qu'elle vomissait lorsque l'horreur devenait insupportable pour son corps. Il soulageait ses membres engourdis et douloureux. Mais toujours, alors qu'elle pleurait et le suppliait de la faire disparaître, il la ramenait à Caligula…

Et le monstre la nourrissait.

La torture dura des jours et des jours. Des nuits et des nuits. D'une souffrance implacable, mêlée d'exquises jouissances. Puis vint enfin le moment où, alors qu'une nouvelle vague de puissance la frappait, Allison ne s'évanouit pas. Son esprit embrumé s'éclaircit. Sous le regard mauvais de l'empereur fou, elle ne plia pas et se redressa lentement.

Caligula accentua la pression, lui envoyant vague après vague. Mais Allison encaissait et encaissait encore. Les bras croisés, Flint la dévisageait avec attention. Il avait bien cru qu'il allait la perdre à jamais, ce qui l'avait inquiété bien plus qu'il ne voulait l'admettre. Que l'esprit d'Allison allait basculer dans la folie. Mais la petite avait tenu bon.

Désormais elle se tenait devant eux. Droite. Fière. Méprisante.

Rouge.

Magnifique, Flint en avait la bouche sèche rien que de la regarder.

Soudain elle fixa Caligula droit dans les yeux, puis s'étira comme une déesse, parfaitement consciente que son corps était superbe et que c'était une arme. Oubliée la petite et timide Allison. Enterrée la vierge stupide. Elle pencha la tête de côté, provocante à souhait et lâcha :

— Vas-y mon gros, balance tout ce que tu as !

Furieux, Caligula poussa un grognement sourd alors que la respiration de Flint se bloquait. Allison ne se rendait pas compte, l'empereur pouvait la détruire d'une seule pichenette.

Mais le monstre hideux n'avait pas créé une aussi jolie petite Rouge pour l'annihiler. Non, il avait vu le regard de Flint posé sur la jeune fille.

Flint qui ne s'intéressait jamais aux femmes.

Flint qui ne vivait que pour servir *sa* cause.

Caligula avait compris qu'il allait pouvoir torturer le vieil Ange à volonté. Il avait d'ailleurs déjà commencé en donnant bien trop de pouvoir à Allison. À présent, et tant qu'elle n'aurait pas tout épuisé, la petite Rouge était devenue plus puissante que Flint, même s'il se garda bien de le leur préciser. Il ricana intérieurement. Flint allait avoir une mauvaise surprise, cela allait être très amusant de le voir tenter de manipuler la fille... et ne pas y arriver. Cette petite Rouge le ferait souffrir et Caligula allait se repaître de sa douleur. Oh que oui !

Il se contenta donc de lui envoyer une dernière vague suffisamment forte pour ébranler la suffisance d'Allison (même s'il fut surpris de voir jusqu'où il devait pousser pour y parvenir), mais pas assez pour briser son esprit.

Pas encore. Pas cette fois-ci.

À son grand soulagement, Flint constata qu'Allison résistait. Elle souffrait encore, sans aucun doute, mais plus au point de se plier en deux.

— Pas mal..., concéda Caligula en cessant de la bombarder. Decarus, la première phase est terminée. Ramène-moi la petite pour la seconde phase (il ne précisa pas qu'elle n'en avait plus besoin parce qu'il voulait les revoir tous les deux et évaluer l'ampleur des dégâts). Mon dîner m'attend.

Allison s'apprêtait à lui lancer une phrase méprisante, mais Flint l'avait déjà saisie par le bras et l'entraînait. En chemin, ils croisèrent six Rouges qui encadraient un Angelot bleu. Le garçon s'enthousiasmait, très agité et parlant fort :

— Ouah ! un empereur romain ? Vous êtes sûr ? C'est dingue ! J'étais en boîte de nuit, j'ai pris la voiture et « paf ! » je me suis retrouvé ici... Et maintenant il paraît que je suis mort et que je vais rencontrer un véritable empereur romain. C'est trop cool comme rêve !

Allison se doutait de la suite. Et en dépit de tout ce que lui avait fait subir le monstrueux Ange rouge, elle ne put s'empêcher de tressaillir lorsque résonnèrent les premiers hurlements. Pour très vite, comme dans l'arène, aller decrescendo au fur et à mesure que Caligula se nourrissait.

— C'est une Chimère, le gros tas ? s'enquit-elle auprès de Flint.

— Oui. Il a retrouvé et dévoré tous ceux qui l'avaient assassiné, se condamnant ainsi à ne pouvoir vivre qu'en mangeant des Anges.

— Mais vous ne l'enfermez pas ?

Flint soupira, un infini regret sur le visage.

— Nous avons essayé. Il est bien trop puissant.

Ah. Deux poids deux mesures, comme sur Terre. Ils emprisonnaient et tuaient ceux qu'ils parvenaient à attraper, les autres pouvaient agir en toute impunité.

— Vais-je devoir aussi me nourrir d'autres Anges ?

Flint se tourna vers elle, horrifié par son indifférence.

— Non, bien sûr que non ! Caligula t'a nourrie de son pouvoir, c'est tout. Tu peux consommer de la Brume normalement.

— Ah ? Tant mieux. Ça m'aurait ennuyé de me retrouver chaque fois avec un ventre énorme après avoir mangé…

Flint avala de travers tant le ton d'Allison était plat, sans émotion.

Ils sortirent enfin de la vaste demeure. Soudain Allison plaqua Flint contre la pierre, si fort que le vieil Ange crut qu'il allait passer au travers. Il fut surpris de constater qu'il avait un peu peur. Cela faisait des années qu'il n'avait pas ressenti ce genre de trouble. À force de se nourrir des émotions des autres, les plus vieux Anges finissaient par oublier leurs propres sentiments. Et celui-ci, dans l'expectative, s'avérait délicieux. Flint était curieux de découvrir ce qu'elle allait lui faire.

— Alors, tu as toujours envie de moi, Ange bleu ? susurra Allison en approchant sa bouche si près de celle de Flint qu'il sentit son souffle brûlant sur ses lèvres.

— Toujours. À jamais, confirma Flint qui défaillait à moitié au contact du corps d'Allison contre le sien.

— Mais tu ne m'auras pas avant d'avoir respecté notre deal, murmura-t-elle en s'écartant.

Et avant qu'il ait le temps de protester (il avait bien cru qu'elle allait le croquer tout cru et il aurait adoré cela), Allison avait décollé et fusait dans le ciel comme une flèche. Flint écarquilla les yeux, stupéfait. Bon sang ! Mais qu'est-ce que Caligula avait fait ? Et d'où une petite Rouge comme elle savait voler ?!

Il décolla à son tour. En quelques secondes il avait atteint l'aéroport de Washington, repéré l'avion qui s'envolait tout juste pour New York, le battait à la course et s'installait confortablement à côté d'Allison qui ne lui adressa pas un regard. Flint se sentit quelque peu floué. Il décida de reprendre la situation en main.

— Tu as presque le pouvoir d'un vieil Ange à présent. À la vitesse où tu voles, tu pourrais rallier New York en une heure !

— Je préfère économiser ce don, il est précieux, répliqua Allison qui semblait regretter de ne pas pouvoir boire le champagne du vivant sur lequel elle s'était assise.

Elle avait raison. Déstabilisé, il tenta une autre approche.

— Tu crois que tu vas faire mieux que Lili, grâce à Caligula ? Que tu vas pouvoir « persuader » Ventousi ?

— Non, répliqua calmement Allison. Je me fous du médicament pour l'instant. Je veux qu'il aille en prison. Nous rentrons à New York pour influencer les inspecteurs qui enquêtent sur mon meurtre.

Il grimaça. Pour aller voir les inspecteurs ou pour retrouver Jeremy ? Il n'en était pas très sûr et un autre sentiment qu'il avait oublié depuis des siècles vint le hanter. La jalousie. Il l'écarta aussitôt, préférant croire Allison.

— En dépit de ton nouveau « don » (il mima les guillemets avec ses doigts), tu n'es qu'un très jeune Ange. Tu ne sais pas comment l'utiliser. Et encore moins guider des vivants dans une enquête aussi compliquée.

Sous-entendu : « Pas comme moi, le vieux Bleu. »

— Tu as probablement raison, concéda Allison réalisant que Flint la prenait vraiment pour une imbécile mais préférant le ménager au cas où, effectivement, elle ne s'y prendrait pas bien. Tu vas m'aider, n'est-ce pas ?

Docile, il opina de la tête.

La jeune fille adorait cela. Ce sentiment de puissance, de force, de contrôle. Elle adorait voir Flint, le si respectable Flint se tortiller comme un ver sur une plaque brûlante. Tirant la langue, prêt à faire tout ce qu'elle voulait. Elle s'étira sur son vivant, ravie. Oh ! quel bonheur de ne plus avoir de doutes, de peurs (parce qu'elle avait eu peur pendant des années. De vivre surtout) ! Elle allait envoyer Ventousi pourrir en prison. Et se nourrirait de ses angoisses et de son chagrin. Tous les jours.

Dès leur arrivée à New York, Allison ne mentionna pas Jeremy, au grand soulagement de Flint. Elle lui expliqua le plan qu'elle avait concocté, puis ils filèrent au département de la police criminelle. Allison se percha sur le bureau de l'inspecteur Bontemps, celui qui lui avait donné sa carte lorsqu'il était venu l'interroger de son vivant. Elle était absolument adorable dans sa minirobe blanche confectionnée par Flint, ses longues jambes gracieusement posées sur les piles de dossiers.

— OK, Flint, ronronna-t-elle, voyons si tu as plus de résultats avec lui que ta petite copine Lili avec Ventousi…

Blessé dans son amour-propre, Flint fronça les sourcils, mais obéit et parla à l'inspecteur avec ce ton soutenu que les Anges emploient pour manipuler les vivants.

— C'est quand même curieux toute cette histoire. La chercheuse du laboratoire, l'étudiante ou le trader n'ont aucun lien entre eux. La première était brune, la cinquantaine. La seconde était blonde et avait à peine vingt ans, le garçon était brun et avait vingt-trois ans. Un serial killer a un schéma bien précis, il ne tue pas au hasard. Comme ce n'est pas logique, tu sens qu'il y a quelque chose de bizarre là-dessous. On a trouvé un portable prépayé sur le tueur, portable qui a été appelé à plusieurs reprises par un autre portable prépayé. De là à penser que ce n'est pas un tueur en série, mais une série d'exécutions, il n'y a qu'un pas, inspecteur !

Devant lui, le policier, qui était en train de plancher sur une autre affaire, fronça les sourcils, exactement comme Flint une seconde avant et se mit à parler tout haut :

— C'est quand même bizarre cette histoire de portables prépayés. Les tueurs en série sont souvent des loups solitaires. Or celui-ci a l'air d'avoir eu plein de copains. Et puis ce katana. Ça aussi c'est très curieux. C'est une arme redoutable. Un truc radical. Il n'a pas fait souffrir ses victimes. Il les a exécutées. Tchak ! comme ça, rapide et sans bavure. Et sa tenue ? Il avait des couteaux sur lui, des armes de pro aussi. Sans la fille et sa lampe nous n'aurions jamais pu nous en douter...

Flint hocha la tête, satisfait. L'inspecteur développait sa théorie, parfait. Le vieil Ange continua de lui parler :

— Lorsqu'on est allés voir les enfants à l'école, tu as vu un nom sur la liste des élèves. Un nom qui t'était familier. Sur le coup, tu n'y as pas prêté attention, parce que tu pensais que l'étudiante avait été victime d'un tueur en série. Mais, rappelle-toi, il n'y avait pas un Peter Ventousi parmi ces élèves ? Ventousi comme le nom des laboratoires où la chercheuse travaillait !

Allison adressa à Flint un signe de tête admiratif. L'inspecteur se redressa soudain brutalement.

— J'ai vu un truc bizarre dans la liste des élèves... qu'est-ce que j'en ai fait ?

Il se mit à farfouiller dans ses dossiers, passant au travers des cuisses cuivrées d'Allison qui trouva cela follement amusant. Puis le policier bedonnant brandit une feuille où se trouvait une vingtaine de noms.

Il la compulsa rapidement. Son visage s'éclaira.

— Oui ! s'écria-t-il victorieux. Je savais bien que j'avais vu ce nom quelque part ! Je viens de trouver en une minute le lien entre deux des meurtres. Incroyable. Peter Ventousi, le fils de l'ex-propriétaire du labo était dans la classe où bossait l'étudiante !

— Mais ce n'est pas tout, inspecteur, chuchota Flint à son oreille. Regarde bien s'il n'y a pas un autre nom qui lierait le tout au meurtre de Jeremy Galveaux...

Flint se tourna vers Allison.

— Quel nom porte sa demi-sœur, déjà ?

— Tachini, lui répondit la jeune fille, fascinée par la docilité du policier.

Flint répéta l'information. L'inspecteur compulsa ses dossiers, puis la liste, et se leva une nouvelle fois brusquement :

— Bon sang ! J'avais l'info sous le nez et je ne l'ai pas vue ! Foutue pression, foutu travail, foutu métier ! La mère s'est remariée, elle s'appelle Galveaux-Tachini. Et il y a une petite Tachini dans la classe de Peter Ventousi ! Les trois meurtres sont liés !

Il attrapa sa veste et fila, la liste à la main, excité comme une puce. Flint fit à Allison le signe de la victoire.

— Bien, maintenant, il ne nous reste plus qu'à trouver un junkie, sourit la jeune Ange en sautant à terre.

Flint ne comprenait pas.

— Un quoi ? Pourquoi ?

Radieuse, Allison sourit de plus belle.

— Mais pour envoyer les inspecteurs à la pêche, bien sûr !

La suite fut assez facile. L'eau ne représentait rien pour les Anges, ils voyaient au travers comme dans du cristal. Lili avait précisé l'endroit exact dans le fleuve où

Ventousi avait jeté son téléphone. Allison ne savait pas si cet indice serait utilisable par l'inspecteur, mais elle ne perdait rien à tenter le coup. Flint suggéra à un junkie de braquer une épicerie, juste à côté. Le pauvre type perdit le contrôle de la situation lorsque Allison, qui s'amusait beaucoup, donna un courage fou au commerçant. Ce dernier se jeta sur son assaillant. Le coup de feu partit, blessant l'homme à l'épaule. Paniqué, le junkie quitta en trombe la boutique et jeta son arme dans l'Hudson devant plusieurs témoins avant de disparaître.

Patiemment, Allison accompagna la brigade fluviale quelques heures plus tard.

— Ce n'est pas un revolver que tu vois là, chuchota-t-elle à l'oreille du plongeur. Ah non, c'est un portable. Bizarre. Pourquoi quelqu'un jetterait son portable tout neuf dans le fleuve ? Tu devrais le prendre, on ne sait jamais, peut-être que le type qui a agressé l'épicier l'a jeté avec son arme...

Allison fut ravie de constater à quel point les vivants écoutaient ce qu'elle leur disait. Elle ne l'avait pas confié à Flint, trop heureux de pouvoir prouver à Allison qu'il lui était indispensable, mais le pouvoir de Caligula se révélait si puissant qu'elle ne doutait pas un instant être capable d'obliger Ventousi à faire ce qu'elle voulait.

Sauf que cela ne serait pas aussi jouissif que de le voir mourir à petit feu en prison.

Elle dégaina un sourire cruel pendant que le plongeur remontait à la surface, après qu'elle lui eut également indiqué où se trouvait l'arme du crime.

Une fois le portable de Ventousi entre les mains de la brigade fluviale, le reste ne fut pas bien difficile à orchestrer. Heureusement, depuis quelques mois, un logiciel croisé, que toutes les brigades possédaient, permettait de mettre en rouge tous les numéros de téléphone appelés ou signalés lors de crimes. Dès que les numéros furent saisis sur l'ordinateur, le logiciel enregistra que l'un d'entre eux correspondait au portable du « tueur au sabre », comme le surnommaient désormais les journalistes.

Alors, l'inspecteur Bontemps reçu un e-mail.

Six heures plus tard, l'appareil était entre les mains de la police scientifique. Le lendemain matin, ils avaient réussi à relever une empreinte. En dépit des protestations de ses avocats, Ventousi fut bien obligé de fournir les siennes. Qui, manque de chance pour lui, correspondaient. Cela ne suffit pas à l'envoyer en prison, mais les présomptions étaient suffisantes pour qu'il subisse un interrogatoire vraiment serré. La Brume qui émanait de lui était de pure détresse. Allison put s'en repaître, s'en gorger au point que Flint, inquiet, finit par l'en écarter.

— À cause de Caligula, tu es déjà devenue très rouge, lui expliqua-t-il. Fais attention ! Si tu manges trop, tu risques de disparaître. Je n'ai pas fait tout cela pour te perdre, jolie petite créature.

Il s'obstinait à ne voir en elle qu'un Angelot qu'il allait pouvoir manipuler à sa guise. Une poupée docile à sa botte. Allison lui obéit tout en songeant que le réveil de Flint allait être... très difficile. Pour l'instant, elle avait besoin de lui afin de mener à bien sa vengeance. Dès que cela serait fait, il allait comprendre ce que souffrir voulait dire.

La justice suivait son cours lent et irrésistible, ils ne pouvaient pas faire grand-chose pour l'instant. Allison proposa de retourner à Washington afin d'entamer la phase deux de sa transformation. Elle avait haï la première, mais le pouvoir que cela lui avait donné était si prodigieux qu'elle en voulait encore. Bien plus que la Brume, ce sentiment de puissance était devenu pour elle une drogue. Dure.

Flint, lui, n'avait pas l'intention de laisser Allison revoir Caligula, il accepta cependant de retourner à Washington parce qu'il venait enfin de recevoir le message qu'il attendait depuis trois mois. De la bouche de Lili, transmis par l'un de ses « mignons », comme les appelait Flint, un certain Connor. Qui avait volé à tire d'aile afin de le prévenir. Et n'avait pas l'air plus heureux que cela en délivrant discrètement son message à Flint alors qu'Allison s'occupait de l'inspecteur en train d'interroger Ventousi.

Un jour ou l'autre, il allait falloir qu'un Ange trouve le moyen d'inventer un moyen de communication fiable dans ce monde, parce que c'était un peu pénible de devoir laisser des petits mots de Brume partout pour dire où l'on se trouvait et utiliser des messagers. Depuis que les vivants avaient inventé les téléphones portables, Flint éprouvait vraiment l'envie d'en avoir un.

L'écriture était celle d'une Lili extatique. Et victorieuse.

C'est fait. Il est à moi.

Flint leur fit prendre le premier avion du matin. Un peu étonnée par son empressement, mais contente de revenir vers la source de son nouveau pouvoir, Allison le suivit. À Washington, Flint l'emmena alors dans un luxueux appartement qu'elle ne connaissait pas. Et la fit entrer dans une chambre où elle reconnut deux personnes, encore enlacées.

Lili.

Et Jeremy.

17

Le goût du pouvoir

Alors que Flint, un petit sourire aux lèvres contemplait leurs deux corps nus et qu'Allison le dévisageait avec dégoût, Jeremy se ressaisit.

Il bondit hors du lit, percuta la jeune fille avec la violence d'une bombe, se dématérialisa et traversa plusieurs murs avec elle. Avant qu'elle ait eu le temps de réagir, ils tombaient dans le puits de l'ascenseur. Exactement ce que désirait Jeremy. L'appartement de Lili se trouvant au quinzième et dernier étage d'un immeuble assez bas, la chute fut courte, toutefois l'atterrissage les assomma tous les deux à moitié. Ce n'était pas très galant, certes, mais Jeremy s'était arrangé pour qu'Allison se trouve sous lui. Le choc allait la sonner pendant quelques minutes – il savait qu'elle ne risquait rien.

Aiguillonné par un sentiment d'urgence et de danger, il la jeta alors sur son épaule et fila tandis que les cris rageurs de Flint retentissaient, faisant frissonner tous les Anges alentour.

Jeremy avait tout préparé depuis longtemps, mûri son plan. Il rejoignit l'endroit où il avait caché les liens, un pagne et la chaise de Brume (heureusement que Lili n'était jamais entrée dans la cuisine, sinon elle se serait demandé où elle était passée) et, prudent, de quoi immobiliser Allison, histoire qu'elle ne disparaisse pas avant de tout lui expliquer.

Lorsqu'elle reprit conscience, la jeune fille était attachée. Avec des liens de Brume. Bien solides. Elle leva un regard furieux vers Jeremy, vêtu de son pagne ridicule. Et nota que ce petit imbécile avait réussi à lui faire perdre ses nouvelles chaussures si jolies, et déchiré sa splendide robe de Brume. Sans compter qu'en dépit de son nouveau pouvoir, elle s'était ruiné le dos en tombant du quinzième étage.

Elle allait lui faire regretter son geste...

Allison observa l'endroit sombre où il la retenait prisonnière. Un unique soupirail grillagé éclairait la petite pièce lugubre. Aucun Ange ni aucun vivant autour d'eux, ils se trouvaient probablement en sous-sol. Elle était assise sur une chaise de Brume que Jeremy avait sans doute apportée là.

Il la dévorait du regard.

— Allison, tu m'as tellement manqué !

La jeune fille le fixa avec dédain et remarqua qu'il se tenait loin d'elle, prudent, même si elle sentait qu'il brûlait de l'étreindre.

— D'après ce que je viens de voir dans cette chambre, pas tant que cela, Jeremy ! persifla-t-elle.

Il sourit.

— Oh, ça ? Je l'ai fait exprès, bien sûr. C'était le seul moyen de te faire revenir. Sinon Flint ne t'aurait jamais lâchée...

D'accord. Là, il avait marqué un point. Elle haussa un sourcil.

— Tu t'es envoyé Lili et ton excuse c'est que tu l'as fait uniquement pour me revoir ? Tu as un sacré culot !

Malgré sa jalousie, Allison admirait Jeremy. Ce garçon était capable de lui expliquer son geste sans aucune gêne, sans aucun remords.

— Ils nous manipulent depuis le début, Allison, répliqua-t-il très concentré. Lorsque Flint t'a portée dans ses bras parce que tu avais peur du vide, il a embrumé ton esprit. Alors, je parie toute la Brume de ce monde que l'idée de disparaître dans la nuit sans me prévenir n'était pas de toi !

Allison ne répondit pas, son cerveau tournait à plein régime. Soudain elle réalisa que chaque fois que Lili ou Flint l'avait touchée, elle avait ressenti cette rage, ce désir de vengeance si étranger à sa nature. Ah, le vieux malin ! Flint l'avait bien roulée. Cela dit, elle ne le regrettait pas. Elle préférait infiniment l'Allison forte et volontaire d'aujourd'hui à la pauvre petite chose apeurée qu'elle avait été pendant vingt ans.

— ... Et donc, termina Jeremy qu'elle n'avait pas écouté, moi aussi, je me suis dit qu'un peu de manipulation s'imposait. Et cela a fonctionné. Je passe la nuit avec Lili et au petit matin tu apparais devant moi. Magique. Flint est tombé dans le piège, je savais bien qu'il était resté en contact avec Lili !

Le jeune homme avait l'air très content de lui. Allison tira un peu sur ses liens. Elle n'avait pas envie de discuter davantage. Surtout avec un imbécile.

— Tu sais que ces trucs ne vont pas me retenir très longtemps, n'est-ce pas ? gronda-t-elle comme un animal en cage.

— Mais suffisamment pour que tu m'écoutes. Allison, nous avons été leurrés ! Flint est...

— Fou amoureux ! l'interrompit cruellement Allison. Tellement dingue de moi qu'il m'a emmenée voir Caligula et que celui-ci m'a gavée de son pouvoir depuis trois mois. Me permettant de faire... ceci !

Elle déchira les liens de Brume comme s'ils n'existaient pas et saisit aussitôt Jeremy à la gorge, le plaquant contre le mur de pierre afin de l'immobiliser à son tour.

Pas si solides que ça ces liens dont il avait été si fier...

Jeremy ne se débattit pas, Allison était bien plus forte que lui. Puis ce qu'elle avait dit percuta enfin ses neurones, un instant neutralisés (il était un peu vexé quand même par la facilité avec laquelle elle s'était débarrassée de ses liens). Au bout d'un moment, il se reprit :

— Caligula ? Allison, tu plaisantes ? L'empereur sanguinaire ? Mais qu'est-ce qu'il t'a fait ?

Jeremy semblait calme, même s'il avait l'air horrifié. Cela enlevait tout le piment à la chose. À regret, elle cessa de l'étrangler et recula un peu.

— Ce qu'il m'a fait ? ronronna-t-elle. Oh, il m'a fait mal. Tellement mal que j'ai hurlé pendant des jours.

Jeremy eut envie de vomir. Cela amusait follement Allison.

— Et c'était bon en même temps, tellement bon ! Tout ce pouvoir ! Tu n'as pas idée à quel point c'est grisant. Comme de plonger dans le cœur d'une supernova. On est carbonisé, mais on ressort de l'autre côté purifié, magnifié. Et le feu court dans nos veines.

Il s'humecta les lèvres qu'il avait soudain sèches. Allison était devenue prodigieusement belle. Mais ce n'était pas cette Allison-là qu'il désirait. Pas cette cynique imitation pourpre de Lili. Il voulait retrouver l'ancienne. La vraie. Celle qu'il aimait. Il opta pour une absolue franchise. Et tant pis si elle n'appréciait pas.

— Tu dis que Flint a fait tout cela pour toi ? Parce qu'il est amoureux ? Un Ange vieux de milliers d'années ? Qui a dû voir débarquer des centaines de filles comme toi ? Tu plaisantes ?

Elle fronça les sourcils, vexée.

— Et alors ? Qu'est-ce que ça a de si extraordinaire ?

— Merde, Allison, ouvre les yeux ! Nous ne sommes pas dans un roman à l'eau de rose, c'est la vraie vie ici ! Tu ne vas pas te réveiller en te disant que tu as fait un rêve bizarre où tout le monde tombait amoureux de toi et obéissait à tes moindres caprices ! Tout a un coût, Allison. Flint *te* manipule, il *me* manipule. Comme il a manipulé Lili. Toi et moi ne sommes tout simplement pas à la hauteur. Ces Anges sont bien plus vieux, bien plus forts, ils connaissent toutes les règles de cet univers. Et toi, tu donnes à Flint exactement les armes dont il a besoin !

— Pour *quoi* faire ? l'interrompit Allison froidement. Des armes pour quoi faire ? Tu dis qu'il en a aussi après toi. Sauf que ce n'est pas toi qu'il a emmené voir Caligula, c'est moi !

Jeremy ouvrit la bouche et la referma, à bout d'arguments. Il se frotta les tempes, fatigué.

— Je ne sais pas, lâcha-t-il. Je sais que Flint a une idée derrière la tête depuis qu'il m'a rencontré, mais impossible de savoir laquelle…

Allison croisa les bras.

— En attendant, il a respecté mon souhait. Ventousi sera bientôt sous les verrous et nous serons vengés ! Flint m'a aidée, Jeremy. Pendant que toi tu te vautrais avec Lili, moi j'agissais !

« Vautrais »… Mouais. Jeremy commençait à réaliser que son plan n'était peut-être pas si intelligent que cela. Il n'avait vu qu'un moyen de retrouver Allison. Et s'il lui assurait qu'il n'y avait trouvé aucun plaisir ? Qu'il avait même considéré cela comme une sorte de corvée, même si Lili était belle à tomber ? Qu'il n'imaginait qu'Allison dans ses bras ?

Un rapide coup d'œil au visage fermé de la jeune fille et un reste de prudence le dissuadèrent de se lancer dans ce genre d'explication. Il avait le pénible sentiment qu'elle ne le croirait pas.

— Et si je te le prouvais ?

— Quoi ? Me prouver quoi ? s'écria-t-elle, excédée.

— Que ce n'est pas toi. Que c'est moi qu'il cherche à atteindre ? En t'utilisant afin de faire d'une pierre deux coups ? Pour nous avoir, au final, tous les deux ?

— Tu sais que tu es sacrément parano, Jeremy ! Il faudrait peut-être qu'on retrouve Freud, ou Lacan, ou l'un de ces grands pontes de la psychanalyse, parce que je t'assure que la seule personne que Flint veut avoir, et de préférence dans son lit pour les cinquante prochaines années, et pas une de plus, c'est moi !

Jeremy la dévisagea, frappé par tant de précision.

— Pourquoi pendant les cinquante prochaines années ? Et pourquoi pas une de plus ?

Allison eut un sourire amusé. Elle savait qu'elle allait lui faire du mal.

— Parce que, dit-elle en détachant soigneusement ses mots, je lui ai promis d'être son esclave pendant cinquante ans s'il m'aidait à me venger. Je m'en tire à bon compte, il voulait que je sois son esclave pour beaucoup plus longtemps !

Jeremy recula d'un pas, anéanti par la violence de la révélation. Il n'arrivait plus à parler. Le silence s'abattit dans la petite pièce grise pendant qu'ils se dévisageaient. Jeremy ne vit ni remords, ni peur, ni inquiétude sur le visage d'Allison. Juste une grande assurance. Le pouvoir de Caligula l'avait corrompue et elle n'en avait même pas conscience. Mais ce qui était le plus dur, c'était qu'elle venait d'ébranler ses certitudes. Et s'il avait eu tort ? Si tout cela n'était que la lubie d'un vieil Ange bleu tombé amoureux, qui avait juste voulu faire plaisir à une jolie créature ?

Avec une joie non dissimulée, Allison observa le doute animer le visage de Jeremy. Qu'il était facile de lire en lui ! Et tout aussi aisé de le torturer. Un vrai régal.

— Je... je t'aime, Allison. Je t'aime tant... Tu dois te débarrasser de ce pouvoir, il est en train de te rendre folle !

En un éclair, il réalisa qu'assortir une déclaration d'amour en traitant Allison de folle n'était pas forcément très diplomate. Il se mordit la langue. Fort. Elle le déstabilisait tellement !

— En fait, je vais faire exactement le contraire, Jeremy, lança Allison d'un air dégagé, et retourner voir Caligula afin qu'il complète mon « traitement ». Tu ne veux pas venir avec moi ? Tout ce pouvoir, toute cette puissance. Tu devrais essayer, c'est grisant.

Jeremy retrouva sa voix.

— Allison ! Je t'en supplie ! Reviens vers moi ! Tu es en train de faire exactement ce que Flint veut. Être son esclave pendant cinquante ans ? Vraiment ? C'est ça le deal ? Il te donne le pouvoir d'obliger Ventousi à révéler sa formule miracle, de l'envoyer en prison et en échange tu lui appartiens ? Cela ne va pas arriver. Non.

Allison le regarda avec méfiance.

— Et pourquoi ça ?

— Parce que je vais tout faire pour obliger Ventousi à mettre le médicament sur le marché sans que tu interviennes. Ton accord avec Flint sera caduc puisque ce sera moi qui aurai réussi à nous venger, et non pas toi !

Allison pencha la tête et lui répondit, cinglante :

— Mais tu n'en as pas le pouvoir, Jeremy ! Il faudrait pour cela que tu deviennes aussi rouge que moi ! Et cela m'a pris trois mois, mon petit chéri... Tu n'as pas autant de temps devant toi. Flint ne te laissera pas faire !

Son sourire agaçant revint.

— Mais cela va être vraiment amusant de te voir essayer...

Et avant que Jeremy ait le temps de répondre, elle lui fit une petite révérence ironique, suivie d'une pirouette gracieuse, traversa le mur. Et disparut.

Le jeune homme s'affaissa, le cœur broyé.

Il l'avait perdue.

Lorsque Jeremy rentra chez Lili, ils l'attendaient : Lili était inquiète, Flint furieux et Allison dégoûtée.

— Voilà mon sauveur ! se moqua-t-elle. Qui, ne sachant pas voler, a mis un temps fou à revenir ici. Vraiment Jeremy, tu es ridicule ! Finissons-en avec cette histoire, j'ai un rendez-vous avec un empereur complètement dérangé, moi !

— Jeremy ! s'écria Lili en se précipitant et en enlaçant le jeune homme dans son étreinte brûlante. Tu vas bien ? Allison n'a pas voulu nous dire ce qui s'était passé !

L'Ange rousse avait l'air totalement vulnérable. Jeremy se mordit la lèvre. Allison l'observait d'un air railleur, curieuse de savoir comment il allait se sortir de cette situation.

— Excuse-moi, lâcha-t-il sincèrement à Lili. Je voulais parler à Allison sans l'influence de qui que ce soit.

Il se dégagea doucement de son étreinte en évitant son regard peiné et dévisagea le vieil Ange bleu avec une hostilité non mesurée. Mais n'ajouta rien. Allison n'avait pas parlé. Elle n'avait pas dit à Flint que Jeremy allait essayer de la libérer de leur accord. Pouvait-il garder un espoir que la jeune fille lui revienne ?

Flint l'observait avec une gentillesse dégoulinante d'hypocrisie.

— J'ai essayé de faire au mieux pour tout le monde. Allison voulait tellement se venger ! Elle était furieuse contre votre assassin, ce que je comprends parfaitement… Et j'ai appris que ton père est devenu un Esprit Frappeur, Jeremy. Qu'il est fou. Tu sais donc ce que je voulais éviter. Allison devait être libérée de son obsession le plus rapidement possible. Maintenant qu'elle a ce qu'elle voulait, elle va pouvoir se débarrasser de l'influence néfaste de Caligula et redevenir bleue.

— Hors de question ! s'écria Allison. J'aime ce que je suis maintenant. Et je veux retourner chez l'empereur pour passer à la seconde phase.

— Certainement pas.

Flint se retourna si vite que même Allison sursauta. Le visage du vieil Ange s'était métamorphosé en un masque de rage et de jalousie.

— Tu ne verras plus jamais ce vieux pourri ! Tu es à moi à présent, Allison. Tu m'entends ? À moi !

Allison ne se démonta pas. Elle n'aurait plus jamais peur et cette certitude était délicieuse.

— Je ne suis à personne pour l'instant. Ventousi n'est pas encore en prison et notre pacte, avant que tu n'embrumes mon esprit avec ton foutu pouvoir de vieux Bleu, était qu'il paie et que le médicament soit mis sur le marché. Pas l'un sans l'autre. Alors, si tu me veux, tu vas avoir intérêt à me ramener vite fait auprès de Caligula, histoire qu'on en finisse. Avec tout ce pouvoir, nous manipulerons les vivants et obtiendrons ce que je veux. Ensuite…

Elle marqua une courte pause, se déhancha et désigna son corps splendide.

— … Ensuite seulement, tout ceci sera à toi.

— Elle apprend très vite pour une petite Bleue, murmura Lili, admirative.

Flint, qui avait refusé de réagir lorsqu'elle l'avait accusé de l'avoir manipulée, dissimula un sourire rusé. Si elle pensait lui échapper de cette façon, elle rêvait. Il était un vieil Ange roué et malin. Si son plan A ne fonctionnait pas, il avait toujours un plan B. Et même un plan C. Ou autre chose… Après tout, il avait l'éternité devant lui pour mener à bien ses projets.

— Parfait, dit-il. Bien que Ventousi soit sur le point d'être jeté en prison, j'admets que le travail n'est pas terminé. Allons-y. Lili nous accompagnera puisqu'elle est la nouvelle compagne de Jeremy, n'est-ce pas Lili ?

Jeremy se mordit très fort la langue, afin que la douleur l'empêche de répondre à Flint. L'espace d'un instant, il crut que Lili allait refuser, agacée par les manigances peu subtiles de l'Ange bleu. Mais l'Ange rousse croisa son regard, quelque chose passa entre les deux vieux Anges, et Lili finit par hocher la tête.

— Absolument. Je suis vraiment curieuse d'assister au dénouement de tout cela. Ma chère, vous exsudez le pouvoir. Je ne doute pas un instant que vous allez parvenir à vos fins.

Jeremy ferma les yeux. Et fit un pari vraiment risqué :

— Je vous rejoins chez Ventousi, à New York. Je dois d'abord voir des gens.

Flint parut méfiant et Lili inquiète. Allison, quant à elle, lui lança un regard inquisiteur. Mais Jeremy ne s'expliqua pas.

Ils partirent donc et Jeremy ne les rejoignit que six heures plus tard. Il paraissait pâle et épuisé, mais refusa catégoriquement de dire qui il avait vu et pourquoi. Lili l'embrassa avec chaleur. L'Ange rousse était contente : elle venait d'ajouter une nouvelle conquête à son tableau de chasse et sentait que le petit Bleu allait lui demander des efforts si elle voulait le garder… Quelle perspective délicieuse et réjouissante ! Comme Flint, il lui était très facile de subjuguer les jeunes Anges, alors rencontrer une telle résistance à ses charmes était une agréable nouveauté. Elle allait lui faire perdre la tête, le faire ramper à ses pieds avant la fin de l'année, elle se le jura. Il ne verrait plus qu'elle, ne penserait qu'à elle, ne respirerait plus que pour elle.

Comme tous les autres.

Même si les charges qui pesaient sur lui étaient graves, Ventousi n'avait pas encore été jeté en prison. On lui avait retiré son passeport et il n'avait pas le droit de quitter le pays.

Clark avait compris que le meurtre d'Allison n'avait rien à voir avec Tachini. Il avait foncé chez l'inspecteur Bontemps afin de lui rapporter ce que lui avait raconté Allison. De la conversation qu'elle avait entendue. Dès lors, le lien entre la chercheuse, Jeremy, Allison et le tueur était flagrant. Les journalistes ne le savaient pas encore, le procureur n'ayant fait aucune annonce pour l'instant.

Pourtant, lorsque Jeremy arriva chez le chercheur, il le trouva en train de jubiler.

Ça, c'était inattendu !

Il en apprit très vite la raison : le fonds d'investissement qui hésitait à abandonner les actions du groupe pharmaceutique venait de les voir baisser d'une manière spectaculaire. Et ce, à cause de la mauvaise publicité autour de la mise en accusation du chercheur. Ventousi leur avait proposé de les racheter afin de prouver au monde qu'il n'avait rien à cacher et qu'il allait laver son honneur. Lorsqu'on est coupable, la meilleure défense est l'attaque, c'est bien connu.

Allison parlait à l'oreille de Ventousi à toute vitesse, projetant son pouvoir afin de l'obliger à lui obéir, mais cela ne servait à rien. Autant elle avait été capable d'influencer le plongeur ou l'épicier, autant Ventousi semblait insensible à ses suggestions. Son triomphe faisait un rempart à Allison. Qui était folle de rage. Grâce à elle et malgré elle, le chercheur avait enfin réussi à reprendre le contrôle des laboratoires de son père. Par un rachat au rabais, d'après ce qu'ils purent lire par-dessus son épaule. Il téléphona immédiatement à ses avocats afin que ceux-ci entérinent le contrat. Apparemment, il devait être en négociation depuis plusieurs heures, car tout semblait déjà prêt. L'accord fut approuvé par toutes les parties. Il fallait encore faire les annonces, puis virer les fonds ; dans les quinze jours, l'affaire serait dans le sac. Le soir même, Ventousi sabrait le champagne devant son fils qui ne comprenait pas tout, mais voyait bien que son père était heureux. Comme tous les enfants, Peter était capable d'une grande résilience, même s'il se sentait encore un peu triste que l'auxiliaire de son institutrice soit morte : il riait avec son père, avec joie.

— Inutile de lui suggérer de dévoiler son médicament maintenant, soupira Flint, désolé. Il va racheter l'entreprise et, d'ici un an, il annoncera qu'il a trouvé une formule miracle. Qu'il soit en prison à ce moment-là ou pas n'y changera rien. Il aura atteint son objectif. Il sera riche au-delà de toutes ses espérances. À présent, rien ni personne ne peut plus l'influencer, Allison. Je suis vraiment désolé…

La jeune fille laissa échapper un hurlement de frustration.

— Bordel ! hurla-t-elle. Je veux qu'il souffre ! Je veux qu'il pleure des larmes de sang ! Tu veux que je sois à toi, Flint ? Alors trouve un moyen !

Flint la regarda dans les yeux, soudain très grave.

— N'importe quel moyen ?

— Oui, répondit Allison avec passion, n'importe lequel !

Jeremy faillit lui crier qu'elle commettait une horrible erreur, mais serra les poings et ne dit rien.

— Bien, fit simplement Flint, je vais y réfléchir. Partons d'ici.

Ils regagnèrent l'appartement de Flint à Manhattan. Jeremy se tenait loin des deux vieux Anges, mais aussi d'Allison. Il avait gagné son pari. Mais les six heures qu'il venait de passer, à angoisser à l'idée de voir la fille qu'il aimait devenir l'esclave de Flint, avaient été six heures d'enfer. Et il était soulagé de n'avoir pas eu besoin d'utiliser le plan qu'il avait préparé. Il tentait d'imaginer de toutes ses forces quel traquenard Flint était en train de mettre au point. Merde, il n'avait que vingt-trois ans ! Il devait contrer un Ange qui en avait plus de mille, ce n'était pas juste !

Le lendemain, Flint les renvoya à Washington. Il avait lui aussi son appartement là-bas, mais Lili leur proposa de les héberger chez elle. Elle fit preuve d'une exquise délicatesse en redonnant son ancienne chambre à Jeremy, sans suggérer un instant qu'il puisse s'installer dans la sienne. Il lui en fut reconnaissant parce que, pour l'instant, il ne savait plus très bien où il en était.

Washington était en effervescence. Cette nuit, pendant que les vivants dormiraient, les vieux Bleus et les vieux Rouges ouvriraient leur congrès décennal. Il durerait six jours. Comme la création du monde. Ou plus précisément six nuits, puisque les Anges investissaient les lieux dès que les vivants la quittaient, afin de ne pas être dérangés par leurs discussions.

Le magnifique Capitole, construit en 1793, était le siège de ces réunions qui décidaient de l'avenir du monde depuis longtemps. Jeremy aimait l'ancienne chambre du Sénat, avec ses rideaux rouge et or, elle lui semblait moins sévère que la nouvelle à la moquette bleu et or. Les bureaux aux bois magnifiquement cirés en demi-cercle autour de la tribune, la mezzanine qui surplombait le tout, étaient régulièrement filmés et il savait donc à quoi s'attendre lorsqu'ils accompagnèrent Flint et Lili pour la première cession. Allison ne voulait pas venir, pas tant que Flint ne lui aurait pas révélé ce qu'il comptait faire afin de la venger. Mais le vieil Ange lui avait répondu que c'était justement l'endroit où elle devait impérativement se rendre afin d'obtenir ce qu'elle désirait. Allison avait compris que ce n'était pas une invitation. Mais un ordre en bonne et due forme. De mauvaise grâce, elle s'était donc pliée à la volonté de Flint. Et à présent, comme Jeremy, ouvrait de grands yeux.

Les Anges rouges et les Anges bleus qui se pressaient là étaient plus nombreux que les sénateurs. Les vivants n'étaient qu'une centaine seulement. Seuls les Anges les plus vieux, les plus puissants pouvaient y siéger. Mais cela représentait malgré tout encore beaucoup de monde. Ils étaient au moins deux mille à se héler, se congratuler ou se toiser. Jeremy ne put s'empêcher de remarquer que les Rouges paraissaient bien plus en forme que les Bleus. Il salua Tétishéri qui lui adressa un signe de tête. La reine égyptienne lui était devenue familière, il ne fut pas surpris de la trouver en train de siéger avec les plus vieux

Anges. Comme il y avait foule et que la salle était petite, les Anges se tenaient également en hauteur, voletant avec paresse au-dessus des tribunes, en couches superposées bleues, rouges ou blanches.

— Un vrai mille-feuille, s'amusa Allison en découvrant le spectacle.

Jeremy lui retourna son sourire et, l'espace d'un trop court instant, ils se sentirent complices. Puis la jeune fille se détourna.

Flint et Lili les avaient prévenus qu'il ne se passerait rien de très particulier lors des premières séances et ils avaient raison. Les Bleus et les Rouges discutèrent des progrès en matière de médecine, que les deux camps encourageaient vivement, de l'augmentation de la pauvreté dans le monde, que les deux camps souhaitaient réduire, car si la tristesse était un sentiment qui intéressait les Rouges, la résignation n'apportait rien ni aux uns ni aux autres. Ils parlèrent des guerres qu'ils avaient favorisées ou évitées. Les représentants du continent africain, arrivés depuis peu, semblaient particulièrement satisfaits. Petit à petit, les famines reculaient, la mortalité cédait du terrain, les progrès en matière de nutrition et de vaccination étaient encourageants. Les morts murmuraient aux oreilles des vivants et les vivants profitaient de cette influence. Mais pas toujours. En écoutant plus attentivement ce que disaient les Anges, Jeremy éprouva souvent du dégoût.

Ces gens se prenaient pour des dieux. Ils étaient comme des enfants cruels, incapables de se passer de leurs jouets, même les plus sérieux d'entre eux.

À sa grande surprise, Flint ne faisait pas partie de l'assemblée. Plus tard, lorsque Allison l'interrogea à ce sujet, Flint lui répondit qu'il était plutôt une sorte de sous-traitant. Faire de la politique l'ennuyait prodigieusement, en revanche lorsqu'il fallait agir et déjouer les plans de l'adversaire, alors là, oui ! il était partant. Il préférait l'action à d'ennuyeuses réflexions. La longueur des discussions entre les Anges rouges et les Anges bleus convenait tout à fait à Jeremy qui avait besoin de gagner du temps. Mais la seconde nuit, alors qu'Allison le harcelait toujours pour savoir ce qu'il comptait faire, Flint lui répondit, évasif, qu'il allait proposer une motion au Congrès des Anges.

La journée sembla donc très longue à Allison. Pas plus qu'il n'avait accepté de lui dévoiler son plan, Flint n'avait accepté qu'elle revoie Caligula. Et lorsque, furieuse, elle était partie seule à la rencontre de celui-ci, elle avait trouvé non pas porte close, puisqu'il était difficile d'empêcher un Ange d'entrer quelque part (surtout un Ange rouge aussi puissant qu'Allison), mais une demeure totalement vide.

Le vieux monstre n'était plus là. Ses esclaves non plus. En fait, toute la maison semblait avoir été dévastée par une tornade. Comme si on avait tout détruit dans un accès de colère incontrôlable. L'empereur n'ayant pas particulièrement bon caractère, Allison en conclut qu'il s'était énervé contre quelqu'un (peut-être un de ses « repas » s'était-il rebellé ?) ou quelque chose, et que son mobilier en avait pâti. Ou alors que Flint et lui s'étaient battus, ce qui lui semblait encore plus probable, vu la colère du vieil Ange bleu envers lui...

Peu enthousiaste à l'idée de devoir attendre le retour du monstre, elle était retournée à l'appartement de Lili.

Si elle n'en voulait ni à Jeremy ni à la magnifique Ange rousse d'avoir couché ensemble, Lili l'agaçait prodigieusement. Depuis qu'ils étaient à nouveau tous les quatre, elle l'évitait donc avec soin. Tout comme Jeremy qui refusait pour l'instant de lui parler, trop absorbé par ses mystérieux plans. Quels qu'ils puissent être.

Aussi fut-elle surprise lorsqu'elle constata que l'Ange rousse l'attendait de pied ferme, seule dans le grand salon.

— Où sont les garçons ? demanda Allison d'un air dégagé en attrapant une pomme de Brume qu'elle croqua.

— Je ne sais pas où est Jeremy. Il ne me parle plus. Je l'ai vu partir très tôt ce matin. Flint, lui, est allé chercher de la Brume, nous n'avons plus grand-chose à manger et notre ami est un gourmet, il préfère des Brumes raffinées, fit Lili en désignant la délicate pomme de Brume dorée que dégustait Allison. Écoute, cela tombe plutôt bien, je voulais te parler.

Allison roula des yeux. Elle lui voulait quoi, la vieille bique (même si Allison savait très bien que Lili n'avait rien d'une vieille bique) ?! Lili redressa son presque un mètre quatre-vingts et la toisa.

— Je suis neutre, commença-t-elle. Toutes ces histoires de Bleus, de Rouges, cela me fatigue. Moi, je ne vis que par et pour le plaisir.

Allison lui jeta un regard dédaigneux. Lili sourit :

— Oui, je sais ce que tu penses, petit Angelot. Mais crois-moi, après des millénaires d'existence, si tu parviens à survivre, et, vu la façon dont tu t'y prends, permets-moi d'en douter, toi aussi tu te tourneras vers le plaisir, qu'il soit physique ou mental…

En voyant l'air d'Allison, genre « cause toujours, tu m'intéresses », Lili comprit qu'elle parlait dans le vide.

— Bref, Jeremy me plaît. Vraiment beaucoup. Depuis tant d'années, j'attendais un nouvel amant qui pourrait me sortir enfin de l'ennui mortel qui me guette, en dépit de tous ces plaisirs. Et Jeremy a un vrai potentiel. Alors j'aimerais que tu sortes de sa vie. De nos vies !

18

Le goût de la tentation

Allison en resta bouche bée.

— Tu veux que je m'en aille ? Tu rigoles ?

— Pas du tout. Flint et toi, vous mettez Jeremy en danger avec vos histoires. À un moment ou à un autre, il va se retrouver la victime de votre petit jeu. Si tu l'aimes encore un peu, ne sois pas égoïste, laisse-le tranquille.

Allison éclata de rire, puis lui sourit d'un air provocant.

— Quoi ? Pas de menace ? Je suis presque déçue.

— J'ai bien pensé à te tuer, oui, or je perdrais Jeremy à tout jamais. Et ce n'est pas ce que je désire. Mais je peux changer d'avis d'un moment à un autre. Et trouver que garder Jeremy ne compense pas le plaisir de te trancher la gorge…

Lili n'avait pas du tout mesuré à quel point Caligula avait perverti la jeune fille. De ce fait, lui donner des ordres et la menacer était la mauvaise méthode. À nouveau Allison sourit à Lili, cette fois son sourire était celui d'une lionne. Tous crocs dehors.

— Oh, chérie, minauda-t-elle en prenant la voix de sa copine Misty, lorsque celle-ci voulait dégommer quelqu'un. On dirait que toi et moi on va se battre pour le même garçon.

Elle tapa dans ses mains comme une petite fille.

— Ce que c'est excitant ! Tu crois que tu vas pouvoir l'emporter sur moi ?

— Sans aucun effort, répondit Lili, ses yeux verts étincelant de colère.

Allison se pencha alors vers Lili et ronronna :

— Tu as déjà perdu et tu ne le sais pas encore. Quel dommage !

Puis, avant que Lili ait le temps de répliquer, elle s'envola et passa au travers du plafond.

Lorsqu'elle revint quelques minutes plus tard, elle était accompagnée de Flint. Et de Jeremy.

— Regarde Lili, qui j'ai retrouvés ! Nos charmants compagnons ! Jeremy était sur le point de rentrer et Flint a rapporté les courses. Miam, miam, tout plein de bonne Brume. Et comme il est vraiment gentil, Flint m'en a même réservé de la rouge…

Mutine, elle se pencha et posa un baiser sur la joue de Flint, puis sur la commissure des lèvres de Jeremy, en se plaçant de façon que Flint ne voie pas son geste mais que Lili n'en perde pas une miette.

En matière de séduction, Lili n'avait besoin de recevoir de leçon de personne. Très à l'aise, elle accueillit les garçons et leur dit :

— Vous m'avez manqué. Oh ! là, là ! Flint, tu n'aurais pas dû prendre de la Brume rouge pour Allison, c'est un peu comme une drogue. C'est tellement fort, il ne faut pas qu'elle s'y accoutume, ce n'est pas une junkie, du moins pas encore !

Ni Lili ni Allison ne purent rater la grimace de Jeremy. Et si l'Ange rousse conserva un visage innocent, elle ricana intérieurement lorsqu'elle vit le jeune homme s'écarter d'Allison. Ah, elle avait bien fait d'utiliser le mot « drogue ». Elle se doutait que cela révulserait Jeremy.

Sûr d'elle, Lili ajouta en regardant sa rivale droit dans les yeux :

— En plus, en la nourrissant avec trop de Brume, vous risquez de la faire disparaître, vu tout le pouvoir qu'elle a accumulé… Vous vous souvenez de l'Ange rouge qui torturait la demi-sœur de Jeremy ?

Allison prit acte de la menace en hochant la tête. Un point pour l'Ange rousse. Si elle continuait, Lili allait lui faire subir la même chose. Bien. Mais elle avait tort : on ne menace pas, on agit. Lili venait de commettre une grossière erreur.

Face à ce petit duel verbal, Flint plissa les yeux. Il devinait qu'il se passait quelque chose entre les deux filles, mais il ne savait pas quoi.

— OK, écoutez. Ce soir, ma motion est présentée au Congrès, déclara-t-il. Si elle est acceptée, nous pourrons la mettre en application. Tu auras ce que tu veux, délicieuse Allison. Et moi aussi.

Jeremy faillit se sentir mal devant le désir sans fard que montrait Flint. Allison, elle, protégée de la peur par le pouvoir de Caligula, se contenta d'un haussement d'épaules. Elle verrait bien. Pour l'instant, ce qui l'amusait le plus, c'était la lutte avec Lili pour posséder Jeremy. Elle n'avait pas couché avec Flint. Mais que Jeremy ait succombé aux charmes de Lili la mettait hors d'elle. Contre toute attente, elle décida donc que la première urgence serait Jeremy, que Flint parvienne ou non à faire souffrir Ventousi…

Son attitude rendrait Lili folle de rage. Et Flint aussi probablement. C'était… parfait.

Quant à Jeremy, il avait besoin de gagner du temps. Aussi, chaque minute était un trésor inestimable. La mort dans l'âme, il suivit Flint et les deux filles vers le Capitole.

Alors qu'ils venaient tout juste de trouver des places dans la bruyante chambre du Sénat, Flint les surprit : il semblait préoccupé.

— Excusez-moi, je ne peux pas rester avec vous, je dois aller parler à la personne qui va nous représenter pour cette motion très particulière. Je vous retrouve après la session.

Avec méfiance, Jeremy regarda le vieil Ange se faufiler parmi la foule. Qu'est-ce que Flint était en train de manigancer ?

Les discussions et les débats s'enchaînèrent pendant plus de deux heures. Soudain un nouvel arrivant entra majestueusement dans la salle et toute l'assemblée se figea.

C'était un Ange rouge. Monstrueux. Gigantesque. Ses ailes de ptérodactyle le désignaient comme un très vieil Ange. Il devait mesurer au moins dans les trois mètres. Ses dents étaient des crocs et ses jambes se terminaient par des sabots de bouc.

Bonjour le cliché.

Toutefois pas de cornes, mais une longue queue écarlate. Il portait un élégant costume noir tendance, qui détonnait sur lui.

Le silence fut bientôt envahi par des murmures. Jeremy en saisit quelques bribes.

— Méphisto !

— C'est Méphistophélès !

— Ça fait des années qu'on ne l'avait pas vu !

— La vache, je pensais qu'il était « passé » ce vieux pervers…

— Qu'est-ce qu'il fait là ?

L'Ange rouge maléfique sourit alors à l'assemblée en découvrant ses crocs brillants. Il se pavanait, conscient de son effet. Aux côtés de Jeremy, Allison se penchait, fascinée par l'apparition, tandis que Lili s'était reculée sur son siège avec dégoût. Soudain, le Grand Ancien activa son charisme et ce fut comme si un feu ardent l'enveloppait. Tous les Anges, excepté les plus vieux, reculèrent d'effroi, frappés par sa toute-puissance. Jeremy eut du mal à avaler sa salive. Face à cette… créature, personne ne pourrait résister. Elle était tout simplement monumentale. Et la violence de son aura était telle que Jeremy en avait la nausée. Un peu comme le hideux Ange rouge qui avait torturé Angela, mais en pire…

Dans un livre écrit par un anonyme et paru en 1587, le héros, le docteur Johann Faust qui en échange du savoir absolu vendit son âme au diable, parlait de Méphistophélès : celui qui nie et dénie, celui qui détruit, celui qui apporte le désespoir et le rire amer des larmes. Mais Méphisto ne devint célèbre que grâce à Christopher Marlowe qui en fit une pièce en 1588, puis à Goethe deux cents ans plus tard. Jeremy ne put réprimer un frisson. Les écrivains racontaient que Faust s'en était sorti… Face au cauchemar bien réel qui agitait ses ailes juste devant lui, Jeremy en doutait désormais.

Avec cérémonie, Méphistophélès salua tous les Anges et particulièrement quatre d'entre eux.

— Archanges Michel ! Gabriel ! Ariel ! Raphaël !

Les uns après les autres, les Anges bleus qu'il nommait inclinèrent la tête.

— Archanges Asmodée ! Bélial ! Loki !

Trois Anges rouges, moins imposants mais tout aussi impressionnants que Méphistophélès, le gratifièrent du même salut réticent. Il n'avait l'air d'être aimé par aucun des deux camps, ce monstrueux Rouge. Allison souffla à Lili :

— Des *Archanges* ? Qu'est-ce qu'ils sont ? Qu'est-ce qu'ils ont de plus que les Anges ?

— Ils sont nettement plus puissants, répondit Lili qui semblait singulièrement mal à l'aise. Prie pour ne jamais attirer l'attention de l'un d'entre eux. Ce sont des êtres vraiment dangereux. Ils agissent par intérêt même lorsqu'ils se montrent bienveillants.

— J'ai une requête ! tonna Méphistophélès, ce qui fit taire Lili. Une requête qui satisfera aussi bien les Bleus que les Rouges.

Un silence de plomb s'abattit à nouveau sur la salle. Les Anges étaient tout ouïe.

Méphistophélès leur raconta l'histoire de Jeremy et d'Allison. S'il passa sous silence le fait que la jeune fille soit devenue Rouge afin d'influencer Ventousi, il mentionna que de puissants Anges bleus avaient essayé de pousser le chercheur à mettre son médicament rapidement sur le marché mais qu'ils n'y étaient pourtant pas arrivés.

Tétishéri, la reine égyptienne, prit alors la parole :

— Et pourquoi, Méphistophélès, te mêles-tu de cette histoire ? Guérir le cancer vous privera de nourriture, vous les Rouges. Toute cette peine, cette douleur des malades s'envoleraient pour laisser la place à de la joie ? N'est-ce pas l'opposé de ce que vous voulez ?

L'Ange maléfique eut un vilain sourire.

— Mais nous devons aider les vivants à survivre le plus longtemps possible, n'est-ce pas ? Or il y a une recrudescence des cancers... Ce n'est bon ni pour vous ni pour nous. Pas question d'avoir trop de morts sur Terre ! Et puis, ce médicament ne guérit qu'une partie des cancers. L'espoir détruit (il se passa une langue fourchue sur les lèvres), croyez mon expérience, peu de Brumes sont aussi délicieuses !

Tétishéri laissa apparaître son dégoût et Méphistophélès laissa éclater un rire sardonique. Jeremy lutta pour ne pas mettre ses mains sur ses oreilles, tant le rire du colosse était insupportable, telles deux plaques de métal lentement déchirées.

— Alors ! tonna le géant. M'aiderez-vous ?

Aussitôt, tous les Bleus se consultèrent et, à la surprise de Jeremy et d'Allison, les Rouges aussi. À l'évidence, le fait de guérir le cancer ne remportait pas l'unanimité de leur côté. Au bout de quelques longues minutes, Tétishéri se redressa. Elle devait sans doute être le porte-parole des vieux Bleus. Sans ciller, elle demanda froidement à la créature :

— Et comment comptes-tu t'y prendre, Méphisto ?

— En intervenant dans le monde des vivants. En donnant le cancer au petit Peter, le fils de Ventousi !

Allison crut qu'elle se pétrifiait. Jeremy, lui, n'en crut pas ses oreilles. Quant à Lili, elle se tassa sur sa chaise, soudain épuisée par ce qu'elle venait d'entendre. Elle n'aimait vraiment pas ça, oh non ! Mais comment faire pour s'en sortir ? Pas avec le délicieux et tentant Jeremy à portée de main. Enfin… une fois qu'elle se serait débarrassée de l'autre idiote.

Tétishéri fronça ses sourcils bleutés.

— Méphisto, c'est une énorme transgression que tu demandes. Et un effort qui nous laissera tous exsangues. Les Rouges sont-ils d'accord pour cela ?

Jeremy était atterré. Il avait vu à quel point les Anges étaient capables d'influencer les vivants. Mais il ne savait pas qu'ils étaient également capables de franchir l'invisible barrière de l'au-delà afin de les rendre malades !

— Notre programme d'échanges nous est favorable : nous avons opéré vingt-cinq rémissions et guérisons cette année.

— Dont douze sur des vivants sadiques ou meurtriers qui nourrissent abondamment vos Rouges ! répliqua Tétishéri, cinglante.

— Et treize sur de futurs Anges bleus, riposta Méphisto. Vous nous devez donc une faveur. Et nous allons l'utiliser afin de rendre le petit malade. Très malade. Mais auparavant, nous allons convaincre les inspecteurs d'envoyer Ventousi en prison. Ainsi, il ne pourra guérir son enfant qu'en révélant sa formule.

Tétishéri pinça les lèvres.

— Et s'il ne le fait pas ? S'il est cupide au point d'abandonner son fils ?

Méphisto haussa ses énormes épaules rouges puis, à la surprise générale, il se transforma, rapetissa et à sa place se tenait maintenant Peter, le petit garçon de dix ans. Il semblait terriblement malade et se tenait le ventre, tandis qu'un peu de sang coulait de sa bouche :

— Alors je mourrai, souffla-t-il d'une voix ténue. Et je me retrouverai ici. Après tout, la mort n'est pas une fin !

Il s'effondra, comme s'il venait de succomber. Puis son corps enfla démesurément et, quelques secondes plus tard, Méphistophélès se relevait et éclatait de rire devant les visages abasourdis.

La salle avait été soufflée par tant de cynisme et, de tous, ce fut Jeremy qui sembla le plus profondément affecté. Soudain les choses lui paraissaient limpides. Il se leva en toute hâte et sortit sans un mot. Il ne pouvait pas rester un instant de plus dans le même endroit que ce monstre. À sa suite, Allison quitta la salle. Elle était en larmes.

— Mon Dieu, balbutia-t-elle. Mais qu'est-ce que j'ai fait !?

Avant qu'elle ait le temps de réagir Jeremy l'avait prise tendrement dans ses bras. Elle se crispa un instant, puis céda. Ils s'étreignirent comme deux enfants perdus et effrayés. Puis Jeremy la conduisit dans un petit parc, non loin du Capitole. Il n'y avait personne, il était trop tard et les grilles étaient fermées. Ils eurent donc le vaste espace de verdure pour eux tout seuls. Sans la lâcher d'un pouce, Jeremy aida la jeune fille à s'asseoir sur un banc.

— Je… je ne veux pas être… je ne veux pas être comme lui ! Comme ce… comme ce monstre, hoqueta Allison. Oh, Jeremy, quelle idiote j'ai été !

— Tu n'as rien d'une idiote, répliqua Jeremy avec fermeté. Tu as été manipulée. Très subtilement, certes, mais comment l'aurais-tu décelé ? Ces deux vieux Anges sont machiavéliques.

Allison leva vers lui ses grands yeux bleus embués de larmes et il essuya tendrement ses joues si rouges.

— Ma… manipulée ? Co… comment ?

— La première fois que tu as volé avec Flint, tu avais le vertige et très peur. Il a dit qu'il avait embrumé ton esprit afin que tu ne te débattes pas. Lorsque nous étions face à Ventousi, Lili t'a touchée et tu as changé. Pareil dans l'arène. Tu étais dégoûtée par le duel mais, lorsque Flint t'a touchée, là encore tu as changé. Du tout au tout. Chaque fois, ils t'ont influencée pour que tu deviennes l'une des leurs.

Allison le regarda, stupéfaite.

— Tu crois que Flint et Lili sont des Rouges ? Mais ils sont pourtant Bleus !

— Non. Les émotions qu'ils t'ont transmises étaient toujours négatives, Allison. La vengeance, la haine. Ce sont de très vieux Anges, crois-tu vraiment que changer la couleur de leur peau est compliqué pour eux ?

La colère assombrit soudain le visage de la jeune fille.

— Non ! Allison, ne laisse pas leurs sentiments t'influencer encore. Si tu t'opposes à eux, ils te détruiront aussi facilement qu'un trente tonnes écrabouille une fleur des champs. Allison (il lui prit les deux mains et plongea ses yeux dans ceux de la jeune fille), est-ce que tu me fais confiance ?

Allison lutta contre la colère et la peur qui bouillonnaient dans ses veines.

— Oui, répondit-elle simplement.

Jeremy lui sourit, même si son sourire était inquiet.

— Alors, si tu me fais confiance, il va falloir que tu fasses quelque chose de vraiment, vraiment très difficile.

Allison écarquilla ses beaux yeux.

— Quoi ?

— Me transmettre le pouvoir de Caligula !

Pendant quelques secondes, Allison en resta sans voix. Tout autour d'eux, la ville bruissait des mille bruits de la vie humaine, mais le parc restait étrangement calme.

La jeune fille retira ses mains.

— Et pourquoi ?

— Parce que ce pouvoir est en train de te corrompre. Tu as vu Méphistophélès ? Cette force, cette puissance que tu ressens, ne sont pas sans effets secondaires. Là, tu viens d'avoir un choc. Le fait d'imaginer la souffrance et la mort de Peter t'a fait revenir de notre côté. Du côté des Bleus. Mais si tu ne saisis pas cet instant de lucidité pour te débarrasser de ce monstrueux pouvoir, il te consumera. Et, à la fin, tu seras exactement comme *lui*. Tu seras devenue un monstre.

Allison frissonna.

— Mais… et toi ? Si tu prends ce pouvoir, cela va aussi te transformer ! Crois-tu vraiment que je sois le genre de fille qui sacrifie ses amis ?

Le jeune homme la prit à nouveau dans ses bras, respirant son odeur chaude avec délice. Allison se laissa aller à son étreinte.

— Mon amour, murmura Jeremy avec toute la tendresse du monde dans la voix, je sais très bien que tu es courageuse et volontaire. Pour l'instant, je ne peux pas te dire pourquoi, mais je te le répète : fais-moi confiance. Recevoir cet effroyable pouvoir ne m'affectera pas. Je t'en prie Allison. Fais-le pour moi. Pas pour toi. Pour moi, parce que je t'aime et que c'est le seul moyen de ne pas te perdre !

Lovée au creux de ses bras, Allison sentit ses défenses fondre sous la voix caressante de Jeremy. Il avait raison. Le choc qu'elle avait ressenti devant la cruauté et l'orgueilleuse indifférence de Méphistophélès allait s'estomper. Elle sentait déjà que la colère et le pouvoir revenaient assiéger ses émotions. Non. Elle n'en voulait plus !

— D'accord, murmura-t-elle si bas que Jeremy ne fut pas sûr d'avoir bien compris.

— Qu'est-ce que tu as dit mon cœur ?

— J'ai dit « d'accord ». Mais je te préviens, Jeremy, tu n'as pas intérêt à devenir rouge ou je ne te parle plus jamais de ma vie… de ma mort !

Jeremy éclata de rire, se leva, la souleva brusquement et la fit tournoyer dans les airs.

— Ahhh ! Jeremy, arrête ! hurla Allison, effrayée.

Jeremy ne lui laissa pas le temps de protester. Il la reposa et l'embrassa avec une telle passion, un amour si profond qu'elle en perdit la respiration. Il était doux et tendre, mais exigeant en même temps, et Allison se dit que, s'il continuait, ses genoux allaient flancher. Il finit par se détacher d'elle, ému et heureux.

— Vas-y, mon amour, débarrassons-nous de ce fardeau.

Allison renforça ses jambes flageolantes et lui lança une première salve de pouvoir.

À son immense surprise, Jeremy ne broncha pas. Au point qu'Allison crut un instant que son tir n'avait pas fonctionné. Cela avait pris trois mois à Caligula pour lui transmettre son pouvoir sans la détruire et sans la faire « passer » de l'autre côté. Là, Jeremy se tenait brave, quoique pâle, devant elle. Et il n'avait pas l'air mal à l'aise.

— Tu... tu as senti quelque chose ? demanda Allison, dubitative.

— Beurk, oui, répondit simplement Jeremy. N'hésite pas, Allison, tu ne risques rien, je t'assure. Et moi non plus !

Rassurée bien qu'encore un peu inquiète, Allison y alla plus fort. Si le jeune homme grimaça légèrement, il ne montra aucun signe d'inconfort.

— À ce stade, grogna-t-elle, légèrement vexée, moi j'étais en train de vomir tripes et boyaux. Comment fais-tu ?

— L'entraînement des traders, lâcha Jeremy dans un souffle. On a l'habitude de la pression. Vas-y, envoie tout ce que tu as !

La jeune fille eut un sourire ambigu. Il l'énervait un peu quand même. Il encaissait des décharges d'une puissance folle sans être malade. C'était injuste. Elle lui balança l'équivalent d'un mois de pouvoir, ce qui la laissa affaiblie et tremblante.

Ah. Cette fois-ci, il accusa le coup. Son visage se couvrit subitement de sueur comme si un brasier était en train de le dévorer de l'intérieur.

— Ouille ! fit-il. Celle-là, je l'ai sentie passer.

— Ouille ? Bon sang, Jeremy, mais qu'est-ce que tu es ? Tu dis juste « ouille » là où moi j'ai failli mourir. Tu sais que tu es un peu agaçant, là ?

Il lui adressa un pâle sourire.

— D'accord, concéda-t-il. Je voulais juste jouer les gros durs. Mais si cela peut te consoler, j'ai l'impression que des milliers d'insectes embrasés me rongent, partout dans mon corps.

Ah ! Quand même ! Allison commençait à croire que Jeremy était une sorte de surhomme, surAnge plutôt. Satisfaite, elle attendit que Jeremy se remette un peu pour continuer. Elle se débarrassa d'une autre grosse portion de pouvoir dès qu'il lui fit signe.

Cette fois-ci, il tomba à genoux.

Horrifiée, elle se précipita.

— Jeremy !

Il se redressa péniblement.

— Non, non, ça va, continue Allison, il faut aller jusqu'au bout.

— Mais cette saloperie est en train de te détruire !

— Je peux encaisser. Regarde, ta peau rosit. On y est presque ! Il faut terminer. Tu dois te purger de tout ce mal. Complètement, ou tout cela n'aura servi à rien…

Allison secouait la tête, des larmes coulaient sur ses joues, mais Jeremy l'embrassa, savourant la douceur de ses lèvres avant de lui répéter :

— Un dernier effort, Allison. Vas-y. Terminons-en.

Éplorée, la jeune fille obéit. Elle resta à genoux devant lui et, fermant les yeux, elle lui envoya tout ce qui lui restait de pouvoir. Il restait encore une énorme quantité et cela lui prit du temps. Mais lorsqu'elle eut terminé et qu'elle rouvrit les yeux en tremblant, elle vit que sa peau était redevenue celle d'un jeune Ange bleu. Il ne restait plus une seule trace du pouvoir monstrueux de Caligula...

Joyeuse, elle leva les yeux vers Jeremy et hoqueta soudain, horrifiée.

Il était devenu totalement rouge.

19

Le goût du rouge

Un rire strident, semblable au bruit de deux plaques de métal qu'on tord et qu'on déchire, retentit derrière eux.

Effrayés, Allison et Jeremy se relevèrent péniblement et se retournèrent. Ils savaient hélas de qui il provenait.

Méphistophélès.

Le monstrueux Ange rouge était suivi par les trois Archanges rouges et les quatre Archanges bleus, ainsi que par Tétishéri et Lili. Et dans les yeux de cette dernière perçait une tristesse infinie.

— Enfin ! jubila Méphisto. Enfin nous te tenons mon Ange, bienvenue parmi nous !

Péniblement, Jeremy se redressa. La dernière salve de pouvoir qu'il venait de recevoir l'avait laissé au bord de l'évanouissement. Il lutta un temps contre les points noirs qui papillonnaient devant ses yeux, puis leva la tête vers Méphistophélès.

— Parmi vous ? répéta-t-il faiblement.

— Parmi nous oui, confirma Méphistophélès, sournois. Viens Khan, viens saluer ton frère !

Silencieux, le tueur surgit soudain des ombres du parc. Jeremy sursauta. Il ne l'avait pas vu. L'Ange rouge avait grossi et grandi. À présent, il devait frôler les deux mètres vingt. Il était devenu carrément terrifiant. Enfin, bien moins que Méphisto, évidemment.

D'un signe de tête vague et réticent, il salua Jeremy.

— Toujours aussi bavard..., ironisa Jeremy. Et je ne vois pas bien pourquoi je devrais traiter notre assassin comme un frère, n'est-ce pas *Flint* !

Il y eut un instant de stupeur. Perdus, les Archanges bleus se tournèrent d'un seul homme vers Méphistophélès qui laissa échapper un juron.

— Ça va, Méphistophélès, inutile de continuer à mentir, poursuivit Jeremy. Je sais très bien que Flint et vous ne faites qu'un.

Méphistophélès affecta un air renfrogné, ne sachant s'il devait continuer à mentir mais le regard ferme et décidé de Jeremy l'en dissuada. Démasqué, il gronda :

— Comment ? Comment l'as-tu découvert ? J'ai pourtant trompé tout le monde ! Flint ne possédait pas toutes les caractéristiques de ma vraie personnalité, afin de ne pas me trahir en plus de mille cinq cents ans. Et aucun Ange n'a jamais fait la corrélation entre nous deux, ni même senti qu'il était un Archange rouge.

Curieusement, Méphistophélès parlait de Flint comme si ce dernier était une entité consciente, distincte de lui. Jeremy prit un malin plaisir à lui répondre :

— Vous m'avez vous-même mis sur la piste. Flint a un tic de langage, il n'arrête pas de dire : « La mort n'est pas une fin. » Il se trouve sans doute très spirituel… Tout à l'heure, lorsque vous avez répété la même phrase en évoquant la mort de Peter, j'ai enfin compris. Flint et vous n'êtes que les deux faces d'une même médaille. Je soupçonnais déjà Flint d'être un Rouge depuis quelque temps, après tout ce qui s'était passé. Mais j'avoue que je ne m'attendais pas à ce qu'il soit aussi l'un des princes de l'enfer. Si tant est que cet endroit existe…

Le visage d'Allison, d'une pâleur extrême, donnait l'impression qu'elle allait s'évanouir.

— J'ai… j'ai été embrassée par cette… chose ?

Méphistophélès se passa une langue fourchue sur ses immondes lèvres rouges.

— Un vrai délice. Dont je vais pouvoir profiter pendant les cinquante prochaines années puisque tu m'appartiens, enfin… que tu appartiens à Flint qui m'a l'air d'être très épris, petite Bleue ! Je suis impatient de voir ce qu'il va faire de toi. Même si, j'avoue, je ne suis pas très content que notre jeune ami ait dévoilé mon astucieuse couverture. J'avais mis presque deux millénaires à la perfectionner !

De colère, il agita ses ailes de cuir rouge, puis soupira.

— Enfin, ce n'est pas très grave. Cela valait le coup.

— Mais enfin, pourquoi ? s'écria Allison. Pourquoi tout ce… tout ce cinéma ?

— Oh, tu ne le sais donc pas, jolie Angelot ? Ton petit copain ne t'a pas montré la marque d'or autour de son nombril ?

Allison se tourna vers Jeremy et le regarda, bouche bée.

— Il ne me l'a pas montrée, mais je l'ai vue, oui, finit-elle par articuler. Qu'est-ce que cela a…

— Khan ! ordonna tout à coup Méphistophélès. Montre-lui la tienne.

Le tueur s'exécuta, retirant le kimono de Brume noire qu'il portait. Sur son ventre, bien que nettement plus petite que celle de Jeremy, une tache d'or de la taille d'une grosse pièce de monnaie, brillait.

Aussitôt les Archanges bleus se renfrognèrent, tandis que les Rouges arboraient un sourire agaçant.

— Tu vas être étonné, Jeremy. Cela signifie...

— ... cela signifie, poursuivit doucement Jeremy, prenant Méphistophélès de vitesse, que je suis un Archange !

Méphistophélès l'observa avec méfiance.

— Tu le savais ?

— Allison pensait que vous en aviez après elle. Mais, je vous l'ai dit, il s'était passé trop de choses étranges depuis *ma* mort. Quelle est la probabilité pour que je tombe sur deux Anges venus du fin fond des âges, et d'Europe ou d'Afrique, le soir de mon assassinat ? Vous et Tétishéri ? En y réfléchissant, j'ai trouvé cela vraiment bizarre. J'aurais dû d'abord, comme tous les morts qui atterrissent dans ce monde, rencontrer ma famille, de très jeunes Anges, ou des gens « passés » depuis dix, vingt ou trente années au maximum. Mais d'aussi vieux Anges s'intéressant de si près à un Angelot ? Alors que vous les méprisez si ostensiblement, même des génies comme Einstein ? Non. Ce n'était pas logique. Et puis... tout s'est éclairé lorsque, en cherchant Allison, j'ai découvert que Tétishéri me suivait.

À ces mots, Méphistophélès jeta un regard noir à la reine égyptienne qui ne broncha pas.

— Elle m'a donné une adresse et m'a dit que si j'avais besoin d'aide, je devais venir la voir. Lorsque j'ai compris que je n'étais pas comme les autres, que j'étais capable de faire des choses que les jeunes Anges ne pouvaient pas faire et que j'attirais l'attention des Anciens, j'ai décidé de comprendre. J'avais besoin de réponses.

Méphistophélès foudroya les Bleus du regard.

— Je croyais que nous avions un accord de non-ingérence ?

L'un des Archanges, Michel, s'avança, ses ailes d'un magnifique bleu profond le surplombant.

— Pousser ce jeune Archange vers le rouge en le trompant, Méphistophélès, tu appelles ça comment ?

— Du bon sens, ricana l'Ange rouge. Je l'amène du côté des vainqueurs.

— Une intolérable ingérence ! répliqua Michel, qui n'avait pas l'air d'avoir un grand sens de l'humour. Mais, grâce à cela, nous avons pu, de notre côté, rétablir l'équilibre.

— L'équilibre mon cul ! répondit vulgairement Méphistophélès en désignant Jeremy. C'est un Rouge à présent. Il est à moi ! Nous sommes six Archanges rouges contre quatre Bleus, notre camp a gagné !

Jeremy le laissa jubiler pendant une petite poignée de secondes. Il aimait bien le proverbe chinois : « Plus on s'élève et plus dure sera la chute. »

— Pas tout à fait..., rectifia-t-il paisiblement.

Et, sous le regard effaré d'Allison, Jeremy changea soudain de couleur.

Il redevint parfaitement bleu. D'un beau bleu nuit chatoyant. Il retira alors sa chemise et tous purent constater qu'il était bleu partout, sauf sur le ventre où la tache dorée était réapparue et s'était agrandie, marquant désormais la totalité de ses abdominaux.

— NON ! hurla Méphistophélès. C'est impossible !

Prenant tout le monde de court, l'Ange maléfique envoya une rafale de pouvoir sur Jeremy. Contrairement aux salves invisibles d'Allison ou de Caligula, celle-ci était d'un feu rouge et mortel qui submergea aussitôt le jeune homme. Celui-ci encaissa, penché en avant comme s'il affrontait une puissante tornade, les poignets croisés devant lui. Sa peau rougeoya un moment mais, lorsque Méphistophélès cessa de le bombarder, elle redevint immédiatement bleue.

— Comment ?! éructa Méphistophélès, fou de rage. Qu'est-ce que tu as fait ? Comment peux-tu résister à l'appel de mon pouvoir ? C'est impossible !

Jeremy avait les traits tirés.

— Non. Douloureux, pénible, nauséeux, mais pas impossible. Lorsque j'ai compris que vous essayiez de me corrompre en utilisant Allison pour que je devienne Rouge, j'ai interrogé Tétishéri. Celle-ci m'a expliqué qu'il naissait, très rarement, de jeunes Archanges. Un Bleu et un Rouge. Toujours par paire. Et que j'étais l'un d'eux...

Bien sûr, Jeremy passa sous silence le fait qu'il avait dû menacer la reine égyptienne de devenir rouge pour de bon, afin de l'obliger à parler. Il ne mentionna pas non plus sa totale incroyance, lui qui n'avait jamais mis les pieds à l'église...

Impassible, Tétishéri confirma :

— Les Archanges possèdent une odeur et une aura très particulières. (Elle regarda Jeremy, rêveuse.) Ils sentent délicieusement bon. Dès que Jeremy est « passé », nous l'avons senti, aussi bien psychiquement que physiquement. Michel m'a envoyée afin de voir ce qu'il en était. Il a laissé l'Archange rouge partir avec les Rouges. Et comme personne ne s'intéressait à Jeremy, à part Flint qui était connu pour pencher vers les Bleus, mais qui ne paraissait pas vouloir rester près du nouvel Archange, Michel a respecté le principe de non-ingérence.

Elle toisa Khan avec dégoût.

— Je lui avais déjà dit que cet Archange rouge était irrécupérable pour notre camp.

— Parce que c'est *ça* le but ? s'énerva Allison. Piquer l'Archange des autres ? Vous nous avez séparés, fait souffrir, torturés, j'ai enduré mille morts avec Caligula parce que cette ordure de Méphistophélès m'avait envoûtée, tout ça pour une lutte ridicule entre des Rouges et des Bleus ?!

Vif comme l'éclair, Méphistophélès la frappa à la tête d'un violent mouvement d'aile. La jeune fille s'écroula aussitôt. Jeremy bondit afin de la soutenir. Sa bouche saignait.

— Tais-toi, esclave ! La prochaine fois que tu me traites d'ordure, je t'arrache la tête, c'est clair ?

D'un revers de la main, Allison essuya le sang sur ses lèvres et lui jeta un regard haineux. Le monstre l'ignora, trop concentré sur Jeremy.

— Nous désirons juste maintenir l'équilibre, répliqua Michel, habitué à la brutalité de Méphistophélès. Nous étions quatorze au départ. Sept Archanges rouges, sept Archanges bleus. Mais, durant les âges sombres, la haine entre nous a provoqué la disparition de six Archanges, trois dans chaque camp. Alors nous avons décidé de ne plus nous combattre. Notre pouvoir était trop grand. Puis, à notre immense joie et surprise, vous êtes apparus, ce qui nous a prouvé que la Terre pouvait encore engendrer des Archanges alors que nous croyions que cela n'arriverait plus. Mais nous avons manqué de vigilance. Nous vous pensions en sécurité avec Flint, et plus encore après avoir appris l'attaque de Khan, que Flint avait déjouée...

— C'était Flint, bien sûr, qui avait tout organisé cette nuit-là, dévoila Jeremy. Il a retrouvé Khan. Lui a ordonné de nous attaquer pour nous faire peur et nous obliger à rester sous sa protection. (Il se tourna vers Allison.) Et nous, comme deux idiots, nous n'avons rien vu !

— L'attaque de Khan était fictive ? hoqueta Allison.

— Oui, nous ne l'avions pas entendu, il manie son sabre comme je manie mon rasoir. Penses-tu vraiment qu'il aurait pu me manquer ? Il aurait dû nous découper en petits morceaux avant même que nous ayons le temps de dire ouf !. Mais là aussi tout sonnait faux. Il n'avait pas réussi à régénérer sa langue, comment aurait-il pu se créer un sabre ! Bien évidemment, je n'ai compris qu'après. C'était Flint qui le lui avait donné.

Méphistophélès ricana.

— Vous aviez tellement peur, mes petits agneaux ! Je devais vous protéger contre le vilain méchant Khan ! (Il retrouva son sérieux et pointa un index énorme sur Jeremy.) Et maintenant, dis-moi comment tu peux me résister !

Jeremy demeurait imperturbable.

— Il y a quelque chose que j'ai appris de mon grand-père, qui ne ferait probablement qu'une bouchée de vous, vieux salopard ! Ne jamais donner d'informations à son ennemi. Alors non, je ne vous dirai pas ce que j'ai fait. Vous avez perdu, Méphisto. Vous n'aurez pas deux Archanges rouges pour faire basculer le monde dans le chaos et la désolation… Et la prochaine fois que vous frappez ma petite amie, je vous fais avaler vos ailes, tout Grand Ancien que vous soyez ! C'est clair ?

Il prit la main d'Allison et passa devant le colosse rouge qui bouillonnait de rage. Méphistophélès voulut s'interposer, mais Michel et les trois autres Archanges bleus l'en empêchèrent.

— Non, fit doucement Michel. Nous avons un nouvel Archange et toi aussi. Laisse-les partir. Le petit a raison. Tu as perdu. Il a été plus malin que toi. Tout s'arrête là.

Voyant que les autres Archanges rouges ne bronchaient pas, et peu désireux d'en découdre avec les Bleus, Méphistophélès hurla sa fureur, attrapa Khan de son énorme main et s'envola dans un ignoble bruissement d'ailes qui ébouriffa les longs cheveux des Archanges. Les Rouges le suivirent quelques secondes, puis virèrent en direction du Capitole où les délibérations s'étaient interrompues.

Allison, la gorge serrée, se tourna alors vers les Bleus.

— Et maintenant, que va-t-il se passer ?

Tétishéri affichait une mine soucieuse.

— Les Rouges, et particulièrement Méphistophélès, ne sont pas bons perdants…

— Non, fit une voix mélodieuse qui fit frémir Jeremy. Ils n'aiment pas cela. Tu n'aurais pas dû le provoquer, Jeremy. Maintenant il va en faire une affaire personnelle !

Lili n'était pas partie. Et elle contemplait Jeremy comme s'il était désormais le seul homme sur Terre. Allison lâcha la main du jeune homme. Il devait régler cela tout seul. Et, s'il ne le faisait pas, elle se ferait un plaisir de démonter la tête de cette peste qui l'avait influencée, elle aussi.

Et avait couché avec son petit ami.

— Tu le savais ? lui lança-t-il en plongeant ses yeux bleus dans ceux de Lili.

— Qu'il était Méphistophélès ? Non. Je travaille occasionnellement pour les Rouges, mais je pensais que Flint était neutre comme moi.

— Car toi, tu ne vis que pour ton plaisir, n'est-ce pas *Lilith* !

L'heure était décidément aux révélations. Allison écarquilla les yeux de stupeur.

— Lilith ? Pas *la* Lilith ?!

— Si, répondit sereinement Lilith. La femme originelle, celle qui fut créée avant Ève, et bla-bla-bla... En fait je ne m'en souviens pas très bien. Mais j'étais l'une des premières, oui, indéniablement.

Allison se tourna vers Jeremy, la bouche encore arrondie de stupéfaction.

— Ben dit donc ! Méphistophélès a engagé Lilith, la femme ultime, pour te séduire ! Comment as-tu fait pour résister ?

— J'étais... je suis toujours, éperdument amoureux d'une jolie, têtue et très imprévisible Ange bleue, confia Jeremy. Le désir est brûlant, il détruit tout sur son passage. Alors que l'amour est doux, tendre et il est constructif. C'était ce que je voulais Allison : ton amour. Pas le désir de Lilith !

Lilith eut alors un sourire si triste qu'Allison ressentit presque de la peine pour elle.

— Ah, c'est une bonne leçon, finit-elle par lâcher. Pour la première fois depuis des siècles, je suis tombée amoureuse. Du seul homme qui ne pourra jamais m'aimer. *Lucky me...*

Résignée, elle haussa les épaules et tourna les talons, faisant voler sa flamboyante chevelure rousse, et se dirigea la tête haute vers la sortie du parc, puis disparut parmi les ombres.

— C'est bizarre, fit Allison d'une petite voix, mais elle me touche. Je devrais pourtant avoir envie de lui arracher les yeux et j'ai envie de la consoler...

L'Archange Michel se pencha vers elle et son sourire était si doux qu'elle se sentit réchauffée.

— C'est cela être humain, Allison, être capable de compassion. Et de pardonner.

— Justement, à ce propos, fit soudain sévèrement Allison. Jeremy ! Si tu crois que je vais te pardonner d'avoir couché avec elle, tu rêves !

Jeremy ne savait plus où se mettre. Michel se tourna vers lui, soufflé.

— Vous avez quoi ?

— Euh, cela faisait partie d'un plan, osa Jeremy, piteux.

— Un plan débile, oui ! grommela Allison. Il a couché avec Lilith, la femme ultime, la sirène enchanteresse, pour obliger Flint à me ramener.

Michel regarda Jeremy d'un air de dire que, effectivement, l'idée était vraiment débile.

— Oui, je sais, répliqua Jeremy. Mais, sans cela, Flint-Méphisto aurait sans doute perverti Allison au-delà de toute rédemption. Donc, j'ai bien conscience que mon plan était stupide, mais c'est tout ce que j'ai trouvé...

Allison lui coula alors un regard du genre : « Tu n'as pas fini d'en entendre parler ! »

Pendant qu'ils discutaient, Tétishéri s'était remémoré les paroles de Méphistophélès.

— Attendez une minute ! Pourquoi Méphisto a-t-il dit qu'Allison était son esclave ?

Elle se planta devant Allison et la dévisagea sévèrement.

— Qu'est-ce que vous lui avez promis, jeune Ange ?

Baissant les yeux, Allison avala sa salive et laissa échapper d'une petite voix :

— Euh... à propos de plan débile, Jeremy n'a pas été le seul à en avoir un, hélas... J'ai promis que je serais l'esclave de Flint pendant cinquante ans s'il parvenait à obliger Ventousi à mettre son médicament sur le marché et l'envoyait en prison.

Les Archanges échangèrent des regards atterrés.

— QUOI ? tonna Michel. Mais qu'est-ce qui vous a pris ? Passer un pacte avec Méphistophélès c'est comme de passer un pacte avec le diable, vous êtes folle !

— Oh, hé, ça va, hein ! riposta Allison. Je croyais que c'était un vieil Ange bleu qui essayait de m'aider, pas que j'étais au cœur d'une lutte mondiale pour corrompre un bébé Archange ! Et puis, vous n'aviez qu'à nous donner le mode d'emploi de votre monde aussi ! C'est quand même dingue, c'est de votre faute, avec votre « Ouh, là, là, il ne faut surtout pas d'ingérence ! », si nous sommes, enfin... si je suis dans la merde !

— Elle a été victime d'une tromperie ! s'écria Jeremy, blême. Allison n'a pas à respecter sa parole. En toute bonne foi, elle a cru passer un pacte avec un Ange bleu, alors qu'elle était en face d'un Archange rouge !

Mais Michel secoua la tête.

— Hélas, si. Un contrat a été passé entre deux parties. Si Méphistophélès respecte sa part du contrat, Allison sera obligée de respecter la sienne. Elle n'aura pas le choix. Il pourra toujours porter l'affaire devant le conseil des Grands Anciens. Je sais déjà quel sera le jugement. Elle sera son esclave pour les cinquante prochaines années, c'est malheureusement une certitude.

Demeurée un temps silencieuse, Allison eut un petit rire qui les surprit.

— Ça alors ! J'espérais depuis des jours que le médicament arrive enfin sur le marché et soulage des millions de malades et, maintenant, je prie pour que ce ne soit plus le cas… Comme quoi, il faut vraiment se méfier de ce que désire ardemment…

Elle quitta ses pensées et prit la main de Jeremy avec tendresse.

— Pour l'instant, nous ne pouvons rien faire. C'est le milieu de la nuit, Méphistophélès n'agira pas avant demain matin et toutes ces émotions m'ont tuée. Alors, Jeremy et moi, nous allons dormir quelques heures. Nous vous retrouvons au Capitole demain soir. Cela vous convient ?

Sombres et inquiets, Michel et les autres Archanges demeurèrent un temps silencieux. Mais ils comprenaient bien que la jeune fille avait besoin de repos pour ne pas craquer.

— La suite présidentielle du *Mandarin oriental* a été aménagée pour les Anges bleus qui n'habitent pas Washington. C'est là que je dors, finit par leur dire Michel. Mais cette nuit, comme il va falloir que je gère cette crise, je n'y retournerai pas. Demain non plus d'ailleurs. Allez-y. Il y a un service de sécurité, je vais les prévenir. Ils vous protégeront de Méphistophélès et de ses sbires.

Il balaya la reconnaissance d'Allison et de Jeremy d'un geste négligent de la main, puis tourna son visage vers le ciel, prêt à s'envoler.

— Attendez ! lui cria Jeremy. Je voudrais vous demander autre chose, s'il vous plaît.

Michel replia alors ses magnifiques ailes bleues.

— Oui ? Je t'écoute.

— Avant de mourir, la mère d'Allison lui a fait faire une promesse. Et je ne veux pas que la fille que j'aime se parjure. Alors, puisque vous êtes une sorte de prêtre suprême, après tout, serait-il possible que... (il déglutit, la bouche sèche) que vous nous mariiez ?

Allison faillit en tomber à la renverse.

— Quoi ?! Mais...

Tendre et grave à la fois, Jeremy se tourna vers elle.

— Allison. Je t'aime, je veux t'épouser. La dernière fois que tu m'as dit non, ça s'est plutôt mal terminé.

Il s'agenouilla et prit une profonde inspiration, à en avoir le vertige. Un merveilleux et délirant vertige.

— Je n'ai pas de diamant à t'offrir et même si j'en créais un il aurait probablement disparu avant demain matin. Mais, à défaut de pierre, je t'offre mon cœur. Acceptes-tu de m'épouser, Allison Darthmouth ? Jusqu'à ce que la mort... quelle que soit la mort ici, nous sépare ? Ou mieux encore : d'être heureuse avec moi pour l'éternité ?

Depuis cette déclaration, Allison avait l'air d'un poisson qu'on venait de sortir d'un bocal. Elle ouvrait et fermait la bouche, incapable d'articuler un mot. Soudain, elle sauta au cou de Jeremy qui était toujours agenouillé et ils basculèrent tous les deux.

— Oh oui, oui ! riait-elle en pleurant en même temps. Oui, mon chevalier, oui, mon prince charmant, oui, mon Archange !

Michel, Tétishéri et les autres furent tout attendris en les regardant s'étreindre. Uriel essuya même une petite larme.

L'Archange bleu ne se fit pas prier. Il confectionna aussitôt deux anneaux de Brume. Puis tous se mirent à chanter. Jeremy ne savait pas ce qu'ils avaient fait à leurs cordes vocales, mais leur chant était si beau, si solennel, qu'il lui donna la chair de poule. Avec cérémonie, Michel leur passa un anneau à chacun, leur demanda de s'aimer et de veiller l'un sur l'autre. Il ne put s'empêcher de leur conseiller à l'avenir de ne plus inventer de plans stupides, puis les déclara mari et femme. Jeremy embrassa la mariée. Et faillit bien consommer son mariage sur place, tant il eut de mal à se détacher d'elle. Il était ravi d'être mort. Finalement, ce paradis lui convenait parfaitement.

Michel les bénit une dernière fois, puis s'envola avec les autres.

Muets, émus, angoissés, mais si heureux d'être enfin ensemble, Jeremy et Allison marchèrent main dans la main jusqu'au luxueux hôtel, dans un silence paisible et encore un peu sous le choc de leur mariage express. Allison ne voulait tout simplement pas penser à ce qui les attendait le lendemain. Pour elle, la seule chose qui comptait, c'était d'être au côté de Jeremy. Il avait pensé à sa promesse ! Tant de délicatesse l'émouvait jusqu'aux larmes. Elle regarda discrètement son anneau et n'en revenait toujours pas : elle était mariée !

Lorsqu'ils arrivèrent au *Mandarin oriental*, Michel et les Archanges étaient déjà passés et de solides soldats bleus les attendaient comme convenu. Ces derniers les escortèrent jusqu'à une suite fastueuse dans les tons or et orange. En prévision du congrès angélique, les Anges avaient suggéré aux vivants de faire quelques travaux, la suite avait donc été fermée et vidée de ses meubles. Qui avaient été remplacés par un luxueux mobilier de Brume. Une lettre de bienvenue, écrite par Michel pour les deux amoureux, expliquait les différents systèmes de Brume disponibles dont la suite était pourvue, dont l'un, que Jeremy cacha à Allison, mais qui lui fit vraiment plaisir lorsqu'il le découvrit, vu qu'il en rêvait depuis son arrivée dans cet univers.

— Ouah ! fit Allison, impressionnée par la décoration. C'est magnifique !

Jeremy n'avait pas envie de parler. Il prit congé des soldats en faction dans le couloir, referma la porte de Brume et s'approcha d'Allison. Il la prit tendrement dans ses bras.

— Je ne veux pas te perdre, souffla-t-il en la serrant si fort qu'elle en eut le souffle coupé.

— Et tu ne me perdras pas, répondit-elle en respirant l'odeur enivrante de Jeremy.

Oui, maintenant elle pouvait la sentir, cette fameuse odeur. Celle d'un pain chaud tout juste sorti du four, sur lequel on aurait laissé fondre une pointe de beurre. Rien que de la sentir, Allison avait envie de mordre Jeremy. Et comme elle n'avait pas envie de lui faire de mal, elle fit mieux.

Elle l'embrassa.

Au départ leurs baisers furent doux, langoureux, empreints de la peur de Jeremy et de sa tristesse. Puis, comme un feu qui démarre lentement, ils s'embrasèrent tous les deux et laissèrent leur passion dévorer leurs corps. Fiévreux, ils se déshabillèrent. Allison n'avait plus peur. Pour la première fois, elle allait faire l'amour et ses angoisses avaient disparu.

Jeremy la traita au début comme si elle était du cristal, mais la jeune fille voulait plus. Elle se montra exigeante, mutine, câline et forte à la fois. Elle lui rendit caresse pour caresse, soupir pour soupir, leurs langues jouèrent cette vieille danse qui les enivra. Leurs corps s'emboîtèrent comme s'ils avaient été créés pour cet instant. Jeremy la fit crier au point qu'elle en perdit la tête. Puis il fut en elle et la sensation de complétude, de perfection, atteignit un nouveau sommet. Elle n'éprouva aucune douleur et se laissa emporter par le rythme lorsqu'il commença à bouger les hanches, passant et repassant sur un point qui la faisait se cambrer pour qu'il aille encore plus loin, plus fort. Survint alors une chose incroyable, si soudaine qu'elle les déconcerta : ils fusionnèrent. Leurs corps angéliques, mais aussi leurs âmes. Jeremy, fasciné, pouvait ressentir ce que sentait Allison, et elle ressentit ce qu'il sentait. Elle bougea d'une certaine façon. Il gémit. À son tour, il répliqua d'une autre manière et ce fut elle qui gémit. À partir de ce moment, ce qui s'ensuivit fut tout bonnement incroyable. Ils savaient exactement ce que désirait l'autre, ce qu'éprouvait l'autre, et leur jouissance les fit s'évanouir dans une pure extase. Ensemble. Au même moment.

Quelques instants plus tard, ils reprirent doucement connaissance, encore éblouis.

— Mon Dieu ! finit par dire Allison, et je me suis privée de ça pendant toutes ces années ? Je suis dingue !

Jeremy laissa échapper un petit rire et roula sur le côté pour la regarder avec adoration.

— Crois-moi, ce n'est pas toujours comme ça. Qu'est-ce que je raconte ? Ce n'est *jamais* comme ça ! Dites donc, vous êtes super avantagées, vous les filles. Ouah ! Des orgasmes multiples ? C'est injuste, je veux changer de sexe !

Allison laissa éclater un rire joyeux. Elle se sentait tellement bien ! Tout cela était un miracle et elle avait bien l'intention d'en profiter.

Avant d'avoir à y renoncer.

Jeremy vit la tristesse poindre dans les merveilleux yeux bleus d'Allison. Il se pencha et embrassa sa bouche charnue.

— Je ne laisserai pas Méphisto t'enlever à moi, Allison. Je te le promets !

Allison soupira et décida de changer de sujet.

— Tu n'as pas voulu lui répondre, mais moi aussi je suis curieuse. Comment as-tu fait pour lui résister tout à l'heure ? Lorsque je t'ai transmis le pouvoir de Caligula, tu es devenu rouge, je n'ai pas rêvé ?

— En fait, ce n'était pas la première fois, confessa Jeremy en caressant la longue jambe d'Allison, ce qui la fit à nouveau frémir de désir. Les Archanges et moi, on avait déjà rendu une petite visite à Caligula. Histoire de m'immuniser...

La caresse de Jeremy rendit la respiration d'Allison un peu haletante, mais elle persista :

— Comment ça ?

— J'ai provoqué Caligula en duel.

Allison se redressa, toute pensée sensuelle envolée.

— Quoi ?

— Bien sûr, persuadé qu'il allait m'avaler tout cru, l'empereur a immédiatement accepté et m'a attaqué en précisant qu'il allait te donner ma peau comme présent, pour que tu l'accroches dans ton salon. Il pensait que je faisais cela par vengeance, bien sûr. Il croyait que j'étais fou de douleur et de jalousie. Contrairement à toi, il ne m'a pas épargné et m'a frappé avec toute la puissance de son pouvoir.

— Tu aurais dû mourir ! Disparaître, je ne sais pas moi ! Enfin Jeremy, c'était de la folie ! Personne n'aurait pu résister à ce monstre !

— Oui, enfin... sauf que quatre Archanges bleus m'avaient nourri juste avant, à m'en faire péter les neurones !

Allison le regarda bouche bée.

— Quoi ?

— Tu sais, ce que tu as dit tout à l'heure à propos du mode d'emploi et du fait que les Archanges nous avaient laissés tomber. C'est exactement ce que j'ai lancé à la figure de Michel et de ses copains. Alors, pour se faire pardonner l'énorme erreur qu'ils avaient commise, ils m'ont nourri. Les quatre en même temps. Il semble que nous, les Archanges, soyons plus solides que les autres (il frappa sa poitrine d'un air viril, ce qui fit sourire Allison). Bon, cela dit (il fit la grimace), j'ai quand même dégusté. J'avais l'impression que chacune des cellules de mon corps se consumait. Et lorsque Caligula m'a attaqué, à côté de ce que je venais de subir, c'était de la gnognote. Il était puissant, certes, mais rien à voir avec la puissance de quatre Archanges.

Allison le regarda avec respect.

— Tu le savais ! Tu avais tout préparé. Je comprends maintenant pourquoi tout était dévasté lorsque je suis retournée chez ce monstre ! C'était toi ! Mais qu'as-tu fait de lui ? Tu l'as… euh… dévoré ?

— Beurk, non ! Méphistophélès, sous l'apparence de Flint, nous a expliqué que Caligula la Chimère était beaucoup trop puissant pour être arrêté par les Anges, or ce n'est pas vrai. Il était tout simplement sous sa protection. Sauf que, là, Caligula avait accepté ma demande de duel, devant les Archanges. Lorsqu'il a perdu, après avoir épuisé son pouvoir contre moi, il a été officiellement inculpé pour avoir mangé de jeunes Anges innocents. Les Archanges bleus l'ont enfermé dans une prison de Brume dans laquelle il va dépérir pendant des siècles.

Allison frissonna.

— Alors ça, c'est une excellente nouvelle ! Caligula m'a fait souffrir le martyre juste parce qu'il était content de me corrompre… Je n'en reviens pas, tu as résisté à l'effroyable pouvoir que je t'ai donné et à celui de Méphistophélès simplement parce que tu t'étais préparé ! Mais pourquoi ne m'as-tu rien dit, Jeremy ?

—Je ne pouvais pas, Allison. Infectée par ce maudit pouvoir, tu étais si déterminée à te venger ! Et affreusement rouge ! Si je t'avais dit : « Voilà, en fait, je suis un Archange et Flint ne t'aide que dans le but de me piéger moi. » Qu'est-ce que tu aurais fait ?

Pensive, Allison hocha la tête et lui répondit :

— Sous l'influence de Caligula, j'aurais été furieuse. Je n'aurais vu que ta puissance d'Archange, pas ta compassion. Peut être. Je ne sais pas. J'aurais sans doute essayé de t'utiliser. Mais je ne crois pas que je t'aurais donné mon pouvoir, tu as sans doute raison.

—J'ai fait un pari terrible, Allison, révéla Jeremy encore tourmenté par ce qu'il avait traversé. Les Archanges m'avaient confié que le seul moyen de te sauver était que tu me cèdes *volontairement* ton pouvoir. J'ai donc parié que Flint allait faire quelque chose de tellement monstrueux que tu allais être choquée. Il a failli tout gâcher en se métamorphosant en Méphistophélès, ce que je n'avais bien sûr pas prévu. Mais lorsque tu as compris ce qu'il était prêt à faire à Peter, cela a réveillé la vraie Allison. Celle dont l'esprit avait été embrumé par tous ses subterfuges et ses mensonges. Celle qui, jamais, n'accepterait de faire souffrir un petit garçon, juste pour se venger.

La jeune fille soupira.

— Tu sais, je n'ai rien vu venir. Je me suis complètement fait avoir alors que toi, tu avais tout prévu. Du coup, j'ai un peu l'impression d'être ton docteur Watson, Sherlock !

— Tu es bien plus jolie que le docteur Watson ! protesta Jeremy.

Elle lui sourit, ravie. Puis l'embrassa avec passion.

— Est-ce que je t'ai déjà dit qu'en plus d'être un Archange supersexy, tu es un petit génie et que je t'adore ? murmura-t-elle en reculant un peu, histoire de retrouver son souffle.

— Non, tu ne me l'as pas dit, lui chuchota-t-il d'une voix sensuelle en la couvrant de baisers brûlants. Mais tu peux peut-être me le montrer ?

Allison ne se fit pas prier.

Ils passèrent le reste de la nuit et de la journée au lit. Coupés du monde. Les deux Anges voulaient juste profiter l'un de l'autre. Pendant ces heures magiques, ils ne découvrirent pas uniquement la saveur de leurs peaux, mais aussi celle de leurs âmes. Et celles-ci allaient tellement bien ensemble !

Alors que la nuit commençait à tomber sur la ville et qu'ils dégustaient une divine Brume préparée par les Anges de l'hôtel, Jeremy eut un sourire mutin :

— Viens, dit-il en entraînant Allison dans la salle de bains. Je voulais te faire la surprise plus tôt, mais tu es tellement délicieuse, tu m'as fait perdre la notion du temps.

— Quelle surprise ? demanda Allison qui se méfiait un peu des surprises dans cet univers.

— Ça, répondit Jeremy en ouvrant la porte de la douche de Brume installée par les Anges.

Soudain, une fine et tiède pluie de Brume multicolore les arrosa, provoquant la joie incrédule d'Allison.

— Ça alors ! Mais comment est-ce possible ?

— Tu te souviens de la Brume liquide dans les bouteilles de Flint ? J'aurais dû me douter à ce moment-là que quelque chose clochait. Car seuls les Archanges sont capables de donner à la Brume la consistance et le pouvoir de dilution de l'eau. C'est exactement ce qu'a fait Michel. Il l'a d'ailleurs précisé dans la lettre de Brume que j'ai trouvée en entrant dans notre chambre.

Allison le regarda avec passion et ils prirent une merveilleuse douche de Brume. Mais ils ne firent pas que se laver…

Ils venaient de retourner s'allonger dans leur lit et étaient absorbés l'un par l'autre, lorsqu'un discret « toc-toc » à leur porte les fit sursauter. Avec regret, Jeremy attrapa un drap et alla ouvrir. Sous la couette, Allison, encore éblouie par ce qu'ils venaient de vivre, se renfrogna. Elle n'avait pas envie que la réalité fasse irruption dans leur petit nid douillet.

Michel apparut, baissant la tête et les ailes pour franchir le chambranle trop bas.

— Je suis désolé de vous déranger, dit-il avec une infinie courtoisie. Hélas, j'ai de mauvaises nouvelles.

— Donnez-nous un instant pour nous préparer, soupira Jeremy. Nous arrivons.

Grâce au pouvoir des Archanges bleus et ironiquement de ceux de Caligula et de Méphistophélès, Jeremy utilisa la Brume d'un fauteuil pour leur créer des vêtements. Un costume d'un léger bleu pour lui et une robe du même bleu à la demande d'Allison, qui avait développé une certaine répulsion pour le rouge et le rose, du moins pour le moment.

Puis ils firent face à Michel, main dans la main, unis pour encaisser les mauvaises nouvelles.

Qui n'étaient pas mauvaises.

Elles étaient pires.

— Méphistophélès n'aime pas perdre, et encore moins devant d'autres Archanges rouges, commença Michel, un pli soucieux ridant son front parfait. Je crois que nous l'avons mis tellement en rage qu'il a puisé dans des forces inouïes, même pour un Archange. Il a réussi sa mission. Tout seul, sans l'aide des autres Archanges, ce qui fait qu'on ne peut même pas utiliser cela comme argument. Je suis vraiment désolé, Allison. Mais il a réussi.

— Il a réussi quoi ? demanda Jeremy la bouche sèche.

— Il a embrumé l'esprit des deux inspecteurs qui, sur sa suggestion, sont allés arrêter Ventousi chez lui. Puis, alors que Ventousi était en garde à vue, Méphistophélès a rendu Peter très malade. Pas un cancer, non, il n'en avait ni le pouvoir ni le temps. Mais il a réussi, on ne sait comment, à provoquer une hémorragie interne chez le petit garçon. Rien de bien grave, heureusement. Ensuite, l'interne qui s'est occupé de l'enfant a été embrumé lui aussi lorsqu'il a fait les analyses, il a mélangé les dossiers. Celui d'un petit cancéreux et celui de Peter. Qui, de fait, alors qu'il n'a qu'une hémorragie sans gravité, a été diagnostiqué comme porteur d'une tumeur inopérable au foie. Les médecins ont joint les deux inspecteurs, car la nounou avait signalé à l'hôpital que le père venait d'être placé en garde à vue. Les deux inspecteurs ont alors raconté à Ventousi ce qui s'était passé. Lorsque le chercheur a cru que son fils était atteint d'un cancer au stade terminal, il a pété un plomb. « Poussé » par Méphistophélès dont la rage et la haine ont décuplé le pouvoir, il a soudain tout avoué, du moment qu'on donnait son médicament à son enfant…

Jeremy et Allison, le regard halluciné, n'arrivaient pas à en croire leurs oreilles.

— Mais alors, finit par dire Allison tandis qu'un silence pesant avait ponctué la déclaration de Michel. Qu'est-ce que cela signifie ?

Michel se passa une grande main sur le visage, l'air fatigué.

— Cela signifie que Méphistophélès a respecté votre pacte. Vous avez votre vengeance, puisque Ventousi est en prison. Et dès que les laboratoires auront appris ce qui s'est passé, ils testeront la formule de Ventousi et mettront le médicament sur le marché. Ce que Méphistophélès a réalisé est presque impossible. Normalement, pour influencer à ce point des vivants, pour les guérir ou les rendre malades, il faut au moins trois Archanges et une demi-douzaine de vieux Anges… Je crois que nous l'avons rendu dingue en le battant. (Il rectifia.) Enfin… encore plus dingue que d'habitude.

Jeremy et Allison se regardèrent, atterrés.

Soudain, c'en fut trop pour Allison. Elle était morte, était devenue un ange, avait été manipulée, trompée, elle avait été torturée, était devenue rouge, et maintenant qu'elle venait de trouver le bonheur parfait, l'homme de sa vie, on lui annonçait que tout allait lui être retiré ?

Elle éclata en sanglots. Jeremy, les larmes aux yeux, la prit dans ses bras, murmurant son prénom encore et encore, comme une sorte de mantra contre le malheur.

Michel, qui pourtant avait vu de terribles horreurs durant des siècles, était tout aussi chamboulé. Il sentait les larmes lui monter aux yeux.

— Je ne veux pas te perdre, gémit Allison, je t'aime tant Jeremy ! Comment vais-je supporter qu'il pose ses mains immondes sur moi ? Je vais devenir folle !

— Là, là, chuuuut, personne, à part moi, ne posera ses mains sur toi, mon amour. Chuuuut, calme-toi. Nous allons trouver quelque chose, fais-moi confiance, d'accord ?

L'épreuve était trop dure. Allison se sentait tellement trahie qu'elle n'arrivait pas à retrouver son calme. Et chacun de ses longs sanglots déchirait davantage le cœur de Jeremy. Parce qu'il n'osait pas le lui dire, mais si Flint parvenait à s'emparer d'Allison, lui non plus ne le supporterait pas.

— Comment vais-je pouvoir renoncer à notre amour ? demanda-t-elle pour la millième fois.

— Tu ne renonceras pas à notre amour, mon cœur, ma belle Ange. Tu es ma femme, nous sommes liés !

Michel se détourna, bouleversé.

— Je… je vais vous attendre dans le couloir, d'accord ? Mais il va falloir y aller. (Il surprit le regard soudain rageur de Jeremy.) Pas tout de suite, bien sûr, prenez votre temps.

Il fallut au jeune homme presque une heure pour apaiser Allison. Elle tremblait tellement qu'elle ne tenait pas sur ses jambes.

— Bah, au moins, j'aurai eu ma nuit de noce, finit-elle par sourire tristement avec ironie. Et puis, nous nous reverrons dans cinquante ans, ce n'est pas si long, puisque nous avons l'éternité devant nous !

Mais Jeremy n'allait pas s'avouer vaincu. Pas après avoir trouvé l'amour de sa vie. Les traits durcis par la colère, il se leva. Puis, soulevant dans ses bras Allison, il sortit dans le couloir où l'attendait Michel.

— Le Congrès siège déjà ? lui demanda-t-il.

— Oui, Méphistophélès vient de déposer sa motion afin qu'Allison lui soit remise. Il a précisé que Flint était impatient de revoir sa jolie Ange bleue.

Allison retint un haut-le-cœur, qu'elle dissimula derrière un brave sourire.

— Alors allons-y, fit Jeremy.

Il regarda Allison au fond des yeux et lui dit :

— Surtout ne dis rien. Ne t'implique pas. S'il te dit de venir près de lui, obéis, sois docile. Je vais nous sortir de là, mais à l'unique condition que tu ne fasses ni scène ni crise de nerfs, Allison. Tu en seras capable ?

En dépit de sa peur, Allison n'était pas une mauviette. Le manque de diplomatie de Jeremy réussit à la sortir de son désarroi.

— Scène et crise de nerfs ? Jeremy, pour qui tu me prends ?!

Content de son effet, le jeune homme lui vola un baiser.

— Pour une vaillante amazone. Fais-moi confiance. Nous allons nous en sortir.

Allison hocha la tête. C'était le genre de phrases qui ne faisait de mal à personne lorsque la situation était désespérée. Jeremy ne pouvait rien faire et ils le savaient tous les deux.

Les trois Anges se rendirent à pied au Capitole, très proche du *Mandarin oriental*. Au bout de quelques minutes,

Allison demanda à ce que Jeremy la pose. Elle voulait profiter de ses derniers moments de liberté. Tout au long du chemin, Allison avait l'impression d'être une condamnée à mort. Elle prit le temps de regarder autour d'elle, ne perdant pas une miette de cet univers si lumineux, si coloré, superposé à celui des vivants. Elle savait très bien que la première chose que ferait Flint serait de la pervertir à tel point qu'elle ne puisse plus jamais apprécier les joies simples de la contemplation. Tout cela serait remplacé par l'avidité et la haine. Elle retint ses larmes. Conscient de son trouble, Jeremy lui pressa la main.

Lorsqu'ils pénétrèrent dans la chambre du Sénat, les Anges se turent les uns après les autres. Petit à petit un silence terrible s'abattit sur l'assemblée. L'amour qui unissait les deux jeunes Anges les illuminait au point que plusieurs Bleues éclatèrent en sanglots. Tout le monde sentait ce qui allait se passer. Depuis la veille, l'histoire tragique d'Allison et de Jeremy était sur toutes les lèvres. Ils savaient que Michel avait marié les deux Anges, mais que Méphistophélès allait arracher son amour à Jeremy. Et que Jeremy ne pouvait rien y faire. Une véritable tragédie. Comme si Shakespeare était en train de réinventer *Roméo et Juliette*, sauf que le drame semblait affreusement réel.

Brisant le silence, le rire sinistre de Méphistophélès retentit.

— Voici enfin l'héroïne du jour ! Approche, petite Allison. Mon ami Flint est impatient de te... goûter. Il m'a fait promettre de ne pas te toucher sous cette incarnation. (Il se pencha et lui susurra à l'oreille :) Je crois qu'il a peur que tu ne lui échappes en devenant folle d'horreur !

Allison allait s'avancer, résignée, lorsque Jeremy lui fit signe de s'immobiliser. Jeremy se plaça alors devant Méphistophélès et leva les yeux pour défier le géant.

— Qu'est-ce que vous voulez ?

Méphistophélès haussa un sourcil écarlate.

— Comment cela, « qu'est-ce que je veux » ?

— Oh, ça va ! s'impatienta Jeremy. Arrêtez de nous prendre pour des imbéciles ! Vous avez déjà le couple séparé par le destin, la fille vouée à un sort pire que la mort, il ne vous manque plus que les violons ! Alors, ma question est simple. Je sais que vous n'en avez rien à faire d'Allison. Qu'est-ce que vous voulez ? Pour ne pas l'emmener.

Le second sourcil de Méphistophélès rejoignit le premier, tandis que les Anges dans l'assemblée se penchaient, fascinés, pour mieux entendre.

— Tu es assez agaçant, grogna l'Archange rouge. J'attendais qu'elle te soit arrachée, sanglotante, par mes Anges rouges, pendant que tu lutterais pour la rejoindre, agressant ma garde, distribuant les coups de poing à la ronde avant d'être vaincu par le nombre, pantelant. Avec un peu chance, les Anges bleus auraient pris ton parti et nous aurions eu une bonne bagarre… Et alors, où sont ton incandescente passion ? ta folle indignation ? ta vaillante résolution ? Je suis très déçu !

— Face à vous, je préfère garder la tête froide, répliqua Jeremy. Alors ?

Frustré de ne pas avoir eu droit à sa grande scène mélodramatique, Méphistophélès laissa échapper un sifflement venimeux. Puis il lui fit un grand sourire plein de crocs dégoulinant de bave.

— Ce que je veux, agaçant petit Archange ? Mais que tu meures bien sûr !

20

Le goût de l'amour

Toute l'assemblée se figea, choquée par la déclaration de Méphistophélès.

— Enfin… que tu meures, c'est une expression, bien sûr, poursuivit le monstre. C'est si compliqué de mourir ici. Disons plutôt… que tu disparaisses !

— Vous libérez Allison et, en échange, j'accepte de mourir, de disparaître, c'est cela ?

— Exactement. Je n'ai pas réussi à te faire basculer de mon côté. Mais avec Khan, un Archange de plus dans le camp des Rouges, cela peut faire toute la différence. J'aurais préféré en avoir deux, mais faute de grives, je me contenterai d'un merle, comme on dit sur Terre. Une fois que tu auras été éliminé, nous serons donc cinq Archanges rouges contre quatre bleus. Cela me semble équitable comme marché, non ?

Michel se dressait déjà, protestant, lorsque Méphistophélès leva la main, lui imposant le silence.

— Non ! C'est une histoire entre Jeremy et moi. Personne n'a à intervenir. S'il veut sauver la fille qu'il aime, il doit faire ce choix. Sa vie ou celle d'Allison. Parce que, lorsque je l'aurai en mon pouvoir, je vais transformer ces cinquante ans en cinquante longues années d'enfer. Et lorsqu'elle lui reviendra, elle n'aura qu'un souhait, qu'une envie : disparaître.

Jeremy comprit très bien qu'il était piégé. Donner sa vie pour celle d'Allison. Oui, cela lui semblait raisonnable. Et parce que Allison avait confiance en Jeremy, elle ne broncha pas. Sauf que cette fois-ci, Jeremy n'avait pas de plan. Il avait pensé que Méphisto allait lui proposer de passer du côté obscur, pas de l'éliminer tout simplement. Il s'apprêtait à ouvrir la bouche pour donner son accord quand...

— ÇA SUFFIT !! tonna Michel. Nous ne permettrons pas cela ! Assassiner un Archange, alors qu'il n'en est pas né depuis des millénaires ! Non mais, Méphisto, tu as craqué ou quoi ? C'est hors de question.

Méphistophélès plissa des yeux sournois.

— Assassiner ? Non, non, loin de moi cette pensée ! Il faut que la proie puisse défendre sa vie et sa liberté, enfin ! Vous m'avez mal compris. Moi, ce que je propose, c'est un duel, bien sûr !

— Un duel ? cracha Uriel qui avait pleuré d'émotion sur le bonheur d'Allison. Entre toi et le jeune Archange ? C'est comme opposer un enfant de cinq ans à un bulldozer, soyons un peu sérieux !

— Décidément, fit Méphistophélès d'un air faussement désappointé, je constate que nos chers collègues bleus voient le mal partout. Non, pas contre moi... (Il poussa une silhouette entièrement rouge devant l'assemblée.) Ce sera une lutte à mort entre mon protégé, le magnifique, le puissant Khaaaaaaaan ! Qui représentera notre camp, contre le champion des Bleus, j'ai nommé : Jeeeerrrreeeemyyyy !!

Le monstre avait hurlé les noms comme un présentateur de combat de boxe. Un murmure excité parcourut les rangs des Bleus et des Rouges. Jeremy voyait bien que l'idée leur plaisait. Leur plaisait même beaucoup. Et Khan paraissait soudain sacrément grand avec ses muscles qui ondoyaient comme des câbles d'acier sous sa peau écarlate et ses deux mètres vingt de hauteur.

— En plus, imposa Méphistophélès d'un air dégagé, les Archanges rouges et moi-même aimerions proposer un marché aux Bleus. Si notre champion gagne, nous gouvernerons le monde pour dix ans de plus. Si notre champion perd, nous laissons la place aux Bleus…

— C'est notre tour de toute façon, contra logiquement Michel.

— Oui, mais nous ne vous laisserions pas la place juste pour dix petites années, mais pendant trente ans !

Les Archanges bleus le dévisagèrent, stupéfaits. Puis se mirent à discuter avec les Archanges rouges. Pendant qu'ils débattaient de cette incroyable proposition, Allison se rapprocha de Jeremy et l'entraîna de côté, comme si cela allait empêcher tout le monde de les entendre.

— Tu ne peux pas affronter le tueur, Jeremy ! Il va te découper en morceaux et je vais être obligée de faire comme Isis, cette déesse égyptienne, là, qui a dû chercher dans le monde entier les quatorze morceaux du corps de son mari Osiris cachés par Seth ! Et si on s'enfuyait, hein ? On lui dit que tu ne veux pas être

Archange et on promet de ne pas faire basculer le monde du côté des Bleus. Parce que nous, tout ce qu'on veut c'est être heureux ensemble !

Jeremy la regarda avec amour.

—Je sais, je raconte n'importe quoi, c'est ça ? renifla Allison.

— Un peu.

—Je ne peux pas supporter l'idée de te perdre Jeremy !

Son cri était de pure détresse. Il fit frissonner les Anges qui les entouraient et ne perdaient pas une miette de leur conversation.

—Je me suis entraîné, répondit Jeremy, l'air plus serein qu'il ne l'était en réalité. Je n'ai pas peur de Khan.

— Mais moi j'ai peur pour deux, répliqua Allison. Écoute Jeremy, nous nous aimons. Si me soustraire à Flint signifie te voir mourir, je préfère lui dire tout de suite que je suis à lui.

Jeremy sourit avec tendresse, partageant avec Allison tout l'amour qu'il éprouvait pour elle, puis lui dit doucement :

— Mais Méphistophélès a raison, Allison. C'est entre lui et moi. Si à présent tu t'offrais à lui, nue sur un plateau, il ne t'accorderait même pas un regard. Tout ce qu'il a fait jusqu'alors tendait vers cet unique but. Me faire basculer, même si je ne comprends pas encore pourquoi c'est tellement primordial pour lui. Ou me faire disparaître. Il veut déséquilibrer ce monde, Allison, ce n'est pas juste toi ou moi, nous ne sommes que des grains de sable dans les rouages bien huilés de son plan dément. Mais les grains de sable aussi ont leur libre arbitre. Et je vais faire tout ce qui est en mon pouvoir pour l'empêcher de gagner, tu m'entends, Allison ? (Il la serra contre lui pendant que la jeune fille laissait couler ses larmes, ému de sentir son corps chaud contre le sien. Jamais il ne pourrait se lasser d'elle !) Je vais gagner, pour toi. Pour nous. Pour ce monde. Et pour celui des vivants. Michel a raison lorsqu'il dit qu'il faut rétablir l'équilibre. Et dix ans, ce n'est pas assez. En fait, je pense que même trente ans, ce sera tout juste suffisant !

Et il embrassa ses lèvres tendres et roses, salées par ses larmes, avant de se détacher d'elle et de se tourner vers Méphistophélès.

— Très bien, j'accepte le duel. Michel ?

— Les Archanges bleus acceptent aussi, répondit ce dernier à contrecœur. Le gagnant régentera les deux mondes pendant dix ans si c'est vous qui gagnez et trente ans si c'est nous.

— Quand ? demanda Jeremy à Méphistophélès car il espérait avoir un peu de temps à passer encore avec Allison.

— Je n'ai pas envie que tes petits copains me jouent des tours, grimaça Méphistophélès en lançant un regard noir aux Archanges bleus. Alors, disons : maintenant ! Au National Park.

Jeremy connaissait le célèbre stade de base-ball de Washington. Il comportait plus de quarante mille places, ce qui était largement suffisant pour accueillir tous les Anges « actifs » de la ville.

Aussitôt, dans un immense et bruyant bruissement d'ailes, les Anges fusèrent vers toutes les sorties du Capitole. En quelques minutes à peine, la ville entière fut au courant. Un duel. Et entre deux Archanges qui plus est. Qui pouvait faire basculer le monde angélique vers le Bleu ou vers le Rouge, sans oublier une incroyable histoire d'amour. Tous les ingrédients étaient réunis et l'excitation à son comble, au point même d'attirer les moins actifs des Anges…

Michel porta Jeremy, qui ne voulait pas user ses forces en volant (et surtout n'était pas encore très sûr de ses aptitudes à la navigation céleste), Uriel et Allison à leurs côtés. Dans le stade, ils se posèrent sur l'un des côtés de l'immense pelouse, tandis que Méphistophélès atterrissait avec Khan de l'autre côté. Les gradins du National Park furent remplis en quelques minutes, les Anges se posant un peu partout. Il ne manquait plus que les vendeurs de pop-corn et de hot dogs. Einstein, qui venait d'être prévenu et n'en avait pas cru ses oreilles, se précipitait vers Jeremy et Allison.

— Dès que j'ai su, je suis venu, *ach ach, Junge,* je savais bien que tu étais spécial ! Mais comment as-tu fait pour te mettre dans une telle *Scheiße* ?

— Je ne sais pas très bien, répondit Jeremy avec un pâle sourire. Mais tu avais raison. Frayer avec les vieux Anges n'était pas une si bonne idée…

Alors qu'Allison et Jeremy racontaient leurs mésaventures à un Einstein incrédule, les Archanges firent quelque chose d'incroyable : ils emplirent le stade de Brume. Au point de recouvrir totalement le gazon d'une épaisse couche de vapeurs bleues et rouges très denses, d'une hauteur d'au moins trois mètres. Méticuleux, ils prévoyèrent un escalier de chaque côté de la plateforme pour que les combattants puissent monter.

— Mais que font-ils ? demanda Allison, angoissée au point de s'en tordre les mains. Et d'où vient toute cette Brume ?

Tétishéri, qui était restée près d'eux pendant que les Archanges préparaient le stade pour le duel, leur expliqua :

— Les Archanges n'ont pas besoin d'être au-dessus ou près des vivants pour utiliser leur Brume, ils peuvent l'appeler. C'est ce qu'ils ont fait. Ce que tu vois, c'est la Brume de Washington, enfin une petite partie. Et ils sont en train de préparer le terrain afin que chacun des combattants puisse utiliser la Brume afin de piéger l'autre. Le plus fort, le plus rapide, pourra faire apparaître une herse, une fosse pleine de lames, bref quelque chose qui lui permettra d'immobiliser son adversaire.

— Et de le dévorer ? C'est ça ? demanda Allison tremblante. Méphistophélès veut que Khan mange Jeremy ?

— Je ne vais pas vous mentir. Je sais que vous avez assisté au combat des Chimères et que Caligula en était une. Oui, c'est ce qu'il veut que Khan fasse...

Désespérée, Allison ne savait plus quoi faire. Jeremy l'étreignit une dernière fois, l'embrassa avec passion, lui murmura à l'oreille qu'il n'aimait qu'elle pour l'éternité, puis, fier et courageux, s'avança vers ce qui ressemblait à une arène antique.

Les deux combattants s'étaient dévêtus et ne portaient plus qu'un petit pagne. Ainsi, la moindre blessure se verrait instantanément. Allison, au bord du malaise, frémit en voyant à quel point Jeremy avait l'air petit à côté de l'imposant Khan.

Dans les gradins, les Bleus paraissaient aussi excités que les Rouges. Les Anges de chaque camp hurlaient des encouragements à l'intention de leur challenger. Jeremy posa un pied prudent sur la Brume de l'arène. Mais les Archanges avaient bien fait leur travail : la surface était solide, elle ne le ferait ni trébucher ni tomber.

Khan mit à son tour le pied de l'autre côté du stade. Lui aussi testa la Brume, puis sourit. Aucun des deux combattants n'avait d'arme. Ils allaient devoir vite les créer en utilisant leurs pouvoirs d'Archanges. Mais avant que Jeremy ait eu le temps de réagir, Khan s'était déjà envolé et lui fonçait dessus tel un faucon rouge. Jeremy attendit que le tueur soit quasiment sur lui pour rouler sur le côté et Khan percuta le sol de Brume avec violence, au point d'y creuser un trou. Jeremy recula, sur la défensive. Khan eut un rire sinistre. Et le jeune homme frémit lorsqu'il vit les crocs acérés que l'Archange rouge avait réussi à se créer. Il bondit de nouveau, cherchant le corps à corps, mais Jeremy n'avait pas l'intention de le laisser le toucher. Il se doutait bien que son adversaire était un as des arts martiaux et ce n'était pas ses trois mois d'entraînement avec Connor qui allaient lui sauver la peau. Utilisant ses dons d'Archange lui aussi, il l'évita avec une rapidité déconcertante. Agacé, le tueur grimaça, puis attrapa une grosse poignée de Brume et la modela. Trois couteaux acérés naquirent entre ses mains. Aussi vite, Jeremy attrapa à son tour de la Brume et se créa un bouclier. *Tchak ! tchak !* Deux des couteaux faillirent traverser sa protection, s'arrêtant à un millimètre de son nez. Le jeune Archange poussa un hurlement de douleur lorsque le troisième lui entailla le flanc.

— Premier sang, Khan ! rugit Méphistophélès, porté par la foule des Rouges en délire.

Furieux de s'être fait avoir, Jeremy passa soudain à l'attaque, en dépit de sa blessure. Transformant son bouclier en filet, il le jeta sur son adversaire qui, surpris à son tour, ne l'évita qu'à moitié. Jeremy fonça sur Khan et lui rendit coup pour coup en lui plantant son propre couteau dans le flanc. Le tueur réussit toutefois à éviter de se faire transpercer la poitrine et bondit en arrière.

— Second sang, Jeremy ! rugit Michel, à son tour acclamé par les Bleus.

Jeremy ne se laissa pas déconcentrer par les applaudissements, alors que son ennemi relevait ses babines sur ses crocs effilés en une grimace ignoble. Il amassa de la brume et se rua à nouveau sur Khan, il ne fallait pas qu'il lui laisse le temps de se concentrer pour créer de nouvelles armes. Mais alors qu'il sautait sur son adversaire, Jeremy songea à ce que lui avait dit Tétishéri. Que les Archanges n'avaient pas besoin de toucher la Brume pour l'utiliser. Alors s'il se concentrait...

Répondant aussitôt à son esprit, un mur s'éleva derrière Khan. Lorsque ce dernier voulut sauter afin d'éviter l'attaque de Jeremy, un sabre déjà à moitié formé entre les mains, il heurta l'obstacle avec violence. Jeremy en profita et lui rentra dedans, le bourrant de coups afin de l'étourdir.

Très vite, le jeune homme se rendit compte qu'il venait de faire une grosse erreur. Khan était bien plus fort que lui physiquement, avec ses plus de deux mètres vingt, et chacun des coups qu'il recevait ébranlait Jeremy... Le jeune Archange n'avait pas le choix, il rompit le combat en bondissant en arrière dans un saut incroyable.

Les combattants s'étaient bien amochés. Les Archanges ne comptaient désormais plus les points parce que les deux étaient maculés de sang. Furieux, Khan semblait pourtant plein d'énergie, même s'il venait de cracher l'un de ses crocs aux pieds de Jeremy. Celui-ci lui dissimula ce qu'il avait au creux de ses mains, lui lança un sourire provocateur et lui fit signe d'avancer. Khan leva le sabre grossier qu'il avait façonné et s'apprêtait à l'abattre sur Jeremy lorsque le jeune homme brandit soudain une fronde. Et sa pierre de Brume frappa Khan en plein entre les deux yeux. Sonné, le colosse vacilla quelques secondes, puis porta une main incrédule à son front qui saignait abondamment. Jeremy se félicita, quoiqu'un peu déçu du résultat : il avait espéré assommer Khan pour de bon.

— Et alors, mon gros, tu n'as jamais entendu parler de David contre Goliath ? Devine qui a gagné ?

Avec un rugissement, Khan lui fonça dessus à nouveau, mais là où le tueur n'était que force brute et haineuse, Jeremy était grâce et agilité. Son entraînement au judo semblait payer. Il esquivait, bondissait, tenait son adversaire à distance. Enfin… il faisait de son mieux, car le sabre, agile et mortel, avait réussi à le toucher à plusieurs endroits et les blessures lui causaient un mal de chien.

Soudain Khan s'immobilisa et tendit la main vers Jeremy. À l'immense surprise du jeune homme, le sol se mit alors à bouger sous ses pieds. Puis, à une vitesse vertigineuse, des pieux de brume acérés jaillirent du sol. Il ne dut son salut qu'à une roulade désespérée, mais l'un des pieux avait entaillé sa cuisse. Hystérique, la foule se mit à rugir de plus belle. Jeremy boitait et perdait beaucoup de sang. Khan ricana. Et recommença. Exténué et livide, Jeremy sautait dans tous les sens afin d'éviter les pieux qui jaillissaient de partout, le frappant cruellement. Puisant dans ses forces déclinantes, il se tourna soudain vers Khan et tendit à son tour la main vers lui. Le sol de Brume disparut sous les pieds du géant. Jeremy venait de créer un trou si profond que Khan avait entièrement disparu dedans. Avec un claquement sec, une herse se referma sur la fosse. Épuisé, ensanglanté, Jeremy se rapprocha. Il avait réussi à emprisonner son ennemi. OK. Et il faisait quoi maintenant ?

Il n'eut pas le loisir de se poser plus longtemps la question car, avec un rugissement inouï, Khan brisa la herse de Brume et bondit hors du trou. Jeremy put juste s'apercevoir avec plaisir que l'une des jambes du tueur était bien amochée car Khan l'avait déjà attrapé et commençait à l'étrangler. Les Anges n'ayant pas besoin de respirer, Jeremy comprit aussitôt que la raison avait déserté le cerveau de son adversaire pour ne laisser place qu'à l'instinct le plus brutal. Sur Terre, bien évidemment, Khan aurait réglé la question. Le jeune homme se débattit. C'est alors que le tueur sortit ses crocs et le mordit au cou.

Jeremy ne put retenir un hurlement de douleur.

Presque tout de suite, il sentit ses forces l'abandonner. Il eut l'impression qu'en le mordant, Khan lui avait injecté un venin qui l'affaiblissait. Par-dessus les battements affolés de son cœur et les horribles bruits de succion et de déglutition, il entendit soudain la voix d'Allison. Comme si elle était dans sa tête.

— Ce n'est pas que physique, Jeremy, ce n'est pas que physique !

En un éclair, il comprit. Malgré les horribles apparences et la souffrance, son corps n'était qu'un corps de Brume. Pas son *vrai* corps, celui qu'il avait dû abandonner en mourant. Ce nouveau corps avait été créé par son âme et, comme les Anges avec leurs ailes, il pouvait en faire ce qu'il voulait...

Il ferma les yeux et se concentra alors pour se transformer...

... en eau.

Échappant subitement à l'emprise d'un Khan couvert de sang et incrédule, Jeremy coula dans le trou qu'il avait créé. Le tueur hurla de rage et bondit à sa suite dans la fosse. Puis, obsédé par l'idée de dévorer Jeremy, il se mit à le boire avec avidité.

Le jeune homme fit alors ce qu'il avait prévu lorsqu'il s'était changé en eau : il se transforma en acide. Y compris dans l'estomac de Khan. Un acide si corrosif, si violent que le tueur commença aussitôt à fondre, en poussant des cris ignobles, incapable de s'enfuir, incapable d'agir.

Un silence de mort s'abattit sur l'assemblée.

Jeremy avait retenu la leçon : le seul moyen de tuer un Ange était de le faire disparaître totalement. Et il avait aussi compris, contrairement à Khan qui s'était fait pousser des crocs, qu'il ne devait surtout pas manger son adversaire. Il ne voulait pas devenir une Chimère. Or Méphistophélès espérait sous doute que Jeremy dévore Khan et se transforme en Archange rouge...

En quelques secondes, ce fut terminé. Il ne restait absolument plus rien de Khan. À bout de forces, Jeremy recréa son corps et, péniblement, sortit du trou.

Et soudain, le stade explosa. Les acclamations portèrent Jeremy comme une vague. Les Anges étaient tous debout, jeunes et vieux, Bleus comme Rouges, applaudissant à tout rompre. Jeremy les salua, exténué. Il était bien content de leur avoir offert un beau spectacle, mais là, tout ce qu'il voulait, c'était Allison et un lit. Et, pour une fois, pas forcément dans cet ordre.

Puis une onde bleue l'enveloppa. Elle régénéra ses forces et guérit ses blessures. Il leva la tête vers les Archanges bleus, reconnaissant. Dans les gradins, il vit Allison le rejoindre en trombe jusque dans l'arène et se précipiter dans ses bras. Elle riait et pleurait en même temps, submergée par l'émotion.

— Mon Dieu, mon Dieu, comme j'ai eu peur !

— Appelle-moi plutôt Jeremy, plaisanta le jeune homme. Dieu, ça fait un peu trop guindé.

— Idiot !

— Faudrait savoir ! Dieu ou Idiot ?

Hilare, elle l'embrassa et plus rien n'eut d'importance.

Pour quelques secondes seulement, car Méphistophélès apparut devant eux dans une colère indescriptible. Jeremy allait lancer une nouvelle plaisanterie à Allison mais la blague resta coincée dans sa gorge.

— Pourquoi ne l'as-tu pas dévoré ? gronda le monstre. Cela t'aurait apporté un immense pouvoir !

— Parce que c'est ce que vous vouliez, Méphisto ! Vous saviez que Khan n'était pas aussi fort que moi, qu'il maîtrisait moins bien la Brume et son propre corps. Vous *vouliez* que je le mange. Ce qu'aurait fait n'importe quel autre Ange, d'ailleurs. Je suppose qu'après avoir avalé la moitié de Khan je serais devenu Rouge. Et qu'en découvrant ma couleur, je l'aurais donc épargné... Ce qui, au final, vous aurait permis d'obtenir vos deux Archanges, même si l'un d'eux était très diminué...

Méphistophélès grimaça, hors de lui.

— Te corrompre n'est pas si facile, petit Archange.

Il se pencha et souffla son haleine ardente au visage de Jeremy.

— Mais nous n'en avons pas encore terminé tous les deux, Jeremy Galveaux. Nous nous retrouverons ! Bientôt, c'est une promesse !

Et avant que Jeremy ou les Archanges bleus aient le temps de réagir, il s'était déjà envolé.

Discutant avec animation, les Anges quittèrent petit à petit le stade. Les Archanges dissipèrent la Brume de l'arène et décidèrent de retourner au *Mandarin oriental* afin de fêter la victoire de Jeremy. Car le jeune homme n'avait pas uniquement gagné le combat contre Khan et Méphistophélès. Il avait aussi gagné trente ans de répit pour les vivants, trente années durant lesquelles les Bleus allaient s'employer à réparer le mal causé par les Rouges. Et cela, aux yeux du jeune Archange, était sa plus belle victoire. Mieux encore : en éliminant l'Archange rouge, Jeremy ne se doutait pas qu'il venait de bouleverser l'équilibre du monde angélique. Pour la toute première fois depuis des siècles, il y aurait désormais cinq Archanges bleus pour quatre Archanges rouges. Le Bien l'emportait.

Les Archanges bleus étaient euphoriques et il régna dans Washington un incroyable sentiment de joie et d'accomplissement, que ressentirent aussi les vivants. En quelques jours, ils débloquèrent la situation au Congrès et permirent au Président de travailler avec plus de sérénité. Il allait falloir du temps mais, petit à petit, le monde des vivants se porterait mieux.

Dans les semaines qui suivirent, plusieurs anciennes dictatures s'effondrèrent un peu partout dans le monde, un vent de révolution s'était levé, les peuples se battaient pour leurs droits et leur liberté. À l'évidence, les Archanges bleus s'étaient retroussé les manches et sérieusement mis au travail...

Quant à Jeremy, il était encore très fatigué en dépit des ondes curatives des Bleus. Il passa les jours qui suivirent son combat dans un lit avec Allison. Elle trouva qu'il n'était pas si fatigué que cela... Mais comme Jeremy était désormais devenu une légende vivante (enfin... morte), ils n'arrêtaient pas d'être dérangés par des Anges admiratifs, bleus ou rouges, venus les féliciter. Ils décidèrent alors de prendre un peu de recul. Avant cela, Jeremy avait deux, trois choses importantes à régler. Tout d'abord, il se rendit chez sa mère. Depuis que Ventousi avait avoué ses crimes, Claire avait compris que son mari n'était en rien responsable du meurtre de son fils. Jeremy renforça alors ses sentiments pour Franck Tachini (bon, d'accord, ce ne fut pas de gaieté de cœur, mais sa mère méritait d'être heureuse). Il fit également mener une petite enquête par Tétishéri, trop heureuse de lui rendre ce service. Il s'avéra que le fameux Ange rouge qui avait terrorisé sa petite sœur avait bien été tué, mais par les gardes du corps de Tachini, alors qu'il tentait d'assassiner ce dernier. Claire n'en avait évidemment rien su et, en apprenant cette nouvelle, Jeremy espéra du fond du cœur que toute sa famille fût désormais en sécurité, depuis que son beau-père avait liquidé ses affaires les plus brûlantes.

Il poussa Clark à confier Frankenstein à Angela. Le petit chien serait bien plus heureux dans la vaste propriété que dans l'appartement du mannequin. L'enfant tomba immédiatement en adoration, et du chien et de Clark. Son petit visage chiffonné par le chagrin retrouva alors le sourire. Angela n'oublierait jamais Jeremy, mais elle avait trouvé une sorte de remplaçant en la personne de Clark qui, lui aussi, put panser sa blessure causée par la perte d'Allison en devenant comme son grand frère, avec la bénédiction de Claire (bon, un peu poussée par Jeremy elle aussi).

Dans sa cellule, Ventousi découvrit bientôt qu'il avait révélé sa formule pour rien, car son fils était finalement en parfaite santé. Ses hurlements de rage firent beaucoup de bien à Allison. Elle n'en voulait plus à son meurtrier parce que, grâce à lui, elle vivait un bonheur parfait. Mais cela ne l'empêchait pas de se réjouir de le voir si bien puni...

Une dernière chose intriguait pourtant Jeremy... Alors qu'ils se reposaient après une longue journée passée à rendre la vie des vivants plus harmonieuse, et alors qu'il déposait un énième baiser dans le cou d'Allison, Jeremy se souvint tout à coup d'une question qu'il avait voulu lui poser.

— Dans l'arène, lorsque j'étais en train de mourir, je t'ai entendue. Dans mon esprit. Tu m'as sauvé. Comment as-tu fait et, surtout, comment as-tu su ce qu'il fallait me dire ? (Il la taquina.) Serais-tu une Archange cachée ?

Allison leva les yeux au ciel.

— Hou, là, là, merci bien ! Pour rien au monde je ne voudrais être une Archange ! Non, ce n'était pas moi. C'était Lili.

Jeremy se redressa, alerté.

— Lili ?

Allison sourit.

— Oui. Tu te rappelles lorsque je t'ai dit que je n'étais pas prête à te pardonner d'avoir couché avec elle ?

Jeremy déglutit. Il sentait qu'il n'avait pas fini d'entendre parler de cette histoire.

— Eh bien, en fait, je te pardonne. Non, mieux, je te félicite. Parce que tu as fait un tel effet à notre femme fatale que, en te voyant mourir, elle est venue me voir, affolée. Elle m'a dit que deux Anges qui s'aimaient d'amour véritable étaient « connectés ». Qu'il fallait que je te prévienne que ton combat n'était pas physique. Que tu devais vaincre Khan psychiquement. Je lui ai obéi. Et ça a marché ! Tu lui dois la vie...

Jeremy souffla sur ses doigts, puis les frotta sur sa poitrine, d'un air très satisfait.

— Qu'est-ce que tu veux, ma chérie, je suis une bête de sexe !

Allison grogna.

— Pour cette fois, disons que tu as eu raison. Mais je te préviens, petit Bleu : recommence un coup comme ça et je t'écorche vif, Ange supérieur ou pas, c'est compris ?!

Jeremy la fit basculer et planta son regard dans les magnifiques yeux bleus, si amoureux, d'Allison.

— Il n'y a que toi, Allison. Maintenant et à jamais. Je t'aime.

Quelques jours plus tard, constatant qu'Allison et Jeremy s'épuisaient toujours à travailler au bonheur de l'humanité, Michel décréta qu'ils devaient prendre des vacances. L'ordre ne souffrait aucune discussion. Si les deux jeunes Anges trouvèrent bizarre l'idée de « vacances » dans l'au-delà, ils apprécièrent néanmoins beaucoup le concept. Ils se trouvèrent donc un ravissant hôtel à moitié vide au bord de l'océan. L'endroit était parfait : ils pouvaient profiter à la fois des chambres disponibles et des vacanciers leur dispensant une Brume sereine. Les amoureux faisaient de longues balades dans la campagne alentour, se découvrant incapables de rester loin de l'autre plus de quelques minutes. Leur fusion était si évidente et si belle qu'elle les émerveillait chaque jour davantage.

Un matin, Einstein vint les surprendre. Plus bougon que jamais, ce dernier finit par leur avouer qu'ils lui manquaient. Allison et Jeremy l'inclurent de bonne grâce dans leur paisible bonheur.

Un jour qu'ils flânaient dans une prairie odorante et qu'Albert s'extasiait devant la beauté des fleurs et leur racontait qu'il avait prouvé l'existence des molécules et du mouvement brownien en regardant du pollen flotter à la surface de l'eau, et alors qu'Allison venait d'éclater de rire parce que l'enfant physicien n'avait pas vu une motte de terre et s'était affalé, dans ce moment de bonheur parfait, Jeremy regarda en l'air.

Ce qu'il découvrit lui mit le cerveau à l'envers et son cœur se mit à battre à toute vitesse.

Transperçant les nuages, un immense visage rouge, androgyne et d'une extrême beauté observait le jeune homme comme un insecte juste bon à écraser.

Un temps masqué par les rayons du soleil, un visage bleu tout aussi immense et sublime apparut, le contempla avec bienveillance…

Et lui fit un clin d'œil.

Note de l'auteur

Au mois de mai 2002, mon merveilleux mari, sachant que j'adore les peintures des primitifs flamands, nous emmène, les enfants et moi, à l'exposition Bruges 2002, « Jan Van Eyck, les primitifs flamands et le Sud ».

Ravie, je me balade parmi une centaine de tableaux, tous plus magnifiques les uns que les autres. Le but de l'exposition était de montrer les peintures des plus grands et celles qu'elles influencèrent, tantôt en France et en Italie, tantôt en Espagne et au Portugal.

Soudain, après avoir dévoré des yeux les Van der Weyden, Memling, Fra Angelico et autres, je tombe en arrêt devant un tableau inouï, prêté à l'exposition par le musée d'Anvers : *Vierge à l'Enfant entourée d'anges*, peint par Jean Fouquet, l'un des grands maîtres français de cette période. Une madone à l'Enfant, dont le sein d'une blancheur irréelle tranche sur la robe d'un bleu profond. Elle est accompagnée par des angelots bleus et rouges qui ont l'air d'être en plastique ! Au XVe siècle ! Je suis complètement fascinée.

Soudain, comme un éclair, me frappe l'évidence. Les deux couleurs de l'âme des anges sont le rouge et le bleu. Le rouge pour les sentiments négatifs, violents, comme la peur ou la haine, le bleu pour les sentiments positifs, comme la joie ou l'amour.

Toujours devant le tableau (j'y suis restée pendant plus d'une heure au grand désespoir de mon mari et des enfants), je me suis alors demandé : que font les anges de ces sentiments ? La réponse était évidente. Ils s'en nourrissent, bien sûr !

Comme souvent, l'idée de ce livre est donc née d'un choc visuel qui s'est propagé jusqu'à mon cortex et a accouché d'un étrange univers peuplé d'anges…

Remerciements

À mes amours pour toujours, mon tendre mari, Philippe, et mes deux super filles, Diane et Marine, qui ont lu la *Couleur* en me tapant dessus parce que je n'avançais pas assez vite dans ce récit si étrange ; avec une mention particulière pour le commentaire de Philippe : « Mon Dieu, mais tu as écrit des scènes de sexe ! » qui m'a juste fait mourir de rire. J'adore !

À ma mère, France, qui lutte vaillamment, à ma petite sœur, Cécile, qui lutte tout aussi vaillamment et est d'un courage absolu, à son mari Didier, Paul et Anna, à la famille Audouin, Papy Gérard, Jean-Luc, Corinne, Lou, Thierry, Marylène, Léo.

À Thomas et Anne-Marie, Jacques et Martine, toujours les meilleurs et les plus fidèles des amis. Pardon de vous voir si peu, je ne suis pas sérieuse, promis en… euh, 2015, ça devrait être plus calme.

À Christophe qui, plus qu'un partenaire pour la production et la création des albums disques de *Clara*

Chocolat (qu'est-ce que je m'éclate à écrire des chansons !), est devenu un ami lui aussi.

À Essaï qui m'a confié quelques-unes de ses réflexions de « garçon » afin de rendre Jeremy plus crédible, merci, tu es un formidable chanteur, auteur, compositeur, acteur, danseur, etc. et il paraît que tu sais même faire le café !

À mes deux merveilleux éditeurs, Leonello Brandolini qui, pendant quatre ans, n'a jamais renoncé à me convaincre d'écrire un jour ce livre, et à Glenn Tavennec dont l'impeccable perfectionnisme et le talent sont un bonheur de tous les instants.

À toute l'équipe de Robert Laffont, qui a bossé sans relâche jusqu'à la dernière seconde pour faire de ce livre quelque chose d'étonnant et un magnifique objet, je ne dirai qu'une seule chose : Bravo pour le nez !

À Laurent Bonelli, un ange qui nous a quittés trop tôt, ce livre est aussi pour toi.

À mes taraddicts bien sûr, surtout Noémie qui, elle aussi, a insisté année après année pour que j'écrive ce livre, ainsi que Guillaume et Nina. Vous êtes juste extraordinaires.

J'ai une chance inouïe de tous vous avoir comme amis, mari, enfants, lecteurs, lectrices : il paraît que ce monde s'étiole parce que nous ne donnons pas assez d'amour les uns aux autres... Vous êtes la vivante preuve du contraire. Je vous aime.

Table

À PARAÎTRE

La Fille de braises et de ronces
de Rae Carson
(février 2012)

Starters
de Lissa Price
(mars 2012)

Parallon
de Dee Shulman
(avril 2012)

Night School
de C.J. Daugherty
(mai 2012)

La Sélection
de Kiera Cass
(juin 2012)

Kaleb Hellgusson
de Myra Eljundir
(juin 2012)

Retrouvez tout l'univers de
La Couleur de l'âme des Anges
sur le site :
www.lacouleurdelamedesanges.com

Et sur Facebook :
www.facebook.com/lacouleurdelamedesanges

Composé par Nord Compo Multimédia
7, rue de Fives, 59650 Villeneuve d'Ascq

Impression réalisée par

La Flèche
en novembre 2011

Dépôt légal : janvier 2012
N° d'édition : 51983/01 – N° d'impression : 66343
Imprimé en France